D1589770

L'enfant de la chance

LINDA CASTLE

L'enfant de la chance

HARLEQUIN

LES HISTORIQUES

Cet ouvrage a été publié en langue anglaise
sous le titre :
ABBIE'S CHILD

Traduction française de
ENID BURNS

Ce roman a déjà été publié dans la même collection
en décembre 1997.

HARLEQUIN ®
est une marque déposée du Groupe Harlequin
et Les Historiques ® est une marque déposée d'Harlequin S.A.

Toute représentation ou reproduction, par quelque procédé que ce soit, constitue-
rait une contrefaçon sanctionnée par les articles 425 et suivants du Code pénal.
© 1996, Linda L. Crockett.
© 1997, 2002, Traduction française : Harlequin S.A.
83-85, boulevard Vincent-Auriol, 75013 Paris — Tél. : 01 42 16 63 63
Service Lectrices — Tél : 01 45 82 47 47
ISBN 2-280-12750-4 — ISSN 1159-5981

À cette époque...

Le village de Guston, une cité minière du Colorado, sert de cadre au roman de Linda Castle situé en 1882. La population des Etats-Unis comptait à cette époque 40 millions d'habitants et l'on assistait à une rapide progression des pionniers d'ouest en est, facilitée par le développement précoce des voies ferrées à l'est du Mississippi. Des villes-champignons naissaient à proximité des grands lacs ou le long du Mississippi et de ses affluents. La mise en valeur agricole de l'ouest - commencée dans les plaines de l'Ohio dès le début du 19e siècle - gagnait à présent les régions situées au-delà du fleuve. L'exploitation des ressources minérales, jusque-là restée rudimentaire, s'accentuait. La découverte de gisements d'or en Californie provoquait une ruée spectaculaire vers cette région, alors que les premiers puits de pétrole avaient été forés dès 1859 en Pennsylvannie. Quant aux industries, elles prospéraient surtout en Nouvelle-Angleterre, autour de Boston.

Prologue

Dans les montagnes de San Juan,
Colorado, 1882

Des deux mains, Abigail se cramponna aux herbes de la falaise surplombant le chemin.

Les douleurs de plus en plus intenses qui déchiraient, comme autant de coups de poignard, son ventre gonflé, avaient commencé juste après que la dernière pelletée de terre eut été jetée sur la tombe du pauvre Carl.

La jeune femme aspira à longs traits l'air froid chargé de senteurs balsamiques, puis ferma les yeux. Elle avait trop mal ; mais dès qu'elle eut l'espoir d'une rémission temporaire, comme celles dont elle avait déjà bénéficié dix ou douze fois, elle resserra les pans de son grand châle élimé et s'écarta de la paroi abrupte. Frissonnant de froid, elle frotta ses paumes sur ses bras nus, mais ce geste instinctif ne lui procura aucun bien-être.

Derrière les pics enneigés, le ciel prenait d'étranges couleurs violacées et oranges. Bientôt, la nuit monterait du fond de la vallée...

Considérant l'étroit chemin encombré des cailloux tombés de la montagne, Abigail se demanda tout à coup si elle n'avait pas commis une erreur fatale lorsqu'elle avait décidé de gagner le petit bourg minier de Guston, si éloigné de la concession de Carl. Celui-ci s'était félicité de leur isolement, disant et répétant que l'avantage ne serait pas mince si, par hasard, il découvrait le filon du siècle. Lorsqu'elle l'avait supplié de l'emmener à Silverton avant le terme de sa grossesse, son mari était parti d'un grand rire en l'assurant qu'il était capable de mettre seul son enfant au monde.

Mais maintenant, elle était seule, elle risquait d'accoucher dans la montagne, et Carl ne verrait jamais son enfant.

Sous l'emprise de la terreur, la jeune femme se mit à courir, zigzaguant entre les cailloux et les crevasses, fuyant l'obscurité, qui, dans peu de temps, rendrait plus dangereux encore le chemin malaisé. Elle courait pour sauver sa vie et celle du bébé qui demandait à venir au monde.

Les chagrins de son enfance et de vieux souvenirs enfouis depuis longtemps au tréfonds de sa mémoire revinrent la hanter pour accroître son tourment. Elle craignit de connaître le même destin que sa mère, morte en lui donnant le jour, et sa pauvre âme tourmentée exhala cette supplique : « Je vous en prie, Seigneur, ne me faites pas mourir comme maman ! »

Aux prémices d'une nouvelle et terrible contraction, elle sentit son visage se couvrir de sueur. D'un seul coup, elle avait trop chaud. Alors, elle s'arrêta encore, et, pour trouver un peu de fraîcheur, posa son front contre la montagne. La douleur augmentant, elle crispa ses mains sur les rochers coupants comme des rasoirs. Elle pleura et gémit :

— Seigneur, je vous en supplie, pas ici ! Mon bébé ne survivra pas si vous le faites naître dans la montagne.

Malgré son désarroi, pourtant, elle perçut ce que ses

10

paroles traduisaient de lâcheté, et peut-être de complaisance envers son malheur. Alors, elle se révolta contre elle-même, et passant aussitôt du fatalisme à la détermination, lança au ciel :

— Mon bébé vivra ! Nous vivrons ensemble !

Une fois encore, elle se força à reprendre sa difficile progression en direction du bourg de Guston ; c'était un voyage qu'elle avait fait autrefois avec Carl, elle connaissait le chemin, et avait l'impression de toucher au but à présent.

Ses contractions s'intensifièrent au moment où elle atteignait le sommet d'une colline plantée de sapins, où la neige dessinait encore de larges plaques blanches piquetées d'aiguilles. Dans la vallée assombrie se dessinait distinctement le clocher pointu d'une église qui paraissait toute neuve. Abigail, alors, se remémora l'histoire entendue plusieurs mois auparavant...

Arrivé tout droit d'Angleterre, le révérend Davis s'était juré d'apporter le salut à la Babylone minière du Colorado. Jamais il n'avait voulu abandonner sa mission, et quand les résidents de Montagne Rouge s'étaient unis à ceux d'Ironton pour le chasser, il leur avait tenu tête.

Sur le moment, Abigail avait cru à une fable, un conte pour grandes personnes ; mais maintenant, la vue du clocher qui s'élevait insolemment au centre de la vallée lui semblait apporter un solide témoignage en faveur de ce pasteur opiniâtre. Elle se remit en marche, espérant qu'elle aurait assez de forces pour arriver jusqu'à la petite église, sa terre promise.

Pour ne pas hurler, elle serra les lèvres : la douleur passait les bornes de ce qu'un être humain est capable de supporter. Elle fit quelques pas. Puis elle s'arrêta, et ses yeux s'écarquillèrent de surprise lorsqu'elle sentit les eaux qui s'écoulaient entre ses jambes, comme un fleuve tiède. Titubant, les mains en avant, elle courut jusqu'à la porte de l'église, sans cesser de murmurer sa prière obstinée :

— Je veux vivre pour protéger mon bébé. Je vous en prie, Seigneur, faites que mon bébé ne soit pas orphelin !

Une atroce contraction la fit s'écrouler sur les marches de bois, mais elle ne voulut pas s'arrêter. Sur les genoux, elle alla jusqu'à la porte, et frappa, frappa à s'en écorcher les phalanges.

Dieu merci, la porte s'ouvrit sans trop tarder.

Abigail, d'abord, ne vit que les yeux de son sauveur, deux grands yeux bleu clair surmontés de sourcils broussailleux, et plus blancs que les neiges des sommets. Puis elle nota la peau tannée et burinée, qui indiquait que cet homme avait presque toujours vécu dehors, et non dans la tiédeur paisible des maisons dédiées au Seigneur ; en fait, il ne ressemblait pas du tout à l'idée qu'Abigail se faisait d'un pasteur anglais.

— Révérend Davis ? demanda-t-elle quand la douleur, un peu moins vive, lui permit de prononcer quelques mots.

Elle s'étonnait, car il lui semblait avoir entendu parler d'un pasteur beaucoup plus jeune. Avait-elle affaire à quelqu'un d'autre, un imposteur, peut-être ? Mais au moment où elle s'apprêtait à formuler son interrogation, tous les muscles de son corps se contractèrent, l'empêchant de parler.

Muette, figée dans sa carapace de souffrance, elle vit se pencher vers elle le visage dont les rides se creusaient sous l'effet de la perplexité. Puis elle se tordit et se cambra pour essayer de trouver une position moins cruelle pour son pauvre corps, et c'est alors seulement que le regard du vieil homme se posa sur son ventre.

Des mains rugueuses de mineur attrapèrent Abigail

12

sous les bras pour la remettre debout et l'entraîner à l'intérieur de l'édifice ombreux, dont la porte mue par un énergique coup de pied se referma derrière eux dans un claquement sonore.

Etendue sur un banc, juste sous une lampe à pétrole dispensant une chiche lumière jaune, la jeune femme sentit ses jupons humides soulevés et rabattus sur sa poitrine. La gêne la fit tressaillir, mais une nouvelle contraction dissipa ses scrupules.

— Aidez mon bébé, eut-elle encore la force de dire.

Elle claqua des dents, et désormais ses mâchoires crispées lui interdirent de prononcer le moindre mot.

Penché sur elle, le vieil homme était l'image vivante de la compassion et de l'embarras. Puis il recula et d'un geste sec, lui arracha ses dessous de coton, juste au moment où son corps lui semblait se déchirer en deux. Une masse chaude et gluante coula entre ses cuisses, et d'instinct, elle poussa, longtemps, avant de retomber en arrière, épuisée.

Quand elle eut la force de se relever à demi sur les coudes, elle vit que l'homme disparaissait dans la pénombre de l'église, en emportant un paquet qu'il serrait contre lui. Elle soupira, s'allongea de nouveau, et se laissa envahir par la joie primitive d'avoir donné la vie.

Puis elle s'évanouit.

Lars ne parvenait pas à détacher son regard de la petite fille inanimée qui reposait dans les replis de sa veste. Par quel détour étrange de la volonté de Dieu deux femmes enceintes avaient-elles échoué dans l'église inachevée, par ce froid matin de printemps ? La coïncidence, songea-t-il, était vraiment troublante...

Il déchira sa meilleure chemise et enveloppa dedans le

bébé mort-né ; quelle explication donnerait-il à la femme évanouie, qui l'attendait là-bas ? Il avait déjà bien du mal à parler du temps ou de l'inflation du prix des marchandises au bazar local ! Jamais lui, modeste ouvrier suédois, ne trouverait les mots pour dire à une femme que la petite fille à qui elle avait cru donner le jour n'ouvrirait jamais les yeux sur la vie. Il se maudit de n'avoir pas en soi les ressources pour trouver les paroles justes. Il se maudit plus encore de n'avoir pas la foi assez forte pour provoquer des miracles.

C'est alors qu'un vagissement retentit sous les voûtes de bois.

Lars se déplaça de quelques pas pour se pencher au-dessus de la caisse dans laquelle il avait placé l'autre bébé, celui-là plein de santé, qui déjà réclamait à grands cris le lait dont il avait besoin. Mais le pauvre petit avait à peine fait irruption dans le monde qu'il était déjà orphelin.

Un bébé sans mère, et là-bas, une mère sans bébé.

Lars jeta un regard attristé sur le cadavre de la femme, qui reposait sur le banc où elle avait rendu le dernier souffle.

Voulant déposer une couverture sur le visage encore déformé par tant de souffrances, il aperçut à la naissance du cou une chaînette qui brillait à la lueur de la lampe à pétrole. Il tira dessus, et fit apparaître un étrange médaillon en or, qui représentait un dragon.

Dans le fond de l'église, l'autre femme appela pour avoir son bébé.

Lars soupira. La défunte n'ayant pas eu le temps de lui dire qui elle était, d'où elle venait, il n'avait aucune chance de trouver une famille pour le petit orphelin.

La femme appela encore. Le bébé cria plus fort.

Frissonnant d'angoisse, Lars tomba à genoux près du

14

cadavre, sur lequel il récita hâtivement une prière. Puis, mû par une inspiration subite, il s'empara du médaillon chinois qu'il glissa dans sa poche.

Décidé, il se releva pour prendre dans ses bras le bébé qui hurlait.

Il se préparait peut-être à commettre un acte indigne, mais quelle autre chance pouvait avoir un bébé orphelin dans un pays habité de gens uniquement préoccupés à gratter la terre pour y dénicher l'or et l'argent?

Abigail exhala un soupir de soulagement lorsqu'elle vit revenir à elle le vieil homme portant son bébé.

— Comment va-t-il? s'enquit-elle.

Sans un mot, le visage dans l'ombre, Lars lui tendit le précieux fardeau. Elle s'en empara avec avidité, et ouvrit le châle.

— C'est un garçon! s'écria-t-elle, émerveillée. Un beau garçon!

Les larmes mouillèrent ses yeux; larmes de joie, mais aussi de tristesse, car son mari ne saurait jamais combien leur fils était vigoureux.

— Matthew! décida-t-elle. Je l'appellerai Matthew.

D'un index délicat, elle caressa la petite joue si douce, puis effleura le fin duvet brun qui ornait le front de son fils. Elle rit et murmura:

— Bonjour, Matthew Cooprel! Sois le bienvenu parmi nous.

Il souleva pour elle ses paupières fragiles comme des pétales de roses, et elle vit que ses yeux avaient la couleur d'un ciel d'été. Très émue, elle le serra plus fort contre elle, remercia le ciel qui lui faisait don d'un robuste bébé, et jura que rien ni personne ne parviendrait jamais à la séparer de ce précieux enfant.

A chaque geste de tendresse d'Abigail, Lars sentait croître son malaise. Dans sa gorge, une grosse boule grossissait, et il avait de plus en plus de mal à respirer. Plus il y pensait, cependant, plus il se disait qu'il n'avait pas d'autre solution ; ce petit garçon méritait d'être heureux, et peut-être que Dieu lui-même, dans son infinie sagesse, lui avait donné cette chance en le faisant naître dans son église.

Mais malgré tout, Lars ne pouvait s'empêcher de songer qu'il avait mal agi en opérant cette substitution.

Un nouveau sujet d'inquiétude l'assaillit soudain : qui était cette femme ? Pourquoi errait-elle ainsi, seule dans la montagne ? Il soupira en s'avisant de ce que sa tâche ne s'achevait point là, qu'il devrait encore veiller à ce que la mère et l'enfant aient de quoi vivre dans le monde sans pitié où Dieu les avait placés.

A cet instant, il prit l'engagement solennel d'élever comme s'il était son fils le premier garçon qu'il avait mis au monde dans les rudes montagnes du Colorado. Ainsi pourrait-il peut-être atténuer un peu la culpabilité dont il sentait bien qu'elle le rongerait jusqu'à la fin de ses jours.

Mais parviendrait-il à convaincre la femme de l'accepter comme père de substitution, lui qui n'était pour elle, après tout, qu'un parfait inconnu ? Bien sûr, l'idéal serait qu'un jour, elle rencontre un homme disposé à l'épouser et à adopter le petit Matthew. Hélas, songea Lars avec fatalisme, dans cette région sauvage peuplée de rustauds, il n'y fallait pas trop compter...

1.

Guston, Colorado, juillet 1888

Willem laissa tomber sa valise sur le chemin et décida de s'octroyer quelques instants de répit pour délasser ses jambes et reprendre son souffle. Jetant un coup d'œil sur la pension de famille perchée au sommet de la colline, à un bon quart de *mile* au-dessus de lui, il murmura, en faisant la grimace :

— Ceux qui ont construit cela doivent avoir des ancêtres chamois !

Le soleil de juillet avait enfin réussi à percer l'épaisse couche des nuages qui s'enroulaient en cache-col autour des hauts sommets surplombant Guston ; mais ses rayons ne parvenaient pas à illuminer les sombres forêts d'épicéas et de trembles qui couvraient tout le paysage.

Willem retira sa casquette, et, tout en se grattant la tête, se retourna pour jeter un coup d'œil sur la petite ville minière ; glaciale, la bise montagnarde agita les mèches de ses cheveux trop longs, qui lui retombèrent sur les yeux. Il décida de chercher un coiffeur pas cher dès qu'il serait installé.

Guston était une cité plutôt jolie, si l'on voulait bien considérer qu'elle avait été construite à la va-vite et

17

continuait de grandir sans ordre ni méthode ; d'en haut, Willem s'amusa à observer l'intense activité qui régnait en périphérie, et s'usa les yeux à essayer de lire les grandes banderoles tendues en travers de quelques rues. Les échos discordants d'un orphéon lui parvinrent.

— Que s'apprête-t-on à célébrer ? se demanda-t-il.

Ces préparatifs l'irritaient, parce qu'une fête amènerait dans cette ville des foules venues des environs, et que dans la cohue, Moïra serait plus difficile à retrouver — si toutefois elle hantait bien ces parages, ainsi que l'affirmait le détective de l'agence Pinkerton. D'un geste rageur il se couvrit de sa casquette et empoigna sa valise pour terminer son ascension, non sans donner quelques bons coups de pied dans les cailloux répandus sur le chemin.

— Une fête ! maugréa-t-il. De toute façon, je n'aime plus les fêtes !

En arrivant devant la pension de famille, il décida de ne pas s'arrêter pour arranger un peu sa tenue ou pour au moins secouer la poussière qui blanchissait ses gros souliers ; à quoi bon faire des manières ?

Il ouvrit la porte, s'engouffra à l'intérieur comme en terrain conquis, mais s'arrêta sur le seuil du vestibule, en se demandant si, vraiment, il avait le droit de marcher sur ce tapis rouge impeccable, posé sur un plancher plus brillant qu'un miroir. Mû par un respect presque religieux, il recula sur le perron pour taper ses semelles, avant de lustrer l'empeigne de ses souliers sur l'arrière de son pantalon.

Par la porte restée ouverte lui parvint le délicieux fumet du pain en train de cuire. Son ventre se mit à gronder bruyamment.

Il n'entrait pas, il en prenait conscience, dans le genre d'établissement sommairement entretenu, auquel il s'était habitué par nécessité. Attendant la venue de l'hôtesse, il examinait avec attention le vestibule très formel, un peu guindé même avec des gravures champêtres et cette monumentale horloge, là-bas, dont le balancier de cuivre lui envoyait à chaque passage un éclair lumineux.

Ne voyant venir personne, il se dirigea vers le comptoir, sur lequel une étiquette joliment calligraphiée indiquait : *réception*. Il observa derrière ce meuble, sur le mur lambrissé, les rangées de crochets, vides à l'exception de deux qui comportaient une clé munie d'un numéro peint sur porcelaine ; voilà qui confirmait les propos d'Otto : une pension de qualité.

Willem reporta ensuite son regard sur le comptoir, où il découvrit une clochette de bronze, à côté de laquelle une autre étiquette avait été placée pour conseiller : *Sonnez pour appeler*. Il s'inquiéta alors du genre de l'hôtesse, sans doute une vieille maniaque, à en juger par le temps qu'elle passait à proclamer des évidences.

Il empoigna néanmoins la clochette, qui parut plus petite dans sa grosse main. A peine avait-il sonné qu'il entendit derrière lui un bruit de pas rapides.

— Oui ? Puis-je vous renseigner ?

L'hôtesse, qui n'avait apparemment rien d'une vieille maniaque, essuyait dans un long tablier ses mains couvertes de farine, et s'avançait précédée d'une bonne odeur de cannelle, de pommes cuites et de pain.

Gêné, Willem grimaça en essayant de contenir les gargouillements de son ventre affamé, et parla trop fort pour couvrir le bruit intempestif.

— Je cherche une chambre.

Enveloppé par le regard attentif des grands yeux bleu-vert de l'hôtesse, il eut l'impression désagréable de passer un examen sévère, auquel il risquait fort d'échouer en raison de sa barbe de trois semaines et de ses vêtements qui eussent mieux convenu à un vagabond. Puis il se dit : « Quelle importance ? Mon argent n'est-il pas aussi bon qu'un autre ? Mais va-t-elle me jauger encore longtemps comme cela ? » Il se sentait de plus en plus dans la position du charançon surpris en train de se vautrer dans la farine !

— Petit déjeuner à 6 heures, dîner à 7 heures du soir. Si vous désirez un casse-croûte, vous fournirez la gamelle, et cela vous coûtera cinquante cents de plus par semaine. Je n'autorise ni les cigares, ni la pipe, ni l'alcool, et je préfère qu'on évite de jurer en ma présence. Je change les draps tous les samedis. Nous avons un déjeuner à 13 heures chaque dimanche, juste après l'office. C'est trois dollars par semaine.

En parlant, l'hôtesse passa derrière le comptoir pour ouvrir un gros registre relié de cuir noir, qu'elle retourna ensuite pour le pousser devant son futur locataire. Puis elle croisa ses bras nus jusqu'aux coudes, attendant la signature qui scellerait leur accord.

Willem prit le parti de s'insurger :

— Trois dollars ! Vous m'arnaquez, madame. Je refuse de payer un prix aussi élevé.

Lui aussi croisa les bras et il poussa l'insolence jusqu'à adopter une attitude très similaire à celle de l'hôtesse, en espérant que son ultimatum aurait quelque chance de succès, car il avait déjà visité deux pensions avant celle-ci : complètes.

Sans animosité aucune, l'hôtesse haussa légèrement les épaules.

— C'est à vous de décider, dit-elle.

Elle voulut refermer le registre.

— Non ! dit Willem en lui prenant la main.

Tout près l'un de l'autre, ils se dévisagèrent, puis

Willem attacha son regard à une longue mèche de cheveux brun clair qui s'échappait d'un chignon bancal au sommet du crâne. Il inspira longuement le parfum émanant des vêtements — lessive et amidon —, qui faisait affluer à sa mémoire des souvenirs qu'il eût préféré tenir sous le boisseau. De nouveau, l'image de Moïra se reformait en lui, plus vague que jamais cependant. Tant de temps s'était écoulé depuis leur séparation...

— Il n'y a plus une chambre libre dans toute la ville, avoua-t-il.

D'un geste vif, l'hôtesse fit glisser sa main pour lui échapper, et lui répondit :

— De toute façon, vous n'en trouverez nulle part d'aussi propre que la mienne. La nourriture aussi est très supérieure à ce qu'on espère d'ordinaire dans ce genre d'établissement.

Willem risqua une moue pleine de cynisme :

— Eh bien, dites donc, vous n'avez pas trop mauvaise opinion de vous-même !

Son interlocutrice affronta son regard, sans ciller, mais il eut néanmoins l'impression qu'elle était inquiète.

— J'essaie de faire mon métier avec honnêteté, répliqua-t-elle.

— C'est bien, je prends la chambre.

Il prit le porte-plume mis à sa disposition et ouvrit avec le pouce l'encrier au couvercle d'argent. Penché sur le registre, il écrivit son nom en grosses lettres, non sans se demander encore pourquoi son hôtesse se montrait tout à coup si anxieuse. Poussé par quelque démon impitoyable, il prononça ce jugement, tandis qu'il retournait le registre pour le faire lire :

— Vous avez une âme et un cœur de banquier, madame.

Les yeux bleu-vert s'agrandirent sous l'effet de la tristesse.

— Je suis navrée que vous puissiez avoir de telles pensées. Je ne gruge pas mes locataires, et j'attends d'eux qu'ils me rendent la pareille. On paie le loyer d'avance.

Elle tendit une main légèrement tremblante, avec dans la paume des traces de farine.

Willem se renfrogna : cette femme rapace se disposait à empocher la presque totalité de l'argent qu'il lui restait. Pris entre elle et l'agence Pinkerton, il devait se préparer à travailler pour Otto Mears jusqu'à ce qu'il fût trop vieux pour soulever encore la pioche, ou trop myope pour allumer les bâtons de dynamite ! Mâchoires contractées, il plongea les mains dans ses poches en songeant que le coiffeur ne verrait pas de sitôt sa visite.

Un nouveau gargouillement le perturba ; mais devait-il s'en étonner, alors qu'il sautait de plus en plus fréquemment les repas ? La nourriture devenait un luxe qu'il se permettait de moins en moins, à mesure que s'éternisaient ses recherches pour retrouver Moïra.

Ayant pris et compté l'argent, l'hôtesse daigna se pencher sur le registre pour lire le nom de celui qui venait de payer sa première semaine de pension.

— Eh bien, monsieur Willem Tremain, puisque vous voilà admis au nombre de mes locataires, voulez-vous goûter ma cuisine ? Vous pourrez juger par vous-même si elle vaut le prix que j'en demande.

Le regard suspicieux de Willem déclencha chez son interlocutrice un joli rire perlé, très sensuel, qui éveilla dans tout son corps de curieux fourmillements. Etonné, il chercha les raisons de cette réaction, et ne trouva rien de mieux que la raréfaction de l'air dans ces hauteurs, ce qui avait pour effet d'amoindrir ses facultés.

22

— C'est la maison qui offre, monsieur Tremain, précisa l'hôtesse.

Sous l'impression qu'elle avait lu dans ses pensées, il se sentit rougir jusqu'à la racine des cheveux, et se félicita alors d'avoir encore sa barbe. Pour se donner une contenance, il toussota longuement, avant de répondre :

— Voilà une excellente initiative.

Il la vit repousser la longue mèche de cheveux, geste qui lui laissa un peu de farine sur l'aile du nez. Aussitôt, il ressentit le besoin aussi urgent qu'irraisonné d'effacer la trace blanche, et s'il parvint à sagement garder sa main le long de son corps, il se révéla incapable, en revanche, de détacher son regard du visage d'Abigail. Inconsciemment, il en vint même à frotter son propre nez, comme si ce geste pouvait provoquer l'effet désiré chez son hôtesse !

— Qu'avez-vous ? lui demanda-t-elle soudain.

Il sursauta, et de nouveau son visage s'enflamma.

— C'est... c'est votre nez, balbutia-t-il.

Les sourcils de l'hôtesse se rapprochèrent.

— Comment ?

— Vous... vous avez de la farine sur le nez... juste là.

Willem approcha la main pour désigner l'endroit avec précision, mais s'arrêta à mi-course et recula, avant de repartir très vite pour balayer enfin cette trace qui le dérangeait tant depuis quelques minutes.

De nouveau, les yeux bleu-vert s'agrandirent. D'étonnement ou de peur ? Willem comprit que, de toute façon, il avait outrepassé les bornes de la décence ; ce genre de comportement ne lui ressemblait pas.

— Je suis désolé, fit-il.

Il lui sembla que son hôtesse mettait un certain temps pour reprendre ses esprits, à la suite de quoi elle lui dit :

— Il ne faut pas. Si vous voulez goûter quelque chose, entrez donc dans la cuisine...

Willem se pencha pour ramasser sa valise. La faim, songea-t-il, oui, seule la faim, ajoutée à sa grande fatigue, pouvait expliquer son geste aberrant.

— Laissez donc cela, monsieur Tremain. Personne ne vous volera.

Obéissant, Willem abandonna sur le tapis orné de chinoiseries la valise de cuir bouilli qui contenait toutes ses richesses, et suivit son hôtesse dans une pièce qui lui parut immense, aux senteurs de pâtisserie et de boulangerie si intenses que son estomac se mit encore à gronder.

— Allez-y, servez-vous.

L'hôtesse avançait une assiette en porcelaine sur laquelle s'empilaient de gros gâteaux qui fleuraient bon le miel et le beurre, chacun plus gros que le poing.

Consciencieusement, Willem essuya ses mains sur son pantalon avant de se servir. Il huma la bonne odeur de la pâtisserie avant de mordre dedans ; la pâte sablée fondit littéralement dans sa bouche.

— Alors ? s'enquit l'hôtesse, attentive.

— Mmm...

Tel fut le premier jugement de Willem, trop affamé pour parler. N'ayant pas les moyens de payer les Pinkerton et de se rassasier, il avait choisi de favoriser les premiers aux dépens de ses repas, parce que l'enquête lui paraissait plus importante que tout. Il avait fait à pied le voyage l'amenant à Guston, en deux jours, sans presque rien manger.

— Maintenant que vous avez goûté ma cuisine, monsieur Tremain, il est temps que je me présente.

Dans le regard bleu-vert, Willem crut déceler un voile d'anxiété.

24

L'hôtesse essuya sa main droite dans son tablier et la tendit à Willem, qui, en hâte, se fourra dans la bouche un dernier morceau de gâteau et se leva, afin de pouvoir procéder aux formalités d'usage.

— Je m'appelle Abigail Cooprel. Mme *veuve* Cooprel. Soyez le bienvenu dans le Colorado, monsieur Tremain.

2.

— Ravi de vous connaître! réussit à dire Willem, la bouche pleine.

A peine avait-il touché la main de Mme Cooprel que celle-ci la lui retirait vivement, comme s'il l'avait piquée. Il fronça les sourcils en la voyant manifester si ouvertement un déplaisir dont il ne comprenait pas l'origine, puis il se demanda pourquoi il s'inquiétait de ce qui n'avait aucune importance pour lui.

— Oh, mon pain!

Mme Cooprel s'empara de deux carrés de toile grossière, mais soigneusement ourlés, et courut vers le gros fourneau de fonte noire, dont elle ouvrit le four; un souffle de vapeur brûlante fleurant bon le pain cuit envahit aussitôt la cuisine.

— Puis-je vous aider? demanda Willem.

Il supportait mal de rester assis pendant que son hôtesse s'activait, de grosses gouttes de sueur au front.

— Oui, lui dit-elle; vous me rendriez un grand service en posant sur la table les grilles que vous voyez accrochées là-bas.

Willem se hâta d'aller chercher les objets, non sans se cogner au passage la hanche contre le coin de la table. Il se sentait incroyablement maladroit dans ce domaine d'ordinaire réservé aux femmes.

Des profondeurs du fourneau, Mme Cooprel tira une grosse miche rebondie, et se tourna vers lui, qui crut mourir d'envie en respirant à pleines narines l'odeur exaltante du pain cuit à point ; son estomac réclama sa part, à grand renfort de nouveaux gargouillements fort indécents.

Manœuvrant très habilement, l'hôtesse démoula la miche, la déposa sur la grille préparée à son intention par Willem, puis retourna se pencher devant le four.

Elle aligna ainsi douze belles miches fumantes, avant de refermer la porte du fourneau, par-derrière, d'un très joli et surprenant mouvement du talon. Puis, en ménagère zélée, elle alla chercher sur une desserte un gros paquet enveloppé d'un chiffon, qu'elle ramena au bout de la table : c'était un bloc de pâte qu'elle fit tomber devant elle et écrasa encore d'un énergique coup de poing.

— C'est dans cette cuisine que nous prenons tous nos repas, expliqua-t-elle.

— Ici ? répondit Willem, sans avoir compris de quoi il s'agissait.

Il était fasciné par le travail des mains dans la pâte.

— Oui. Nous n'utilisons la salle à manger que pour les déjeuners du dimanche. Il n'y a pas là assez de place pour tous mes locataires...

Elle s'arrêta de pétrir la pâte, regarda Willem.

— La plupart des hommes qui logent ici passent en ville la soirée du samedi et une grande partie du dimanche ; rue Blaine, plus précisément.

Perplexe, Willem avoua :

— J'arrive d'assez loin, et je ne connais pas la rue Blaine.

— C'est le paradis des noceurs...

28

Willem écarquilla les yeux tandis qu'elle expliquait :

— On y trouve de tout : femmes de petite vertu, boissons alcoolisées et même spiritueuses, jeux divers et variés, que sais-je encore ? Tout ce que l'homme peut souhaiter en fait de divertissement se trouve rue Blaine ; mais vous découvrirez cela par vous-même.

— J'en doute.

Mme Cooprel confectionnait avec sa pâte de petites boules régulières, qu'elle trempait ensuite dans le beurre fondu avant de les aligner sur une plaque métallique, avec autant de soin que s'il s'était agi de petits soldats à la parade. Ayant mis ses gâteaux à cuire, elle posa cette question abrupte :

— Etes-vous... noceur, monsieur Tremain ?

— Non, pas du tout...

Willem pensa que par son enquête approfondie, l'hôtesse ne cherchait qu'à se rassurer sur la moralité d'un nouveau locataire, démarche après tout fort compréhensible, dont il ne devait pas s'offusquer.

— Ne vous faites aucun souci, madame Cooprel. Je ne joue pas ; vos loyers vous seront donc toujours payés à temps.

Elle gardait sur lui un regard un peu fixe, exprimant toujours cette inquiétude... ou peut-être même s'agissait-il de peur ; Willem ne comprenait pas pourquoi il suscitait cette réaction étrange. Soudain, comme si elle s'avisait de ce que son attitude avait d'impertinent, elle baissa l'épais rideau de ses cils puis se pencha sur la table pour rassembler en un petit tas la farine répandue, en disant :

— Dans ce cas, vous serez toujours le bienvenu à nos déjeuners du dimanche.

Elle s'empara d'une nouvelle portion de pâte, qu'elle tortura longuement afin de constituer une sorte de récipient dans quoi elle déversa des pommes en tranches, de la cannelle ainsi qu'une généreuse noix de beurre. Cela fait, elle rabattit sur le dessus la pâte gardée en réserve, pour refermer l'énorme chausson.

Adossé à la pompe à eau, Willem ne perdait pas une miette du spectacle domestique, et se demandait pourquoi il s'attardait dans cette cuisine au lieu de s'occuper de soi. Etait-ce la chaude atmosphère de cette cuisine qui le retenait, les saveurs succulentes qu'il captait par ses narines dilatées, ou tout simplement le désir enfantin de recevoir encore un gâteau, en récompense de sa sagesse ?

— Si cela vous dit, servez-vous, lui enjoignit Abigail Cooprel, en désignant du menton l'assiette restée au milieu de la table.

Il se demanda pour tout de bon si elle n'avait pas la faculté de lire dans ses pensées.

— Merci, dit-il en s'avançant.

— C'est mon jour de boulangerie et de pâtisserie. Je fabrique toujours plus que nous n'avons vraiment besoin.

Willem s'empara avec avidité du gâteau qui lui paraissait un peu plus gros que les autres, et, tout en mordant dedans, se laissa envahir par une délicieuse gratitude envers cette femme, sentiment qui s'accompagnait de beaucoup de regret pour les accusations très dures, et injustifiées, dont il l'avait accablée au moment de prendre pension.

Elle continuait de s'activer entre la table et le fourneau, non sans cesser de jeter sur lui de fréquents coups d'œil, brefs mais scrutateurs.

— Etes-vous célibataire, monsieur Tremain ? demandat-elle à brûle-pourpoint.

La question abrupte le dérangea, mais cette fois encore il s'appliqua à penser que l'hôtesse ne cherchait qu'à évaluer les risques qu'elle courait en l'accueillant : elle avait une réputation à défendre. Aussi répondit-il avec bonne

30

volonté, en s'efforçant de ne laisser transparaître aucune émotion :

— J'ai une épouse...

Brusquement, il avait moins faim, et tortillait entre ses doigts ce qu'il lui restait de gâteau, en regardant à la dérobée son hôtesse appliquée à la confection d'un nouveau contingent de pâte. Il ne voulait pas laisser son imagination prendre trop d'empire sur lui, mais il croyait, il eût pu même jurer qu'elle avait semblé soulagée en apprenant son statut d'homme marié ; voilà qui était fort saugrenu !

Mme Cooprel recouvrit du torchon la grosse boule qui devait reposer quelques heures avant utilisation, puis elle alla chercher deux tasses qu'elle posa sur le bord du fourneau, et les remplit à l'aide de la cafetière posée là en permanence. Cela fait, elle revint à la table, s'assit cette fois sur le banc et invita Willem à l'imiter, de l'autre côté.

— Si cela vous dit..., ajouta-t-elle.

Willem eut le sentiment de l'intéresser davantage depuis qu'elle le savait en charge d'épouse. D'une veuve, il s'attendait à l'inverse ; toutes les femmes seules, si nombreuses dans cette partie du Colorado, cherchaient avec frénésie un homme pour partager leur vie, n'importe quel homme.

Il obtempéra volontiers en prenant place sur le banc désigné, et goûta le café, qu'il trouva très bon, très fort, exactement à sa convenance. C'était le genre de breuvage qu'il appréciait sans avoir beaucoup d'occasions d'en faire ses délices.

— Si j'en juge par vos talents de cuisinière, dit-il, car il éprouvait le désir de complimenter, les hommes doivent s'aligner devant la porte pour vous demander en mariage.

— Je n'ai aucun désir de me remarier...

31

Mme Cooprel poussa vers lui l'assiette de gâteaux.

— C'est agréable de rencontrer un homme qui a si bon appétit. Au moins, on sait qu'on n'a pas travaillé en vain.

Obstiné, Willem choisit de ne pas tenir compte des efforts qu'elle faisait pour diriger la conversation sur d'autres voies.

— Ne me dites pas que vous ne vous remarierez jamais ! Une jeune femme comme vous ne peut prendre une décision aussi définitive.

— Pensez ce que vous voulez, mais moi, je sais ce que je veux.

L'hôtesse porta sa tasse à ses lèvres et but à petites gorgées, pour montrer qu'elle ne désirait plus parler, et de ce sujet encore moins que de tout autre.

Gêné, Willem se creusa la cervelle pour trouver une idée, afin de rompre le silence oppressant qui s'était abattu dans la pièce ; cette femme était très différente des autres, avec cette manière si particulière qu'elle avait de poser moult questions sans daigner se livrer elle-même ne fût-ce qu'un peu.

— Accomplissez-vous cette tâche toutes les semaines, vraiment ? demanda-t-il, non sans se répéter encore qu'il eût agi sagement en quittant la cuisine sur-le-champ.

— Oui. Le lundi est le jour de la boulangerie et de la pâtisserie, ainsi que je vous l'ai déjà dit. Le mardi, je fais le ménage à fond ; et le mercredi, la lessive...

Par-dessus le rebord de sa tasse, Mme Cooprel laissa tomber un regard critique sur les vêtements salis et fatigués de son interlocuteur.

— Je ne m'occupe pas du linge de mes locataires, mais vous trouverez une excellente blanchisserie chinoise, juste entre le coiffeur et l'établissement de bains, rue Eurêka...

Cette allusion tout juste voilée à son état lamentable

déclencha l'hilarité de Willem, qui se surprit de s'entendre rire. Il y avait si longtemps que cela ne lui était pas arrivé ; depuis quand ? Il fouilla un peu dans sa mémoire, mais n'y retrouva pas le souvenir qu'il cherchait.

— Je suis désolée, monsieur Tremain. Je voulais seulement dire...

Mme Cooprel pencha la tête pour dissimuler la rougeur qui lui montait aux joues.

— Je vis ici depuis si longtemps que je commence à prendre certaines habitudes un peu directes. Je pense que cela me vient de la fréquentation des hommes. Votre sexe, monsieur Tremain, est plus franc, et peut-être plus honnête que le mien, j'en conviens volontiers. Quoi qu'il en soit, j'en arrive à oublier la discrétion qu'on s'attendrait à trouver chez moi, et je vous prie de me pardonner si je vous ai offensé.

— Depuis quand habitez-vous dans cette région ?

Willem se demandait tout à coup si son hôtesse pourrait, par le plus grand des hasards, avoir entendu parler de Moïra.

— Mon mari m'a amenée dans le Colorado en 1881.

— Chercheur d'or ?

— A cette époque, oui, je pensais que c'était de cela qu'il s'agissait, mais plus j'y repense maintenant, plus il me semble que mon mari, en fait, ne rêvait que d'aventure.

Rêveuse, Mme Cooprel gardait le regard baissé, tandis que son index courait sur le rebord de sa tasse de café.

— Comment est-il mort, si vous me permettez de vous poser la question ?

Willem comptait les années : pour l'époque, cela pouvait correspondre...

Ses recherches l'avaient entraîné dans trois directions

différentes — que de temps perdu ! —, et, comprenant qu'il n'arriverait à rien tout seul, il avait décidé, un an plus tôt, de s'en remettre aux détectives de l'agence Pinkerton. Par eux, il n'avait pas tardé à apprendre que Moïra avait été repérée dans cette région, pour disparaître presque aussitôt sans laisser de traces ; les recherches subséquentes dans toutes les villes minières autour de Silverton avaient épuisé les maigres économies de Willem, qui, découragé, avait décidé de venir voir par lui-même...

Il ne pouvait se résoudre à abandonner.

— Carl est mort depuis bien longtemps déjà, et cela ne me dérange plus d'en parler. Il y eut un éboulement dans notre mine. Carl et sa mule périrent instantanément...

Mme Cooprel termina sa tasse de café et se leva aussitôt.

— Je ne voudrais pas vous paraître impolie, monsieur Tremain, mais j'ai encore le repas de ce soir à préparer.

Willem ne songea pas à s'incruster, mais ce congé soudain signifié le chagrinait. Epoussetant les miettes accrochées sur le devant de sa chemise, il se força à sourire en se levant à son tour.

— Je vous remercie pour le café et les gâteaux, madame Cooprel. Pourriez-vous m'indiquer quelle chambre est la mienne ?

L'hôtesse avait déjà placé leurs deux tasses dans une bassine, et elle empoignait le bras de la pompe ; les glouglous sonores de l'eau qui montait dans le tuyau de fonte et se déversait avec force éclaboussures rendirent pour un moment la conversation impossible.

— Vous aurez la chambre numéro 12, au troisième étage. J'espère que les escaliers ne vous font pas peur.

— Non, c'est parfait...

Willem sortit de la cuisine, se retourna sur le seuil.

— J'ai eu l'impression en arrivant qu'il régnait dans

cette ville une intense activité. Y prépare-t-on un événement spécial?

— Oui : nous célébrons sous peu le douzième anniversaire du Colorado.

— Quelle drôle d'idée!

— Sans doute, mais nous autres, gens de Guston, ne manquons pas une occasion d'organiser un pique-nique. Les étés ne durent pas longtemps par chez nous, et nous prenons notre plaisir quand nous le pouvons. Savez-vous que nous avons un orphéon municipal? Je crois que nous tirerons aussi des feux d'artifice.

— Je vois... Encore merci pour tout, madame Cooprel.

Cette fois, Willem se retourna et quitta pour de bon la cuisine illuminée autant par la présence de son hôtesse que par les rayons d'un soleil déjà déclinant. Dans le vestibule, il reprit possession de sa valise, attrapa derrière le comptoir la clé qui portait le numéro 12, et à pas lourds, se dirigea vers l'escalier.

L'idée de la fête en préparation ne lui souriait nullement.

Recomptant le nombre de toutes les années qu'il avait perdues à courir derrière Moïra, il se sentit soudain très las et s'agrippa comme un vieil homme à la rampe de bois bien ciré.

Le décompte de ses échecs l'accablait. Tête basse, il se mit en quête de sa chambre.

3.

Willem s'arrêta un instant sur le palier du deuxième étage, où il fut tenté de s'écrouler dans un fauteuil posé à côté d'une fougère en pot ; mais comme il s'approchait, un vieux chat n'ayant qu'une oreille se dressa brusquement sur le coussin pour émettre à son encontre un feulement menaçant. Prudent, il recula aussitôt, sans quitter du regard le matou qui, satisfait, bâillait maintenant en ouvrant une large gueule dans laquelle manquait une canine ; voilà un animal, songea-t-il, qui s'y entendait pour défendre le territoire qu'il s'était délimité !

N'ayant aucun désir de se battre pour obtenir l'usage temporaire d'un fauteuil, Willem tourna les talons afin d'entreprendre l'ascension de la dernière volée de marches. Il atteignit le palier du troisième étage et s'aperçut alors qu'il n'avait plus envie, mais alors plus envie du tout de trouver un coiffeur.

Il trouva tout de suite la porte de sa chambre, munie d'une jolie étiquette portant le numéro 12, à l'encre violette. Il murmura :

— Le travail de Mme Cooprel, encore. Décidément, cette femme a la manie de la signalisation !

Il introduisit la clé dans la serrure et ouvrit la porte.

La chambre était propre et bien rangée, exactement

comme il l'avait espéré, mais un grand quilt brodé de deux alliances le fit sursauter : Moïra, autrefois, avait exécuté un ouvrage tout à fait semblable. Du seuil, il jeta sa valise sur le lit pour ne plus voir cette image. Il souffrait, il suffoquait. A grands pas, il marcha jusqu'à la fenêtre et tira, arracha presque les coquets rideaux de dentelle blanche, pour ouvrir en grand ; l'air frais lui fouetta le visage. Il inspira longuement en essayant de vider sa tête des souvenirs trop douloureux ; cette seule journée lui avait rappelé plus d'images oubliées que les six années précédentes.

Il se pencha par la fenêtre et posa ses deux coudes sur le châssis pour étudier le panorama.

Des sapins immenses, assez proches pour éventrer la maison s'ils s'abattaient, étalaient leurs branches vert sombre qui cachaient l'horizon presque en entier. A perte de vue s'étendaient les prairies piquetées d'ancolies et de marguerites. La petite cour, herbeuse elle aussi, était conçue pour le travail plutôt que pour le repos ou les distractions : le seul aménagement qu'on y voyait consistait en de longs fils à pendre le linge. C'était un cadre agréable, paisible, égayé par des chants d'oiseaux, ainsi que par le caquetage des volailles habitant le poulailler vraisemblablement construit sur le côté. Il était encore possible de découvrir, du côté de l'ouest, mais à condition de beaucoup se pencher, un petit jardin entouré de solides piquets de bois brut ; soigneusement entretenu, ce carré de verdure comportait toutes sortes de légumes, mais aucune fleur.

Le tintement d'une clochette attira soudain l'attention de Willem ; il découvrit, surgie d'entre les grands arbres, une vache placide qui mâchonnait en levant vers lui de bons gros yeux attendrissants. Non loin de là, il aperçut les toilettes. installées dans une cabane peinte en vert, avec une découpe en cœur dans la porte, puis l'abreuvoir de Madame la vache, creusé dans un demi-tronc d'arbre, avec une pompe flambant neuve.

Il y avait bien longtemps que Willem n'avait pas eu l'occasion d'admirer un tableau domestique si joliment arrangé, si net et si propre. Par la même occasion, il se sentit frappé par le sentiment qu'il avait perdu une partie de sa vie. Incapable dès lors de regarder encore, il referma la fenêtre et rabattit les rideaux.

Jetant sa valise sur le sol, il se laissa tomber sur le lit ; les ressorts grincèrent tandis que son grand corps cherchait la position la plus confortable. Défoncé et creusé au milieu, le matelas avait pour lui les séductions d'un lit princier, en comparaison des paillasses sordides dont il devait se contenter depuis qu'il s'était attaché les services de l'agence Pinkerton. Il bâilla sans retenue, en se disant qu'une longue nuit de repos, nuit sans rêves, lui ferait le plus grand bien ; mais il n'avait aucune chance de voir exaucé ce vœu, si peu ambitieux qu'il fût, car les fantômes de son passé ne le laisseraient jamais en paix.

De toute façon, pensa-t-il sombrement, il ne méritait pas de vivre en paix.

Abigail enfila dans le four la dernière des tourtes prévues pour le dîner, puis se redressa et passa le dos de sa main sur son front couvert de sueur. Elle était bien aise d'en avoir terminé avec ses travaux de boulangerie pour ce jour-là. Tandis qu'elle rangeait quelques ustensiles, elle entendit tinter dans sa poche des pièces de monnaie ; l'argent que lui avait donné son nouveau locataire. Elle regarda ses mains et vit qu'elles tremblaient.

« En sera-t-il toujours ainsi ? se demanda-t-elle. Devrai-je, jusqu'à la fin de mes jours, craindre la catastrophe chaque fois qu'un nouveau locataire entrera chez moi ? »

Elle songea à un jour particulièrement gris de l'hiver dernier, quand Lars avait bouleversé sa vie pour la seconde fois ; avec des mines de conspirateur, il était entré dans sa cuisine pour lui raconter une histoire si incroyable que d'abord, elle avait cru qu'il cherchait à l'amuser en lui faisant peur ; mais voyant s'emplir de larmes les yeux du vieil homme, elle avait reconsidéré toutes les petites questions agaçantes qui n'avaient cessé de la tracasser à propos de Matthew, et enfin s'était résolue à admettre qu'elle recevait à ce moment la confirmation de ce dont elle s'était toujours plus ou moins doutée.

Matthew n'était pas son enfant ; du moins pas l'enfant né de son corps.

Abigail sentit un picotement sur la joue. Elle y porta le petit doigt, qui se mouilla. Ainsi, elle pleurait de nouveau. Elle pleurait pour la petite fille qu'elle n'avait jamais connue. Elle pleurait pour la femme morte en donnant la vie à Matthew. Elle pleurait sur elle-même.

Puis elle renifla et rentra la tête dans les épaules. Pourquoi se mettre encore dans de tels états, puisque aucun danger réel ne la menaçait ? Les années avaient passé, et aucun parent, proche ni même lointain, ne s'était jamais présenté pour réclamer le petit Matthew ; le risque s'amenuisait tous les jours. Pourtant, chaque fois qu'un nouveau locataire frappait à la porte, Abigail connaissait un moment de vraie panique, en croyant arrivé le moment où on allait lui arracher son enfant.

Elle soupira et tâcha de recouvrer un peu de sérénité. Peut-être aussi se comporterait-elle mieux si Lars n'avait pas disparu juste après s'être confié à elle. Depuis, elle s'était attendue chaque jour à le voir revenir, et elle continuait d'espérer qu'il ne décevrait pas Matthew :

ensemble, ils avaient assisté à toutes les fêtes nationales du Colorado depuis que le petit garçon était capable de marcher.

Abigail lava les tasses dans lesquelles M. Tremain et elle avaient bu le café; M. Tremain... il l'obsédait; il la mettait mal à l'aise, avec ces yeux noirs, très scrutateurs, qui la faisaient tressaillir, comme prise en faute, chaque fois qu'il la regardait. Pourquoi se comportait-elle ainsi, puisque avec celui-là non plus elle n'avait rien à craindre : il lui avait dit être marié, et si elle avait osé lui poser d'autres questions, il lui eût probablement énuméré le nombre des enfants qu'il avait, de beaux petits aux cheveux bien noirs; allons! M. Tremain était un homme qui ne cherchait que ce qu'une pension de famille pouvait lui offrir : un bon lit, et des repas chauds, le tout pour un prix raisonnable. Il fallait être folle pour imaginer qu'il pût se révéler différent de tous les autres qui avaient loué une chambre depuis six ans.

Abigail prit la résolution de tenir désormais son imagination en lisière; si Matthew n'était pas l'enfant de son corps, il restait bien celui de son cœur, et personne ne surgirait jamais du néant pour le lui voler. Elle n'avait donc qu'à continuer à vivre paisiblement, sans s'inquiéter puisque rien ni personne ne la menaçait.

— Il n'empêche, je suis tout de même bien contente qu'il ait une épouse, murmura-t-elle en rinçant les tasses.

Cet homme la regardait néanmoins d'une façon qui lui donnait la chair de poule; elle n'avait qu'à regarder ses bras en ce moment! Peut-être son imagination, là encore, se jouait-elle de ses émotions, mais en elle s'établissait la conviction que M. Tremain était différent, très différent des autres mineurs : sombre et solitaire, il l'émouvait avec les airs perdus qu'il affectait parfois.

Pourquoi, alors, lui inspirait-il aussi de la peur? En

41

fait, elle devait souffrir d'un accès de mélancolie, dû à l'absence de Matthew, parti pêcher depuis un bon moment.

Abigail sourit en songeant que *son* fils ne tarderait plus à rentrer maintenant.

— Oui, ce n'est que cela : Matthew me manque.

Heureuse tout à coup, elle s'activa pour terminer ses corvées ménagères, sans cesser toutefois de penser au beau visage viril de M. Tremain.

Les rochers s'écroulèrent sur lui ; Willem s'éveilla en sursaut.

Redressé sur son séant, incapable de se rappeler où il se trouvait, il passa ses mains sur son visage en sueur. Avec difficulté, il redéfinit sa place dans le monde ; rétablit le cours de sa respiration, qu'il n'avait pas eu conscience d'interrompre ; posa ses pieds sur le sol ; médita encore un instant, la tête dans les mains, puis se leva.

En étirant ses membres, il comprit qu'il avait dormi longtemps et profondément. Etonné, il fronça les sourcils et s'interrogea, pour ne trouver d'explication plus satisfaisante que celle-ci : il s'était assoupi parce qu'il était très fatigué et qu'il n'avait plus profité d'un aussi bon lit depuis de nombreux mois ; en outre, la sieste lui était devenue un luxe inouï depuis qu'il dispensait ses maigres largesses aux détectives Pinkerton.

Il traîna les pieds jusqu'à la table de toilette ; le broc était vide. Il constata sa mauvaise humeur dans le miroir, puis trouva qu'il avait mauvaise mine avec ses yeux cernés et sa barbe de vagabond ; pas étonnant que la veuve Cooprel l'eût trouvé si effrayant ! A cette pensée, sa mauvaise humeur s'augmenta encore.

Il perçut, venus du dehors, les échos d'une conversation bruyante accompagnée de gros rires. La curiosité le poussa à marcher à la fenêtre, qu'il ouvrit pour savoir qui menait un tel train dans la cour.

Des mineurs, portant des barbes plus broussailleuses que la sienne, se promenaient à demi nus, ayant rabattu derrière eux leur grosse chemise de laine qui battait sur leurs mollets comme une queue de pingouin. A tour de rôle, ils se passaient la tête sous la pompe qu'actionnait l'un des leurs, puis se couvraient de mousse au moyen du gros pain de savon qui passait de main en main. Ils revenaient ensuite à la pompe pour se rincer et quêtaient autour d'eux un avis sur leur état de propreté.

Willem les observa avec intérêt, puis décida de descendre pour lier connaissance avec les autres locataires de Mme Cooprel.

En arrivant au rez-de-chaussée, il entendit le bruit métallique des casseroles et des poêles, ainsi que la voix paisible de Mme Cooprel qui chantonnait en travaillant. Il tressaillit, et dut prendre sur lui-même pour ne pas reprendre le chemin de la cuisine. Tête baissée, il fonça vers la porte d'entrée, emprunta le chemin qui contournait la maison, puis, les deux pouces dans le ceinturon, prit place près de la pompe, au milieu des mineurs affairés à leur toilette.

— Madame ne sera pas contente si nous sommes en retard, Brawley, déclara un vieil homme tout ratatiné, aux longues moustaches dégoulinantes.

Brawley, un colosse d'autant plus remarquable qu'il arborait une abondante chevelure rouge flamboyant encore pleine de bulles de savon, approuva d'un hochement de tête solennel et répondit :

— Tu as raison. Nous ferions mieux de nous hâter...

Les yeux brillant de gourmandise, il ajouta :

43

— ... Surtout que c'est le jour de la boulange !

Cette remarque suscita un vif intérêt chez tous les hommes, qui s'empressèrent dès lors de terminer leurs ablutions. L'eau gicla de plus belle pour rincer les dernières têtes encore pleines de savon, gicla si fort et si loin que Willem dut reculer de quelques pas pour ne pas recevoir la douche dont il estimait ne pas avoir besoin.

Parmi les mineurs qui s'ébrouaient et se jetaient leurs serviettes à la tête comme des enfants, l'un sembla découvrir soudain la présence de l'inconnu, qu'il salua d'un bref geste de la main, imité peu à peu par tous les autres qui maintenant remettaient leur chemise ; les bretelles claquèrent virilement sur les poitrines bombées.

L'homme à la chevelure rouge, qui se peignait de ses deux mains aux doigts écartés, fut le premier à s'adresser à Willem :

— Madame exige des locataires propres et ponctuels.

— C'est ce que je vois, répondit Willem. Je suis nouveau dans la maison.

Il reçut en réponse un sobre clin d'œil de bienvenue, toujours du même rouquin qui activait la petite troupe :

— Les gars, il faut y aller maintenant, sinon nous risquons de recevoir un nouveau savon, si vous voyez ce que je veux dire !

Tous se hâtèrent vers la maison. Prenant exemple sur ce qu'il avait observé, Willem ouvrit sa chemise et la rabattit derrière lui, avant de placer sa tête sous le tuyau de la pompe dont l'immense Brawley avait déjà empoigné le bras. Serrant les dents, il reçut un jet puissant et glacial.

— Merci pour le coup de main, dit-il en frissonnant.

Soustrayant sa tête à la douche, il tendit la main dans laquelle il reçut le savon communautaire. Il fit mousser ses cheveux et sa barbe, se débarbouilla consciencieusement le visage et le cou, tandis qu'au-dessus de lui il entendait une voix qui disait :

— Pas de quoi ! Je m'appelle Brawley Cummins.

Les yeux fermés, il posa le savon au hasard à côté de lui, et répondit :

— Ravi de vous connaître. Moi, c'est Willem Tremain.

— Willem, je ne voudrais pas vous paraître familier, mais à ma montre, il est 7 heures du soir. Madame n'aime pas attendre.

Avant d'offrir sa tête au rinçage viril, Willem s'étonna de l'obéissance enfantine que ces propos traduisaient, et il se demanda de quel pouvoir étrange Mme veuve Cooprel disposait pour faire marcher à la baguette tous ces hommes dont certains étaient beaucoup plus vieux qu'elle.

Il entra un peu plus tard dans la cuisine, où les fumets de la nourriture se conjuguaient aux effluves savonneux et aux senteurs fortes émanant des travailleurs. Jetant un coup d'œil autour de la table, il dénombra tous les hommes qu'il venait de voir autour de la pompe, mais presque méconnaissables à force de sagesse et même, pour certains, de gêne : tous prenaient place devant leur assiette avec des mines retenues, et, silencieux, regardaient droit devant eux en attendant le début du repas.

Une marmite posée sur la hanche, Abigail commença un tour de table en déposant une louche de ragoût dans toutes les assiettes. Elle n'avait pourtant rien de sévère, cette femme qui souriait et adressait un mot aimable à chacun, mais les mineurs lui répondaient d'une toute petite voix, pour certains même en rougissant.

Arrêté sur le seuil de la cuisine, Willem observait cette scène très instructive.

En contournant la table, Abigail le vit soudain. Elle

marqua un temps d'arrêt imperceptible, avant de s'adresser à lui :

— Monsieur Tremain, voici tous mes locataires.

Un murmure de voix graves ou rocailleuses salua le nouvel arrivant, puis de nouveau, le silence s'abattit dans la pièce.

— Avez-vous une préférence quant à la place que je dois prendre, madame Cooprel ? demanda respectueusement Willem, en s'avançant de quelques pas.

— Celle-ci est libre, dit l'hôtesse en désignant, de sa louche, une chaise vide au bout de la table, le dos à une petite porte donnant directement sur l'extérieur.

Willem traversa la cuisine. Il s'assit et prit, inconsciemment, l'attitude réservée de tous les convives, non sans observer le manège de Mme Cooprel qui poursuivait sa progression d'assiette en assiette. Enfin, elle arriva pour le servir.

— Vous n'avez pas trouvé le coiffeur, à ce que je vois, lui dit-elle d'un ton sévère.

Elle le gratifia néanmoins d'un sourire chaleureux qui atténuait la rudesse de la remontrance.

Il n'échappa point à Willem qu'elle faisait preuve d'une bonne humeur et d'un naturel dont elle s'était montrée incapable dans l'après-midi, seule avec lui ; au milieu de tous ces hommes, elle devait se sentir plus sûre qu'avec un seul d'entre eux, ce qui au fond était assez compréhensible.

— J'ai succombé à l'appel de mon lit, qui m'a semblé fort sympathique, expliqua-t-il. Je suis tombé dessus, et me suis endormi aussitôt.

Il eût voulu se montrer plaisant, et tâchait de sourire, mais il se trouvait perturbé par cette présence féminine, odorante, tout près, trop près de lui, et il éprouva une sorte de soulagement à la voir s'éloigner en s'adressant à la tablée tout entière :

— Quelqu'un a-t-il l'heure?

Brawley Cummins se leva pour sortir de la poche de son pantalon une grosse montre à gousset. Il annonça :

— 19 heures et quatre minutes, madame.

Willem se demanda pourquoi tous les regards se tournaient vers la porte de la cuisine, pourquoi tous ces rudes mineurs avaient soudain la mine de petits garçons attendant l'arrivée du Père Noël.

— Matthew est une fois de plus en retard, soupira Abigail Cooprel.

Elle prit place sur l'une des deux chaises restées vides, à l'autre bout de la table. Elle attendit encore un moment, en se tournant de temps à autre vers la porte, puis, sur un nouveau soupir attristé, entreprit de se servir à son tour.

C'était le signal que Willem, plus affamé que jamais, attendait avec impatience. Il s'empara de sa fourchette et la plongea dans le ragoût.

Dix regards horrifiés et réprobateurs se tournèrent vers lui.

— Nous avons l'habitude de dire les grâces, monsieur Tremain, lui expliqua Abigail Cooprel avec un bon sourire.

Willem reposa précipitamment sa fourchette comme si elle le brûlait, et enragea de ne pouvoir s'empêcher de rougir. Honteux, il baissa la tête à l'instar des autres mineurs. « Est-ce une pension de famille ou une école ? » se demanda-t-il, médusé.

Il joignit les mains sur ses genoux et adopta l'attitude pleine de componction qui convenait à la sérénité de l'instant, mais, trop occupé par son ressentiment, il n'entendit pas les formules énoncées d'une voix haute et claire par Mme Cooprel, pour appeler les faveurs divines sur la tablée.

— Amen ! répondirent les convives.

A ce moment, Willem entendit s'ouvrir la porte derrière lui, et une coulée d'air froid se répandit dans la pièce. Il se retourna et vit sur le seuil un garçonnet tout essoufflé, pieds nus, couvert jusque dans les cheveux d'une épaisse couche de boue grasse et jaune, qui déposait une canne à pêche contre le mur et accrochait un chapeau informe à la patère fixée à la porte.

— Matthew, tu es encore en retard ! lança Mme Cooprel, le regard sévère.

Willem s'agita sur sa chaise en résistant mal au désir de défendre l'enfant, pour qui il éprouvait un solide sentiment de solidarité : n'avaient-ils pas tous les deux été réprimandés, à quelques minutes d'intervalle, en public, ce qui aggravait leur humiliation ?

— Je sais, maman, disait le garçon, et je te prie de m'excuser ; mais je me suis arrêté en chemin pour te cueillir ceci...

Il brandit un gros bouquet d'ancolies et de marguerites.

— Et puis, j'ai pris deux poissons !

Il se pencha pour reprendre sur le seuil, à l'extérieur de la maison, une baguette de noisetier sur laquelle deux belles truites avaient été enfilées par les ouïes. Puis il referma la porte derrière lui et s'avança vers sa mère, qui accepta les cadeaux avec un sourire comblé.

— Oh, Matthew, s'exclama-t-elle. C'est magnifique...

Elle s'adressa à la tablée :

— N'est-ce pas, messieurs, que tout cela est magnifique ?

Willem ne put retenir son sourire attendri, mais se demanda toutefois pourquoi il béait devant cette scène familiale au lieu de savourer le ragoût de carottes et de pommes de terre, maintenant qu'il en avait le droit.

Décidé à se rassasier enfin, il reprit sa fourchette, mais se trouva comme malgré lui obligé de reporter son attention sur le petit garçon si sale, et pourtant si émouvant.

Lui, il ne connaîtrait jamais son enfant.

— Je vais mettre ces fleurs dans un vase sur la table. Ainsi nous en profiterons tous, déclarait Mme Cooprel. Maintenant, Matthew, va vite te débarbouiller.

D'autorité, le garçon déposa ses fleurs et ses poissons dans les mains de sa mère, et détala.

Comme Mme Cooprel semblait ne savoir quoi faire de tant de présents, Brawley Cummins vint à la rescousse.

— Je viens, madame ! dit-il en se levant.

Il s'empara des poissons, qu'il déposa dans l'évier.

— Merci, Brawley, lui dit, avec un temps de retard, Mme Cooprel qui souriait d'un air absent.

Elle se dirigea alors vers un grand placard, dans quoi elle fourragea longuement pour trouver l'objet à sa convenance, puis se décida pour un gros vase de terre cuite qu'elle revint remplir à la pompe. Elle y plaça ensuite les fleurs, les arrangea du mieux qu'elle put, compte tenu de leur état lamentable, mais visiblement il lui répugnait de rejeter la moindre parcelle de ce cadeau. Parvenue au résultat qui lui semblait convenable, elle apporta le vase au milieu de la table et l'y déposa avec solennité.

Toujours devant l'évier, Brawley se retourna pour dire :

— Ce garçon a besoin d'un père pour le tenir fermement, mais il a bon fond. Il s'améliore de semaine en semaine. Tenez : il a même vidé ses poissons, cette fois ; c'est moi qui lui avais conseillé de le faire, il y a quelques jours. Vous voyez bien qu'il retient les leçons !

Il plaça les deux truites dans une jatte qu'il présenta sous la pompe.

Mme Cooprel, qui avait repris sa place, attendit qu'il fût revenu lui aussi pour prendre sa fourchette et commencer le repas.

« Enfin ! » songea Willem.

Il s'octroya une énorme bouchée de ragoût dont il savoura au passage le goût fin, sans délicatesse excessive. Puis il replongea sa fourchette dans son assiette pour confirmer son impression.

Un bruit de pas dans le vestibule annonça le retour de Matthew, et effectivement celui-ci fit irruption dans la cuisine en finissant de boutonner sa chemise. Il avait procédé à une toilette somme toute rapide, mais soignée, et ses cheveux tout mouillés lui faisaient une couronne bouclée qui retombait presque sur ses yeux.

En le voyant réapparaître, Willem s'arrêta, la fourchette en l'air.

— Enfin ! s'exclama Mme Cooprel. Je retrouve mon petit garçon. Tout à l'heure, j'avais cru voir entrer quelque vagabond.

Elle tapota la chaise à côté d'elle, puis se leva pour prendre la marmite et servir son fils.

Un œil sur son assiette qui se remplissait, le petit Matthew écouta les mineurs, soudain plus loquaces, qui faisaient assaut d'amabilité envers lui et multipliaient les compliments sur la grosseur de ses truites.

Dans un brusque moment de silence, on entendit la voix de Willem :

— Qui est ce jeune homme ?

Abigail sourit avec fierté :

— C'est mon fils, Matthew Cooprel.

De nouveau, Willem éprouva un sentiment étrange et fort quand le garçon se tourna vers lui pour le saluer d'un sourire : les yeux de Matthew, bleus comme un ciel de montagne, ravivèrent sa souffrance.

Il ne connaîtrait jamais son enfant, perdu quelque part dans le vaste monde.

Mme Cooprel, pendant ce temps, poursuivait les présentations :

— Matthew, voici notre nouveau locataire, M. Tremain.

4.

Willem cligna plusieurs fois des yeux et dut se forcer pour saluer, d'un hochement de tête assez formel, le garçon qui lui répondit d'un bref sourire avant de reporter son attention sur l'assiette où Abigail Cooprel continuait de déverser du ragoût en lui posant force questions sur la manière dont il s'y était pris pour prendre de si beaux poissons.

Par groupes de deux ou trois, les mineurs s'étaient lancés dans différentes conversations, qui emplirent la cuisine d'un brouhaha assez fort, dans lequel Willem, isolé, tendit l'oreille pour saisir les propos échangés entre la mère et le fils.

— Comment as-tu réussi à attraper un si gros poisson ? Il est énorme !

C'était une autre hôtesse qui se révélait aux yeux de l'observateur, plus gaie, sans rien de la réserve ou de la sévérité dont elle avait fait montre jusqu'alors.

— Ah, si tu avais vu, maman...

Matthew s'interrompit pour engloutir une grosse bouchée, qu'il fit descendre avec la moitié de son verre de lait. Puis il essuya d'un revers de main la moustache blanche qu'il s'était faite dans l'opération, avant de reprendre le récit de ses exploits.

— ... Le deuxième était si gros qu'il a failli me faire tomber dans la rivière...

Abigail sourit d'un air indulgent à cette vantardise, et haussa un sourcil interrogateur, mais n'éleva aucune objection formelle.

Les sourcils froncés, le nez plissé, Matthew défendit sa cause.

— C'est vrai, maman, je te jure ! La truite m'a presque attiré dans l'eau. Je suis tombé à genoux dans la boue, juste au bord de la rivière...

Il jeta un regard à sa mère qui, fourchette levée, attendait la conclusion. Comprenant que sa fable avait peu de chance d'être prise pour argent comptant, il admit, un peu piteusement :

— Oui, bon... Je crois que j'ai glissé. Il n'empêche que c'est un gros poisson !

Tous deux se mirent à rire.

Willem sentit son cœur se serrer devant cette scène familiale à laquelle il n'avait pas droit. Tête baissée, il s'absorba dans la contemplation de ce qui lui restait de ragoût et tâcha de surmonter le désespoir qui envahissait son âme. Une fois de plus, les pensées démoralisantes l'accablaient : il avait été fou de croire, après tant d'années, qu'il pourrait surgir à Guston et trouver, comme par miracle, un enfant qu'il n'avait jamais vu, un enfant que, de surcroît, même les Pinkerton n'avaient pas été capables de localiser en quatre saisons d'onéreuses recherches. Il passa sa colère sur un morceau de pain à sa portée, qu'il émietta consciencieusement.

Quelque douloureux que fût pour lui le tableau intime, qui lui faisait prendre conscience à quel point il regrettait de n'avoir pas de famille, il regarda encore, en se demandant de combien de ces conversations simples et fraîches il avait été frustré en six ans. Il se força à reprendre sa fourchette pour racler son assiette, mais la nourriture n'avait plus de goût.

Il n'avait plus faim du tout.

Matthew était un garçon solide et très beau, avec ses boucles brunes encadrant un visage parsemé de taches de rousseur. Il respirait la santé et le bonheur, et jouissait par ailleurs d'une intelligence très vive, ce que dénotaient ses yeux bleus si brillants, ainsi que son humour jamais pris en défaut lorsqu'il devait répondre à une question malicieuse posée par l'un ou l'autre des mineurs. Tout le monde ici l'aimait, cela ne faisait pas de doute, pourtant — Willem en prenait peu à peu conscience — il se tenait d'une certaine façon en retrait, refusait de se livrer tout à fait ; à Brawley Cummins, par exemple, qui l'interrogea deux ou trois fois de façon un peu indiscrète, il ne renvoya que des « oui » ou des « non » brefs, assez secs, très dissuasifs.

Silencieux et renfermé, Willem méditait. Lui aussi se sentait exclu par le groupe des mineurs, il ne faisait pas encore vraiment partie de cette petite société. Certes, ce n'était pas la première fois qu'il expérimentait la solitude : il avait passé seul la plus grande partie de sa vie adulte, surtout depuis que Moïra l'avait quitté. Il avait jusque-là assez bien supporté sa condition, mais la rencontre de Matthew, ce soir, lui faisait prendre conscience du vide affectif de son existence. Son cœur souffrait, son âme souffrait, tout son être souffrait atrocement. Les mains jointes et serrées entre ses genoux, il craignit de ne pouvoir résister encore longtemps au besoin de pousser un grand cri de détresse.

Il se leva avec brusquerie ; sa chaise râpa le plancher dans un crissement strident et douze paires d'yeux écarquillés se tournèrent vers lui.

— Excusez-moi, dit-il, haletant.

Il ne reconnut pas sa voix. Les mains tremblantes, il se força à plier très soigneusement sa serviette avant de quitter sa place.

— Avons-nous dit quelque chose qu'il ne fallait pas ? demanda Abigail lorsqu'elle entendit ses pas dans l'escalier.

— Willem Tremain ! s'exclama Mac Jordan, en décochant sur la table un coup de poing si violent qu'il fit sursauter toute la vaisselle.

A son tour, il fut l'objet de l'intérêt surpris, voire réprobateur, de tous les convives.

Brawley Cummins s'exclama :

— Par tous les diables...

Il se tourna vers Abigail Cooprel :

— Pardon, madame...

Puis il s'enquit :

— Qu'est-ce qu'il te prend de t'égosiller ainsi, Mac ? Willem Tremain nous a assez vus, et ce n'est pas en gueu... en criant comme cela que tu le feras revenir.

Mac Jordan roulait les yeux d'un homme brûlant de révéler le grand secret. Ignorant les mines comminatoires de Brawley Cummins, il s'essuya consciencieusement la bouche, puis, les deux mains bien à plat de chaque côté de son assiette, expliqua :

— Willem Tremain, je le connais ! Je savais bien que j'avais déjà entendu ce nom auparavant, mais je n'arrivais pas à me rappeler où. Depuis le début du repas, j'essayais de rassembler mes souvenirs, et maintenant, je sais...

Ravi de l'intérêt qu'il commençait à susciter chez ses auditeurs, il les regarda tous les uns après les autres, avant de poser cette question :

56

— Je suis sûr que vous ne savez pas qui est Willem Tremain...

Comme ils faisaient tous *non* de la tête, il lança cette affirmation singulière :

— Willem Tremain, c'est l'Irlandais Noir.

Content de son effet, il s'adossa à sa chaise pour écouter les murmures qui colportaient les interrogations des uns et des autres ; pour voir aussi les regards qui se tournaient vers la porte par où l'homme en cause avait disparu, comme si on craignait qu'un retour inopiné de celui-ci coupât court à un récit qu'on espérait dramatique.

— Mais qui est l'Irlandais Noir ? demanda Abigail.

Elle trouvait souvent les conversations des mineurs compliquées ou obscures, et celle-ci ne faisait pas exception à la règle.

Tom Cuthbert *savait*, et ne put s'empêcher de le claironner avec un enthousiasme excessif :

— Ah, l'Irlandais Noir ! C'est une putain de célébrité...

Il rougit et bafouilla :

— Oh, pardon, madame.

Abigail accepta d'un hochement de tête altier la contrition dont faisait preuve cet homme rude, puis, sur un regard à Matthew pour lui signifier qu'il venait d'entendre un mot à ne jamais répéter, elle proposa :

— Si vous me racontiez ?

Elle se leva pour aller chercher la cafetière, qu'elle donna au mineur assis à côté de Matthew.

C'était un rite qui s'accomplit alors : chacun remplit sa tasse à tour de rôle et transmit le récipient qui parcourut toute la table, jusqu'à Abigail, qui se servit la dernière. La différence avec les autres jours, c'était que, cette fois, un récit accompagnerait la dégustation.

Tom attendit que l'hôtesse eût la tasse en main, puis il toussota et entreprit de raconter ce qu'il savait :

— C'est à Leadville que j'ai entendu parler de Willem Tremain, expert en explosifs, un homme qui n'avait peur de rien. L'Irlandais Noir, ainsi qu'on le surnommait, vous faisait sauter une parcelle minuscule ou toute une montagne à la demande, et il n'avait pas son pareil pour déceler les filons d'or, d'argent ou de cuivre ; c'était du moins ce qu'on racontait sur lui là-bas.

Il but un peu de café et Skipper McClain profita de l'interruption pour commenter :

— C'est un homme qui peut travailler dur de l'aube au coucher du soleil, sans se fatiguer, mais rien ni personne ne peut plus le décider à descendre sous terre.

Plusieurs mineurs hochèrent gravement la tête pour souligner la vérité de cette affirmation.

— Pourquoi cela ? demanda Abigail, dont la curiosité restait insatisfaite à plus d'un titre.

— On raconte bien des histoires à ce sujet, dit Skipper. Il paraîtrait que l'Irlandais a tué des mineurs dans une galerie, et que c'est depuis ce jour qu'il refuse de pénétrer dans les mines.

Abigail s'agita nerveusement sur sa chaise.

— C'est inquiétant, ce que vous nous racontez là ! s'entendit-elle s'exclamer. Que s'est-il passé exactement ?

En fait, elle qui se flattait de juger assez bien les gens à leur mine, pour en avoir tant vu passer dans son établissement, se demandait comment elle n'avait rien décelé d'étrange chez son dernier locataire, et l'idée d'héberger un tueur ne lui souriait pas du tout.

Skipper se caressa longuement les moustaches avant de répondre :

— J'ai entendu dire que notre Tremain avait pris son travail après toute une nuit passée dans un bor... une maison de tolérance — excusez-moi, madame, mais c'est la vérité —, et qu'il avait provoqué par mégarde une explosion accidentelle.

— Oui, c'est cela, approuva Snap Jackson avec autorité. Toute une équipe s'est trouvée prise sous les décombres...

Abigail dégustait son café à petites gorgées. Quel crédit pouvait-elle accorder à cette histoire ? Aucun de ces mineurs n'avait été un témoin de l'accident, la relation qu'ils en faisaient était de deuxième, voire de troisième main ; alors...

Son impression, tout de même, était que bien des mystères entouraient Willem Tremain, dit l'Irlandais Noir.

Snap Jackson exposa à son tour sa version de l'histoire :

— Notre homme travaille comme douze diables, mais il est toujours aussi fauché qu'un pasteur méthodiste ; cela dit, il est faux de dire qu'on l'ait jamais vue en compagnie de...

Il jeta un regard rapide en direction de Matthew qui écoutait avec attention, et poursuivit, à voix basse :

— ... de femmes de petite vertu. Ce qui est vrai, en revanche, c'est qu'il prend avec la dynamite des risques fous. Ce jour-là...

Mac Jordan lui coupa la parole :

— Il n'y en a qu'un qui sache ce qui s'est vraiment passé avec l'Irlandais noir : Sennen Mulgrew !

— Il est mort voilà dix ans ! railla Snap.

— Pas du tout ! Deux mineurs seulement sont sortis vivants de la mine effondrée : Willem Tremain et lui, qui est toujours bien en vie. C'est pourquoi je dis que si vous voulez savoir vraiment qui est notre Irlandais, c'est Sennen Mulgrew qu'il faut interroger.

Ces propos assénés avec tant d'autorité ne pouvaient qu'inciter chacun à la réflexion. C'est pourquoi le silence s'établit autour de la table.

Au bout d'un moment, Abigail déclara d'une voix méditative :

— De toute façon, le passé de M. Tremain ne nous regarde pas, quels que soient les événements auxquels il a participé...

Il y eut plusieurs hochements de tête approbateurs, y compris celui de Matthew dont la lèvre supérieure s'ornait de nouveau d'une magnifique moustache blanche.

— Que diriez-vous d'une tranche de tarte aux pommes ? proposa la jeune femme.

Elle s'attira les exclamations enthousiastes de toute la tablée, et s'étonna, comme chaque fois qu'elle proposait un dessert, d'allumer le même éclair de joie simple dans les yeux de ses compagnons. Souriant intérieurement, elle se dit qu'elle était la mère de onze vauriens qui passaient leurs journées à se salir, l'un au bord de la rivière, les autres dans les entrailles de la terre.

Elle se leva, et, lorsqu'elle revint chargée de trois grosses tartes, la table avait été débarrassée et les assiettes trempaient déjà dans une bassine.

Matthew, dont les sourcils rapprochés indiquaient la perplexité, l'interpella :

— Maman ?

— Oui, mon petit.

L'enfant jeta un coup d'œil rapide en direction des hommes, comme chaque fois qu'il désirait s'entretenir avec sa mère d'un sujet qu'il estimait personnel, ou délicat. Pensant pouvoir jouir d'une discrétion suffisante, il demanda à mi-voix :

— Crois-tu que M. Tremain se sente abandonné, là-haut ?

Il accompagna sa question d'un roulement d'yeux en direction du plafond.

— Je ne sais pas, répondit Mme Cooprel. Pourquoi me poses-tu cette question ?

Elle observait avec admiration son fils, qui jour après jour lui procurait de nouveaux motifs de satisfaction, toujours inattendus, comme maintenant où il faisait preuve de sensibilité et de vraie charité, en se souciant d'un homme qu'il connaissait à peine.

— Si j'étais tout seul dans une chambre, expliqua-t-il, je me sentirais bien malheureux en entendant rire et s'amuser les autres.

Une exclamation sourde de Brawley Cummins fit se contracter la mâchoire d'Abigail : cet homme, qui sans cesse se mêlait de ce qui ne le regardait pas, commençait à l'agacer sérieusement, et s'il n'avait pas été un de ses locataires les plus réguliers depuis qu'elle avait ouvert la pension, elle se fût effrayée de l'intérêt qu'il marquait pour Matthew ; mais elle savait que ce n'était pour le mineur qu'une façon de lui faire comprendre les sentiments qu'il nourrissait pour elle. Répugnant à l'éconduire brutalement, elle espérait que le temps travaillerait pour elle, et que Brawley finirait par comprendre qu'elle ne voulait pas de lui comme père pour son fils, et encore moins comme second mari pour elle.

— Que voudrais-tu faire pour M. Tremain ? demanda-t-elle sans montrer qu'elle avait remarqué l'interruption intempestive.

Le garçon rougit et hésita à proférer sa réponse, qui vint difficilement, par bouts de phrase disjoints :

— Si c'était moi... qui étais tout seul là-haut... je crois... que j'aimerais bien... qu'on m'apporte... une part de tarte.

C'était une permission qu'il demandait : la permission d'accomplir une bonne action.

— Eh bien, tu peux ! répondit Abigail, assez surprise de s'entendre dire cela.

Les yeux de Matthew s'arrondirent de surprise.

— Pourtant, objecta-t-il, il est interdit de consommer de la nourriture dans les chambres.

— Je crois que pour une fois nous pouvons ignorer cette règle ; parce que les circonstances sont particulières ; et parce que c'est toi qui me l'as demandé.

Abigail jeta un coup d'œil timide en direction des mineurs : ils la regardaient tous en arborant des mines stupéfaites, mais aucun n'osa émettre le moindre commentaire.

— Youpie ! s'exclama Matthew.

Il termina son verre de lait, s'essuya la moustache et se leva, pendant que sa mère coupait une généreuse part de tarte et préparait une tasse de café.

— Arriveras-tu à porter tout cela ? demanda-t-elle en lui confiant le tout.

L'assiette sur une main, la tasse entre le pouce et l'index, le garçon lui répondit d'un soupir exaspéré :

— Maman ! Je ne suis plus un bébé, tout de même !

— Désolée, mon petit ; je ne m'en souvenais plus.

Abigail sourit derrière sa main et résista au désir de déposer encore un baiser sur le front de celui *qui n'était plus un bébé*. Elle avait pris la décision de ne plus avoir devant les mineurs ces petits gestes de tendresse, que son fils supportait mal, surtout à cause des moqueries que cela pouvait déclencher ensuite.

Tandis que Matthew sortait de la cuisine, elle le suivit des yeux jusqu'au seuil et entendit derrière elle :

— C'est un gentil garçon, madame.

C'était Snap qui lui parlait ainsi. Pensive, heureuse, elle répondit :

— Je le crois.

**

En entrant, Willem avait allumé la petite lampe sur sa table de chevet. Depuis, il se tenait devant la fenêtre, aussi immobile qu'une statue. Il n'avait plus envie de bouger et d'ailleurs, il était incapable d'esquisser le moindre geste ; mais dans sa tête mille pensées confuses s'agitaient, d'où il ressortait que ces sentiments étranges qu'il éprouvait avaient pour origine le manque de nourriture et de sommeil.

Pourtant, il n'en était pas tout à fait sûr. Il s'interrogeait.

Jamais il ne s'était senti si mal.

A certains moments il souffrait de ne pas avoir de fils semblable à Matthew Cooprel, puis aussitôt après, il ne supportait plus de se trouver dans la même pièce que lui. Il ne savait plus ce qu'il désirait vraiment. Plusieurs fois, il se passa nerveusement la main dans les cheveux en se demandant s'il ne commençait pas à perdre la raison à force de solitude.

Un bruit discret à la porte le fit sursauter. Il se retourna pour grommeler :

— Qui est-ce ?

— Matthew Cooprel, monsieur, répondit derrière la porte une toute petite voix.

Willem sentit son cœur se serrer, et si l'envie le prit de répondre rageusement qu'il ne voulait voir personne, il traversa néanmoins la chambre pour aller ouvrir.

Sans un mot, Matthew Cooprel lui présenta ses offrandes : une part de tarte assez grande pour satisfaire trois gros appétits, et une tasse de café fumant. Les deux mains prises, il avait dû frapper avec son pied. Comme Willem ne lui disait rien et se contentait de sourire un peu niaisement, il crut devoir expliquer :

— Je vous ai apporté le dessert.

Willem prit la tasse de café, puis avança son autre

main pour recevoir l'assiette, qui lui parut fort lourde. Comme il ne savait pas quoi dire, il commenta l'évidence :

— Qu'est-ce que c'est ? De la tarte aux pommes, je suppose...

Il éleva l'assiette jusqu'à son nez et en huma le fumet en forçant l'expression de plaisir que cela lui causait.

— Mmm ! Qu'est-ce que cela sent bon !

Il vit Matthew sourire de plaisir, ce qui, curieusement, augmenta son malaise diffus.

— J'ai pensé que vous vous sentiez bien seul, lui dit le garçon.

Cet aveu innocent et plein de fraîcheur fit l'effet à Willem d'un couteau plongé dans son cœur. Dieu, oui qu'il se sentait seul ! Si seul qu'il ne pouvait même pas s'asseoir à table et manger tranquillement pendant que son hôtesse et Matthew parlaient en face de lui.

S'il se comportait si bizarrement depuis qu'il avait mis le pied dans cette maison, c'était parce qu'il y percevait des sons et des parfums ayant l'étrange pouvoir de réveiller en lui les nostalgies qu'il avait pu faire semblant d'ignorer depuis six ans.

Il lui sembla que Matthew attendait sa réaction. Il lui dit enfin :

— C'est très gentil à toi...

Pourquoi sa voix avait-elle cette tonalité rauque ?

— Veux-tu t'asseoir un moment avec moi ?

Sans se faire prier, le garçon prit son élan et sembla s'envoler pour retomber pile au milieu du lit ; les ressorts grincèrent douloureusement. Puis il se redressa, s'assit les jambes croisées et darda son regard sur Willem, dont il semblait attendre beaucoup.

Ce dernier alla prendre la seule chaise à disposition, à côté de la commode sur laquelle il posa la tasse de café.

Puis, sans attendre, préleva avec sa fourchette une belle bouchée de tarte.

— J'ai une dent qui bouge, lui dit Matthew. Voulez-vous voir ?

Willem leva les yeux de son assiette. Son cœur battait décidément trop fort. Au garçon qui dardait sur lui son regard si bleu, et semblait brûler de lui faire partager une expérience extraordinaire, il dit en souriant :

— Bien sûr ! Montre-moi cela.

Il se leva et se pencha sur Matthew qui sentait bon le lait, les vêtements propres et la vie au grand air. De nouveau, il se désola de n'avoir pas un tel enfant, qui maintenant ouvrait la bouche pour lui faire voir ses petites dents blanches et parfaitement plantées et posait un doigt sur la dent en question.

En se penchant davantage, en regardant très attentivement, Willem vit qu'effectivement, la dent bougeait un tout petit peu.

— Est-ce que vous avez vu ? demanda Matthew, le doigt encore entre les lèvres.

Willem reprit sa place sur sa chaise. Il avait grand-peine à ne pas éclater de rire, et il se sentait mieux tout à coup.

— Oui, dit-il, j'ai vu. A mon avis, c'est une dent qui ne tardera pas à tomber.

Cette affirmation causa énormément de plaisir à Matthew, dont le sourire s'agrandit jusqu'aux oreilles, et qui retira son doigt de sa bouche pour l'essuyer sur son pantalon, en déclarant :

— Oncle Lars dit qu'on n'est plus un bébé quand on commence à perdre ses dents de lait.

— Es-tu donc si pressé de grandir ? s'étonna Willem.

Il mit dans sa bouche, enfin, la bouchée de tarte qu'il n'avait pas encore pu consommer. Il la trouva délicieuse, et d'autant meilleure qu'il pouvait la déguster en écoutant le babillage de Matthew qui l'entretenait des sujets dont les adultes n'ont pas conscience, mais qui importent tant aux petits garçons. Il se demanda si son petit garçon — ou sa petite fille — s'inquiétait au même moment d'une première dent menaçant de tomber.

— Oui, je veux grandir très vite, affirma Matthew. Je veux devenir mineur, comme papa.

Willem fronça les sourcils et but un peu de café pour dissimuler son trouble. Pourquoi l'évocation du *papa* de Matthew lui donnait-elle la chair de poule ? Pourquoi ressentait-il cette drôle de jalousie ? Il décida que son malaise était provoqué par son désir jamais satisfait de retrouver son propre enfant.

— Ta maman te parle-t-elle de ton papa ? s'entendit-il questionner.

— Souvent. C'était un mineur, mais il est mort juste avant ma naissance.

Matthew imprima à son corps un petit mouvement qui le fit rebondir légèrement sur le lit, sans cesser de regarder Willem de ses grands yeux bleus arrondis, dans lesquels brillait la lueur témoignant de l'intelligence et de la vivacité d'esprit. Soudain, il demanda :

— Est-il vrai que vous soyez l'Irlandais Noir ? C'est ce qu'ils ont dit, en bas...

Willem s'immobilisa, la fourchette en l'air, tandis que les souvenirs cruels l'assaillaient de nouveau à cause d'une question innocemment posée.

— Vous n'avez pas l'air si noir que ça ! se hâta d'ajouter le garçon, qui s'inquiétait de la réaction de son interlocuteur.

Willem fit l'effort de sourire, malgré sa douleur.

— Je ne suis pas Irlandais non plus, murmura-t-il.

Il avait envie de grincer des dents, car il haïssait plus

66

que tout au monde ce surnom qui lui rappelait trop un passé qu'il désirait oublier.

— Alors, insista Matthew, pourquoi vous appelle-t-on ainsi ?

— Ce sont des imbéciles qui m'ont trouvé ce surnom, il y a bien longtemps déjà, expliqua Willem. Ces gens était incapables d'établir la différence entre les Gallois et les Irlandais.

— Ils ne connaissaient peut-être pas la géographie, mais au moins, ils pouvaient voir que vous n'êtes pas noir. En plus, ils devaient avoir mauvaise vue...

Comme s'il voulait vérifier la véracité de son propos, le garçon pencha un peu la tête, plissa le nez et écarquilla les yeux, et ce fut dans cette position qu'il observa Willem pendant un très long temps, à la fin duquel il signifia sa conclusion :

— Non, vraiment, vous n'êtes pas noir du tout !

Cette fois, Willem partit d'un rire franc et sonore ; la logique enfantine, enfin, venait à bout de sa morosité. Le cœur plus léger, il expliqua :

— Ils ont dit que j'étais noir à cause de mes colères, qui les effrayaient à un point que tu n'imagines pas. Remarque, j'étais capable en ce temps-là de commettre bien des folies lorsque j'étais de très mauvaise humeur. Peu à peu, je me suis rendu compte que plus personne n'osait m'approcher, et j'ai pris la décision de me contenir mieux ; mais il était déjà trop tard, ma réputation étant solidement établie. Surtout, je ne pouvais plus revenir sur certains de mes actes.

C'étaient là des aveux auxquels jamais Willem n'eût consenti avant ce jour.

— Oh, murmura simplement le garçon.

Il réfléchit pendant une bonne minute à tout ce qui venait de lui être dit, donnant ainsi à Willem le temps de terminer la tarte et le café. Puis, sans attendre, il bondit du lit et reprit la tasse et l'assiette en annonçant :

— Je vais rapporter tout cela à maman...

Sur le ton des grands secrets, il ajouta :

— Normalement, il est interdit d'apporter de la nourriture dans les chambres, mais maman a bien voulu faire une exception pour vous ce soir...

Il marcha jusqu'au seuil, sembla hésiter un instant, avant de se retourner pour jeter :

— Je vous aime bien, monsieur Tremain. J'aimerais que nous soyons des amis.

Sans attendre de réponse, il prit son élan et descendit quatre à quatre les marches de l'escalier.

Planté sur le seuil, Willem écouta l'écho des pas dans le couloir, puis quand le silence se fut rétabli, resta encore, immobile, transi, ravi.

Il y avait bien longtemps qu'il n'avait plus d'ami.

Lui-même, d'ailleurs, ne s'aimait plus depuis longtemps.

5.

Willem se réveilla dans le bruit des lourdes bottes qui descendaient l'escalier.

Il avait dormi par intermittences, et, dans ses trop courtes périodes de sommeil, avait reçu la visite de ses compagnons morts. Sa nuit, comme toutes les autres depuis longtemps, avait été difficile, éprouvante.

Il s'habilla dans les pâles lueurs de l'aube et quitta sa chambre.

Il n'avait pas atteint le palier du deuxième étage, où se prélassait le matou à une oreille, que déjà ses narines captaient les fumets prometteurs d'un solide petit déjeuner. Entrant dans la cuisine, il repéra tout de suite, alignés sur la grande table, les piles de crêpes bien gonflées, les pots de beurre et de sirop d'érable; mais ce n'était pas tout : des biscuits fumants attendaient les amateurs à côté d'une énorme jatte de sauce à base de viande, grasse à souhait; il y avait aussi une assiette chargée de petites saucisses, et encore une autre, plus loin, sur laquelle s'entassaient les tranches de jambon; par-dessus tout cela flottait la bonne odeur du café frais.

Le dos tourné, Mme Cooprel remplissait une série de gamelles en fer blanc, avec diverses bonnes choses qu'elle répartissait avec une précision d'apothicaire.

— Bonjour, dit-elle en voyant entrer Willem. Comment s'est passée votre première nuit?

— Passable.

Willem se dirigeait vers la table. Il vit son hôtesse qui se retournait tout à fait pour le regarder, les sourcils rapprochés et le front soucieux. Il comprit que sa réponse, maladroite peut-être, devait être explicitée.

— Rassurez-vous, dit-il. Le lit n'est pas en cause; mais il se trouve simplement que je dors assez mal. Ah! Permettez-moi de vous remercier pour la tarte et le café d'hier soir. Je...

Il eût encore voulu ajouter quelques mots, mais ne les trouvait pas dans son esprit déjà embrouillé. Il s'agaça, contre son hôtesse qui ne le quittait pas du regard, contre soi qui se croyait obligé de se justifier en tout devant elle. Il reprit sa marche et alla prendre place à table.

— C'était une idée de Matthew, dit Mme Cooprel derrière lui. Je crois qu'il vous aime bien.

Willem sembla percevoir de la désapprobation dans ces propos, mais il ne savait pas trop. Il leva de nouveau les yeux pour observer son hôtesse, qui se déplaçait dans la cuisine avec la légèreté d'un papillon, pour aller soulever le couvercle d'une casserole; elle avait, semblait-il, la faculté d'accomplir plusieurs tâches à la fois avec la même efficacité.

Tous les mineurs la suivaient des yeux avec une admiration non déguisée. Ils en oubliaient même leur petit déjeuner!

— Matthew est un bon garçon, dit Willem, juste pour briser le silence.

— Bien sûr.

Mme Cooprel s'était remise au remplissage des gamelles, et elle chantonnait maintenant, bouche fermée, ce qui semblait signifier qu'elle n'avait plus envie de parler pour le moment.

Willem se versa du café, pendant que les autres mineurs, déjà servis, emplissaient leurs assiettes. Il préleva ensuite des biscuits, en se demandant si la prière des grâces devait être récitée aussi le matin. Il attendit en observant le comportement des autres convives, car pour rien au monde il ne voulait risquer une réprimande comme celle qu'il avait reçue la veille. Lorsqu'il vit Snap et Brawley attaquer de la fourchette leur pile de crêpes arrosées de sirop, il s'empressa de les imiter.

Abigail se tourna vers la table en frottant ses mains dans son tablier.

— Messieurs, tout est prêt, annonça-t-elle en montrant les gamelles rangées comme pour une parade.

Elle vint vers la table. Sans s'asseoir, elle se servit une tasse de café.

— On dirait que Matthew a décidé de faire la grasse matinée, aujourd'hui, grommela Brawley.

Willem porta son attention sur le visage de Mme Cooprel, qui affectait l'impassibilité dont elle avait déjà fait preuve au dîner de la veille; cette femme l'intéressait à plus d'un titre. C'était, décida-t-il, parce qu'elle lui rappelait Moïra et son enfant.

— Matthew était épuisé hier soir, expliqua-t-elle. Un garçon en pleine croissance a besoin de beaucoup de repos.

— Ouais, répondit le mineur.

Il jeta un regard furieux sur les mineurs attablés, dont plusieurs ricanaient ouvertement contre lui, pendant qu'Abigail se penchait sur sa tasse pour cacher, semblait-il à Willem, une forte envie de rire. Incorrigible, Brawley tenta une nouvelle manière d'approche.

— Je me suis dit, madame, que je pourrais faire équipe avec Matthew, pour la fête, et comme cela, il serait presque sûr de gagner cette année.

Il porta ensuite, vivement, sa tasse à sa bouche, comme si un long discours l'avait complètement desséché.

Willem nota que tous les mineurs interrompaient leur petit déjeuner pour attendre la réponse de Mme Cooprel ; leur attention était extrême, ce dont témoignaient leurs regards fixes, leurs lèvres pincées ; il y avait même, semblait-il, une certaine inquiétude chez certains d'entre eux.

Abigail Cooprel dévisagea la tablée, avant de se tourner de nouveau vers Brawley. A ce moment, Willem eût pu le jurer, elle fronça imperceptiblement les sourcils et son regard se durcit.

— C'est très gentil à vous de me le proposer, dit-elle, mais il se trouve que j'ai déjà formé d'autres projets.

Elle n'eût pas fait plus de mal au mineur en lui plantant un stylet en plein cœur : aux yeux de tous, il baissa la tête et parut s'affaisser.

— Je vois, dit-il d'une voix lasse.

Tous le virent rougir, si fort que sa peau prit une couleur comparable à celle de ses cheveux flamboyants.

— C'est que nous attendons Lars, crut devoir expliquer Mme Cooprel. Matthew voudra faire équipe avec lui, comme à l'accoutumée.

En souriant, elle s'installa enfin à table et déposa quelques crêpes dans son assiette.

Tous les visages autour d'elle souriaient, tous, sauf celui de Brawley bien sûr, et aussi celui de Willem, en position d'observateur.

Il se demandait qui était le mystérieux Lars dont il venait d'être fait mention, ce Lars que Matthew, la veille, avait évoqué avec une grande tendresse.

Snap Jackson se leva et plaça sur sa tête son chapeau informe en déclarant :

— Le soleil est déjà haut. Je ferais bien d'y aller. Merci pour le petit déjeuner, madame.

Comme s'ils avaient attendu ce signal, tous les hommes se levèrent alors un à un et sortirent de la cuisine, happant au passage leur gamelle. Bientôt ne restèrent plus à table que Brawley et Willem, dans un silence pesant.

Après plusieurs minutes d'attente, Brawley capitula. Il jeta à Willem un dernier coup d'œil assassin, et se leva. Le chapeau à la main, il grommela :

— Je travaille, moi !

Il sortit en traînant les pieds, ronchonna encore dans le vestibule.

Enfin, la porte claqua.

— Vous et moi sommes les seuls à n'être attendus nulle part, déclara Willem, d'un bout de la grande table à l'autre, où son hôtesse commençait de déjeuner.

Il la vit nettement rougir, et, la fourchette en l'air, chercher une réponse inspirée. Elle murmura :

— Oui, c'est vrai, vous avez raison...

Puis son visage s'éclaira tandis qu'elle ajoutait :

— Matthew est là-haut. Il ne devrait pas tarder à descendre.

Sa fourchette tremblait dans sa main.

Willem savoura son café sans cesser de l'observer, qui absorbait la nourriture avec autant de difficulté que s'il s'était agi du cuir le plus coriace. Il trouva amusant de l'inquiéter ainsi, alors qu'elle n'avait qu'à darder sur lui le regard clair de ses yeux bleu-vert pour lui faire perdre toute contenance.

Il se leva.

— Voulez-vous souhaiter le bonjour de ma part à Matthew ? demanda-t-il. Renouvelez-lui aussi mes remerciements pour sa gentille attention d'hier soir. Je vous souhaite à tous les deux une bonne journée.

— Oui, oui, je n'y manquerai pas.

En croisant son regard, Willem sentit son cœur battre plus fort. Il ressentait en face d'elle une impression étrange, de l'ordre de celle qui l'avait affecté, la veille, quand Matthew s'était présenté à la porte de sa chambre. Il jugea que sa trop longue quête le rendait de plus en plus incompréhensible à soi-même.

— Cherchez-vous du travail, monsieur Tremain? lui demanda son hôtesse, qui le voyait s'arrêter à mi-chemin vers la sortie, pour la regarder d'un air étrange, par-dessus la table en désordre.

— Non, j'en ai. On ne m'attend que demain matin, mais j'ai l'intention d'aller voir Otto dès aujourd'hui, pour lui signaler mon arrivée. Je...

Willem s'interrompit. Lui demandait-on de raconter toute sa vie? Quel besoin éprouvait-il de se livrer ainsi?

— Otto Mears? questionna Mme Cooprel.

Willem qui avait fait deux pas supplémentaires en direction de la sortie trouva là un excellent prétexte pour s'attarder davantage.

— Oui, s'empressa-t-il de répondre. J'ai déjà travaillé pour lui, il y a quelques années, lorsqu'il construisait la route de Silverton.

Il n'eût pas dû raconter cela, car les souvenirs, de nouveau, l'accablaient : c'était juste après cette époque que Moïra l'avait quitté, et depuis, sa vie n'avait plus jamais été la même.

— Vous devez être bon dans votre partie, si vous travaillez pour Otto Mears, déclara Mme Cooprel avec une admiration non feinte.

Willem haussa les épaules d'un air dégagé. Jamais ne s'était senti remarquable en quoi que ce fût. Certes, il voulait bien reconnaître qu'il s'y connaissait en explosifs, mais c'était un don que Dieu avait donné à tous les Gallois, pour leur permettre d'exploiter leur sous-sol plein de charbon.

— Vous savez..., dit-il sans savoir ce qu'il entendait ainsi expliquer.

Il s'interrompit.

Mme Cooprel le regarda avec attention; elle attendait la suite de ce qu'il avait commencé. Il sentit presque physiquement le silence s'abattre sur ses épaules.

— Je transmettrai votre commission à Matthew, finit par dire Mme Cooprel en se levant brusquement. Je vous souhaite une bonne journée, monsieur Tremain.

Willem sauta en arrière pour éviter l'attelage de mule, puis exécuta un brusque bond de côté pour échapper à la lourde barre d'acier qui avait tout de même failli lui écraser le pied.

Depuis une demi-heure, il avait déjà interrogé une douzaine d'ouvriers, il avait fouiné un peu dans tous les coins du vaste chantier, et pourtant, il n'avait pas encore réussi à localiser Otto Mears.

Avisant soudain une grande tente qu'il n'avait pas encore visitée, il s'y précipita pour soulever le vaste volet de toile grossière.

— Hello, là-dedans! lança-t-il d'un air jovial.

— Qu'est-ce que vous voulez? lui demanda, sans aménité, une voix surgie des profondeurs ombreuses.

— Hello, Otto! Viens me dire bonjour.

Willem rabattit le volet et attendit; pas longtemps; car un petit homme rondelet et chauve passa la tête entre les deux pans de toile pour jeter un regard furibond sur celui qui osait le déranger pendant le travail.

— Qu'est-ce que...

Voyant qui était le perturbateur, il s'adoucit aussitôt.

— Ah, c'est toi! Quand es-tu arrivé?

Il émergea de la tente.

— Je suis ici depuis hier, expliqua Willem. Comment vas-tu, Otto ?

Ce dernier, qui souriait maintenant, serra vigoureusement la main qui se tendait, en répondant :

— Moi, je vais bien, mais le travail n'avance pas...

D'un air dégoûté, il montra un amas de rochers contre quoi buttait la route en construction.

— On t'attend pour faire sauter ça, annonça-t-il.

— Et alors ? répondit plaisamment Willem. Il y a des pics et des pioches pour ce genre de travail...

Otto haussa les épaules.

— Ah, je comprends ! fit Willem. Tu souhaiterais un travail plus rapide.

— C'est cela, plaisante ! J'espère que tu n'as pas perdu la main.

Il asséna une bonne claque sur l'épaule de Willem.

— Dans quel domaine ? s'enquit ce dernier.

— Les explosifs, bien sûr. C'est pour cela que j'ai besoin de toi.

— Pas de problème. Je ferai sauter ton caillou. As-tu de la dynamite ?

— Oui, en quantité.

— Il n'en faut pas tant que cela. Quelques bâtons placés au bon endroit, et tu verras partir tout cela en fine poussière.

— Ah, l'Irlandais Noir, tu ne changeras jamais ! Je suppose que tu ne bois toujours pas !

Willem hocha la tête pour signifier qu'en effet...

— Bien ! approuva Otto. De toute façon, je n'aurais rien à t'offrir. Mais dis-moi : pourquoi te laisses-tu pousser la barbe ?

— Parce que je suis fauché.

— Fauché ? Comment fais-tu tes comptes ? Avec tout l'argent que je t'ai déjà donné, tu devrais déjà être plus

76

riche que le roi Midas. Tu ne bois pas, tu ne joues pas...
Quel est ton vice ?

— Je n'en ai pas, répondit modestement Willem.

— Une petite femme frivole, peut-être ? C'est cela ! Je
suis sûr que tout ton argent passe dans les fanfreluches.

— Non.

— Alors, pourquoi es-tu toujours fauché ?

Willem ne répondit pas.

— Bon, écoute. Retourne en ville, avec ceci...

Il fouilla dans sa poche, en retira quelques billets frois-
sés que d'autorité il fourra dans la main de Willem.

— ... Et va te faire couper cette tignasse.

— Toujours aussi autoritaire, à ce que je vois, répondit
Willem, qui néanmoins prit l'argent sans se faire prier.

— Dame ! C'est moi le patron ! Est-ce que je te vois
demain ?

— A la première heure !

Willem salua en portant deux doigts à son chapeau,
tourna les talons, et s'éloigna d'un bon pas.

Le regardant circuler entre les chariots et les groupes
d'hommes circulant un peu partout sur le chantier, Otto
se dit qu'il éprouvait une amitié non dénuée de tendresse
paternelle pour un homme, qu'au fond il ne connaissait
pas. Qui était le mystérieux Irlandais Noir ? Il n'en savait
rien.

Une main se posa sur son épaule et il se retourna pour
invectiver l'importun.

— Que... ?

Son expression s'éclaira aussitôt.

— Oh, c'est vous, Lars.

Le vieil homme cracha sur les rochers le jus noir de la
chique qui déformait sa joue, et demanda :

— Qui était cet homme, Otto ?

— Comment ? Vous ne connaissez pas l'Irlandais
Noir ? s'exclama Otto, incrédule.

77

— J'en ai entendu parler, mais je ne l'ai jamais rencontré, admit simplement Lars.

— Alors, pourquoi ne pas être venu plus tôt, pour que je fasse les présentations ?

— Je ne voulais pas vous déranger. Vous sembliez pris tous les deux dans une grande conversation ; mais si j'avais su...

— De toute façon, cela n'a pas d'importance car il reviendra demain matin. Vous verrez : il fera sauter cette damnée montagne en moins de temps qu'il ne faut pour le dire, et ma route avancera enfin !

Le coiffeur déposa sur le visage de son client une serviette brûlante et humide, puis la pressa longuement de ses deux mains pour bien ramollir la peau partout.

En soupirant, Willem s'abandonna au bien-être. Les yeux fermés sous la serviette qui l'étouffait à demi, il écoutait les bruits de la rue, artère pleine d'activités diverses qu'il avait parcourue dans presque toute la longueur en venant à l'établissement de bains, puis chez le coiffeur.

Après avoir longuement séjourné dans l'eau mousseuse, il avait décidé de poursuivre le grand nettoyage en faisant disparaître tous les poils qui envahissaient son visage. Il n'avait jamais été très amateur de barbes, et l'essai accompli par la force des choses depuis quelques semaines le renforçait dans ses préventions à cet égard.

— Ça va ? demanda, au-dessus de lui, le coiffeur invisible.

— Ça va, répondit Willem, d'une voix qui lui parut étrangement déformée dans l'atmosphère confinée qui régnait sous la serviette.

— Parfait. Patientez encore un peu : il faut que ça marine, si on veut raser de près !

78

Willem sentit son fauteuil pivoter si brusquement qu'il connut un bref moment de panique. Son cœur se mit à battre à tout rompre, sa vision s'obscurcit, et il eut même l'impression que le sol se dérobait sous lui pour l'attirer dans un gouffre sans fond. Il suffoquait. La bouche ouverte, il voulut crier...

La serviette fut arrachée de son visage. L'horrible sensation de chute cessa. Les mains crispées sur les bras du fauteuil, Willem prit une longue inspiration, en s'agaçant de ce que son pouls ne reprenait pas assez vite son rythme normal. Puis il ouvrit les yeux et jeta un coup d'œil inquiet en direction du coiffeur, qui apparemment n'avait rien décelé de son trouble.

— Ce sera pour quoi ? demandait ce dernier. Rasage complet, moustache ? Les favoris longs sont très en faveur en ce moment.

— Vous m'enlevez tout ça ! ordonna Willem, qui accompagna sa réponse d'un geste circulaire de la main très explicatif.

— C'est vous le client, c'est vous le roi !

Le coiffeur s'empara d'un blaireau et d'un bol de savon à barbe, et enduisit le visage de son client d'une épaisse couche de mousse onctueuse. Son toucher avait la finesse et la précision d'un peintre en bâtiment pris de boisson...

Lorsque, d'une brusque poussée, il imprima au fauteuil un nouveau demi-tour de rotation pour le remettre en face du miroir, Willem ouvrit les yeux et se demanda pourquoi il avait de la mousse jusque sur le front, mais quand il vit s'approcher de lui le coiffeur armé d'un gigantesque rasoir qu'il agitait à grands gestes saccadés, il se crispa de nouveau et adressa au ciel une brève, mais fervente prière.

Le rasoir crissait sur sa peau, il sentait les javelles de

poils alourdis de mousse tomber sur sa poitrine et ses épaules, mais ne ressentait pas de douleur cuisante. Il jugea que le coiffeur était plus habile dans le maniement du rasoir que dans celui du blaireau ce qui, somme toute, valait mieux que le contraire. Finalement, il sentit son nez pincé et tiré vers le haut sans ménagement, et ainsi furent sacrifiés les poils qui ornaient encore sa lèvre supérieure.

Il ne lui restait plus, dès lors, qu'à subir un rinçage et un essuyage virils, puis à recevoir un jet atrocement parfumé qui lui brûla la peau comme un jet d'huile brûlante.

— Qu'est-ce que vous me mettez ? s'enquit-il après avoir sursauté sous la première application.

— Un après-rasage tout nouveau, monsieur, répondit le coiffeur avec jovialité. C'est *Senteurs des îles*, le dernier produit à la mode.

Il recula de quelques pas pour admirer son œuvre.

Willem avait plutôt l'impression que le produit en question se destinait aux dames de très petite vertu, mais il n'osa pas formuler son appréciation, de peur de paraître désobligeant. Fouillant dans sa poche, il en retira quelques-uns des billets d'Otto, paya l'homme de l'art et sortit.

Sur les marches de la boutique, il regarda venir à lui l'orphéon municipal en répétition.

C'était un triste spectacle que cette troupe désordonnée tirant des instruments les sons les plus discordants, comme si le but de l'exercice était de scier les nerfs d'un maximum de personnes dans le temps le plus court possible.

Peu disposé à ce genre d'expérience, Willem décida de mettre la plus grande distance possible entre lui et les bourreaux en uniforme chamarré, sans se soucier du lieu où l'emmenaient ses pas. Il marcha jusqu'à ce qu'il n'entendît plus la moindre prétendue note de musique ou le plus léger battement de grosse caisse. Alors, il s'arrêta et regarda autour de lui.

— Me voici donc dans la rue Blaine, murmura-t-il après lecture d'un écriteau de bois cloué au coin d'une maison.

L'agence Pinkerton avait cherché pour lui Moïra dans toutes les maisons de tolérance situées entre Denver et Animas, mais il avait toujours douté du résultat de ces investigations : sa femme acceptant très difficilement ses tendres avances, il l'imaginait mal vendant son corps ensuite au premier venu, plusieurs fois par jour. Impossible...

Il n'avait pas perdu l'espoir de la retrouver, au détour d'une rue, dans une ville inconnue, au hasard de ses pérégrinations. Ayant essuyé tant de rebuffades au temps de leur vie conjugale, il avait depuis longtemps cessé d'éprouver le moindre désir pour elle, mais il la considérait toujours comme la mère de son enfant. Et puis, il avait tout de même des convictions : pour lui, le mariage était une institution sacrée.

Il n'avait qu'une obsession : retrouver l'enfant de ses œuvres pour l'élever convenablement, si possible en compagnie de sa femme enfin décidée à demeurer au foyer.

L'image de Matthew Cooprel se dessina dans son esprit. Voilà un garçon qu'on pouvait être fier d'avoir pour fils ! Le regard toujours fixé sur l'écriteau, sans se soucier des passants étonnés qui croyaient avoir affaire à un illettré déchiffrant péniblement quelques syllabes pour se situer dans la ville, il méditait la nouvelle pensée affligeante qui venait de le frapper : et si Moïra avait abandonné l'enfant ? Il frissonna de peur, essaya de démolir l'argument, et ne fit que le renforcer jusqu'à lui donner toutes les apparences d'une vérité intangible.

Moïra était si jeune. Il l'avait effrayée gravement par ses affreuses colères. Il était vraisemblable qu'elle eût désiré mettre la plus grande distance possible entre elle et lui. Elle pouvait, dans le désarroi qu'elle avait connu alors, ne pas avoir voulu garder avec elle un bébé qui lui rappelait un mari qu'elle préférait oublier; un bébé que, de toute façon, elle n'avait pas les moyens d'élever.

C'était là un faisceau d'hypothèses qu'il conviendrait de garder à la mémoire pour dresser le bilan des recherches infructueuses engagées jusque-là : si Moïra, en effet, avait fui le plus loin possible, si elle avait quitté le Colorado et peut-être même les Etats-Unis, il ne fallait plus s'étonner de ce que l'agence Pinkerton ne l'eût pas retrouvée.

Willem décida qu'il discuterait de cela avec Paxton Kane dès qu'il arriverait, le lundi suivant.

Il fit quelques pas dans la rue Blaine à la si sulfureuse réputation, et lut les inscriptions portées sur les vitrines peintes de décorations exotiques, luxuriantes, et très évocatrices des plaisirs qu'on promettait à l'intérieur. *Saloon Mulligan*, *Bazar Peter*, *Billard Silvio*...

Une solide poigne s'abattit sur son épaule. Il se retourna d'un bond, comme s'il se sentait pris en faute.

— Alors, on se met au courant des spécialités locales ? lui demanda Snap Jackson avec un rire grivois.

— En quelque sorte.

— Ouah ! s'exclama le mineur. Voilà ce qui s'appelle se faire racler la couenne !

— J'en avais besoin, dit Willem, comme s'il avait à présenter des excuses pour s'être fait raser.

— Tu vas plaire aux dames, comme cela. Moi, j'allais chez Silvio pour boire un verre et faire une partie de billard. Viens-tu avec moi ?

Willem n'aimait pas la bière, et il n'avait jamais jugé

utile de perdre un peu de son temps pour apprendre un jeu aussi futile que le billard ; mais comme Snap semblait connaître très bien le quartier chaud de Guston, il détenait peut-être sans le savoir des renseignements inédits sur Moïra.

— Pourquoi pas ? dit-il donc.

Sombre, bruyant, enfumé et assez malodorant, l'établissement tenu par le dénommé Silvio ressemblait à tous les débits de boissons dans lesquels Willem avait déjà pénétré ; l'estomac contracté par le dégoût, la tête alourdie des mauvais souvenirs qui l'assaillaient une fois de plus, ce dernier n'entendit pas tout de suite Snap qui lui proposait, *pour commencer*, une chope de bière grand format.

— Non, merci, dit-il quand il eut enfin compris de quoi il s'agissait.

Snap haussa les épaules et se dirigea vers la table de billard, en assez triste état avec un tapis très élimé et des sacs à boules qui avaient bien besoin d'être reprisés. Il posa son verre sur une étagère disposée à cet effet, s'empara d'une queue et annonça :

— Un *cent* le point ; d'accord ?

— Je n'ai jamais appris à jouer, dit Willem. Je regarderai seulement, si cela ne t'ennuie pas.

Sans attendre la réponse, il s'adossa au mur et croisa les bras.

— Comme tu veux, répondit Snap, pas contrariant.

A une extrémité du tapis vert il prépara un triangle de boules, de l'autre côté disposa celle qui lui servirait de bélier, puis, la queue en main, se pencha sur ce champ de manœuvre pour pousser toutes les boules dans les filets, avec une dextérité déconcertante.

Malgré ses préventions contre le jeu, Willem admira l'art du mineur, puis demanda à ce dernier qui s'octroyait une pause pour vider la moitié du verre de bière :

— Depuis combien de temps viens-tu ici?

— Oh! J'ai l'impression que c'est depuis toujours...

Du revers de la main, Snap essuya sa moustache de mousse blanche.

— J'arrive au dégel, je repars avec les premiers frimas. C'est comme cela tous les ans, depuis bien des années.

— Je voulais dire : est-ce que tu passes beaucoup de temps, dans la rue Blaine?

Snap fronça ses sourcils broussailleux et reposa calmement son verre de bière sur l'étagère.

— J'y passe du temps, oui... comme presque tous les hommes de Guston. Pour quelle raison me poses-tu cette question?

Et voilà! Une nouvelle fois, Willem se repentit d'avoir posé une question personnelle, délicate même, à un homme qu'il connaissait à peine, à un homme que, peut-être, il avait froissé en venant trop vite au sujet qui l'intéressait. Il ne savait pas attendre, il n'avait aucune patience. Combien de fois Paxton ne lui avait-il pas dit qu'il ne savait pas poser les questions!

— C'est que je cherche une femme, dit-il platement.

— Alors, mon gars, tu es au bon endroit. Des femmes! Il n'y a que cela ici. Il suffit de demander.

— C'est que j'en cherche une en particulier : elle a des cheveux roux et des yeux bleus très clairs.

— Cette femme a-t-elle un nom? voulut savoir Snap, les deux mains sur le bord du billard.

— Moïra... Moïra Tremain.

Willem se surprenait toujours de constater qu'après tant d'années, ces quatre syllabes avaient encore beaucoup de mal à passer la barrière de sa gorge.

— Ta sœur?

— Ma femme.

6.

Willem marchait au hasard, sans voir où il allait. Il avait l'esprit préoccupé de Moïra.

C'était une belle fille que Moïra, un peu sauvage, et impulsive comme une renarde; mais si belle! Avec ses cheveux couleur de flammes et ses grands yeux bleus pleins de candeur, elle n'avait eu aucun mal à le séduire...

Le cœur serré, Willem revécut par la pensée le jour du mariage, qui, au lieu d'inaugurer toute une vie de bonheur, marquait le début d'un long calvaire.

Du fond de son cœur, Willem avait désiré l'enfant qu'ils conçurent au cours de leur nuit de noces, et Moïra elle-même semblait l'accepter; donc, tout eût pu aller pour le mieux dans le plus heureux des couples...

Avec des « si », il était aisé de reconstruire le passé...

Pourquoi Moïra l'avait-elle fui sans idée de retour? Il l'avait effrayée — il voulait bien l'admettre —, mais n'avait-elle pas fait preuve d'égoïsme en n'essayant pas de le comprendre; en ne voulant pas être patiente et attendre que reviennent des jours meilleurs?

Perdu dans ses pensées, Willem s'arrêta tout à coup. Regardant autour de lui, il découvrit qu'il était arrivé devant la pension tenue par Mme Cooprel. Il se demanda quel aimant mystérieux l'avait attiré là, à son insu.

Il haussa les épaules d'un air fataliste et monta sans bruit l'escalier menant à sa chambre. Là, il ôta ses chaussures et s'allongea sur le lit, où il resta de longues heures, le regard vide fixé au plafond, trop las pour ressasser encore ces souvenirs affligeants.

Le rire saccadé de Matthew réveilla Willem.

Allongé en travers du lit, le bras droit en écharpe sur les yeux, il écouta longtemps les sonorités enfantines. C'était comme s'il percevait le bruit de la pluie après une longue période de sécheresse : il se sentait rafraîchi, et revigoré.

Désireux de savoir quel menu bonheur réjouissait l'enfant, il se leva. Le cœur léger, mais battant un peu plus vite que la normale, il entrouvrit la fenêtre pour regarder dehors : Abigail Cooprel et Matthew se poursuivaient entre les tapis suspendus sur les fils à sécher le linge.

La jeune femme avait défait son chignon pour réunir ses cheveux en une longue queue-de-cheval retenue par un simple ruban rouge hâtivement noué ; Willem n'avait pas imaginé qu'elle pût les avoir si longs : ils tombaient jusqu'à ses reins, et dans les mouvements vifs qu'elle leur imprimait dans sa course, ils captaient la lumière et la réfléchissaient dans toutes les nuances allant du blond clair au brun le plus foncé. Elle avait un balai bien en mains, qu'elle brandissait comme une arme en proférant des menaces, et Matthew fuyait, et Matthew se cachait entre les tapis, et Matthew riait à gorge déployée.

Le cœur serré, Willem sourit. Observant avec quelle grâce et quel entrain Mme Cooprel, aussi innocente et fraîche qu'une enfant, courait dans l'herbe, il se rappela ce qu'elle lui avait dit du mardi : c'était le jour du grand ménage. Il fallait donc croire qu'elle avait entrepris de battre les tapis et que, Matthew venant la taquiner, elle n'avait pas hésité à abandonner son harassant travail pour quelques instants de récréation.

Willem soupira et ouvrit la fenêtre en grand pour mieux voir : d'une certaine façon, ce spectacle faisait du bien à son âme ; mais quand il vit soudain son hôtesse jeter son balai et relever jusqu'aux genoux, pour mieux courir, les jupons qui l'entravaient, il s'arrêta de respirer : ce n'était plus une enfant qu'il voyait à cet instant, mais une femme de chair et de sang, qui éveillait en lui des désirs endormis depuis longtemps.

Elle ne portait pas de souliers, pas de bas non plus. Lorsqu'elle cessa de courir, elle agita ses orteils, parce que l'herbe devait la chatouiller. Puis elle leva ses jupons, plus haut encore, et se lança à la poursuite de Matthew, qui, trop essoufflé pour lui échapper encore, se laissa rouler sur le pré et s'abandonna.

Oppressé, Willem regardait.

Abigail Cooprel avait de longues jambes, fines et bien faites, blanches et belles, et sans doute très douces au toucher, comme tout le reste de son corps, il n'en fallait pas douter.

Le cœur de Willem cognait dans sa poitrine, le sang battait à ses tempes. Dans son ventre, l'enfer s'était allumé, et son sexe, qu'il s'était réjoui de croire mort, se signalait à lui, lentement, irrésistiblement.

La femme, en bas, se mit à rire, en belles sonorités sensuelles, un peu rauques, qui augmentèrent le trouble de l'homme pétrifié, mais bien vivant.

Un gémissement échappa à Willem, qui ferma les yeux. Il s'était juré de toujours rester fidèle à Moïra ; par la pensée autant que par les actes ! Pendant presque sept années, il avait respecté ce vœu solennel, et voilà que, soudain, il ressentait du désir pour une autre femme, pas n'importe laquelle : celle-ci, qui courait comme une elfe dans le pré sous sa fenêtre.

Les mâchoires serrées, les poings fermés, Willem s'arracha à la tentation. S'il ne pouvait dénier les séductions que Mme Cooprel exerçait sur lui, s'il pouvait difficilement y résister, il avait au moins la possibilité de s'y soustraire, par la fuite.

Par le raisonnement aussi : Willem récapitula les arguments qui pouvaient l'aider : Mme Cooprel n'était pas particulièrement jolie... mais elle avait des yeux... et puis ces longs cheveux qui semblaient si soyeux... et encore ces mollets, bien sûr. Mis à part tout cela, elle était ordinaire, et même assez commune.

Malgré cela, Willem Tremain brûlait d'un désir qui refusait de s'éteindre.

Le sang en ébullition, il se mit à arpenter à grands pas sa chambre trop étroite, pour tenter de s'épuiser, et après de longues minutes de cette torture, il perçut enfin les bruits de pas et de voix qui lui annonçaient le retour des mineurs. Maintenant, il pouvait sortir de son refuge et, protégé par la présence d'autres hommes, affronter Mme Cooprel sans craindre de se ridiculiser en lâchant une confidence sur les émois qu'elle avait éveillés en lui. Il se jeta de l'eau sur le visage et se peigna avec soin. C'était un autre lui-même qu'il apercevait dans le miroir, un autre lui-même que n'expliquait pas seulement son récent passage entre les mains du coiffeur.

Son regard, éteint depuis le jour où, rentrant chez lui après son travail, il avait trouvé la maison vide, et pour toute explication un simple billet posé dans le berceau, son regard, donc, brillait d'un éclat renouvelé. Son feu intérieur, épuisé peu à peu dans sa quête incertaine de Moïra, s'était rallumé.

Il inspira longuement et, une dernière fois, passa ses deux mains dans ses cheveux humides pour bien les plaquer sur son crâne. Oui, Mme Cooprel avait réussi à réveiller l'homme assoupi en lui, tandis que Matthew avait su lui prouver qu'il avait, malgré tous ses malheurs, un vrai cœur de père. C'était tout son être qui ressuscitait donc. Etonné par cette découverte, il sortit de sa chambre.

Le rire d'Abigail le bloqua sur le seuil de la cuisine encore vide. Elle lui tournait alors le dos, mais, sensible peut-être à sa présence, elle pivota brusquement pour lui faire face. Vite il reprit sa progression et vint s'asseoir à table. Malgré les fourmillements qui l'agaçaient du sommet de son crâne au bas de sa colonne vertébrale, il tâcha de faire bonne figure.

Il désirait Abigail Cooprel. Cela se voyait-il sur sa figure ?

— Monsieur Tremain...

Une casserole en main, dont elle serrait la queue à se faire blanchir les phalanges, l'hôtesse semblait perturbée. L'ayant observé comme si elle avait affaire à un revenant, elle ouvrit plusieurs fois la bouche avant de parvenir enfin à prononcer quelques mots pleins d'ironie, pour dissimuler son émoi :

— Quel bel homme vous êtes quand vous êtes débarrassé de tous ces poils !

Aussitôt, elle rougit.

Willem sut de science certaine qu'elle regrettait ce compliment, qui lui causa d'autant plus de plaisir. Il la regarda s'activer de façon un peu désordonnée, déplaçant une assiette pour la remettre après en place, et il se répéta plusieurs fois, pour bien les graver dans sa mémoire, les mots si élogieux qu'elle venait de prononcer. Il était heureux qu'elle eût remarqué son changement de physionomie, plus heureux encore qu'elle l'eût formulé, malgré la réserve qu'elle semblait s'être imposée dans ses rapports avec les hommes habitant chez elle. Son désir d'elle s'en augmenta d'autant, ce qui était à prévoir, et il se demanda si tous les locataires se trouvaient dans les mêmes dispositions que lui. Il éprouva aussi de la jalousie envers ceux qui, depuis plus longtemps que lui, avaient la chance de connaître Abigail Cooprel.

Le souvenir des mollets nus entrevus sous les jupons lui fit perdre soudain toute retenue.

— Je vous ai vue, qui battiez les tapis en compagnie de Matthew. Vous sembliez bien vous amuser, tous les deux.

Il ne s'agissait pas pour lui de seulement rompre le silence : du plus profond de lui-même, il voulait faire savoir à Mme Abigail Cooprel quel bouleversement elle avait provoqué chez lui.

Elle s'interrompit et le regarda avec une certaine gêne : elle s'interrogeait sur le spectacle peut-être indécent qu'elle avait pu donner à cet étranger.

— J'espère... j'espère que nous ne vous avons pas dérangé, finit-elle par bredouiller.

— Pas du tout, s'empressa de répondre Willem.

Conscient d'être observé de derrière, il se retourna.

Tous les mineurs, sur le seuil, le regardaient et manifestaient, par leurs regards, tous les degrés de l'incrédulité ou de la perplexité. Brawley semblait particulièrement sombre. Seul Matthew lui souriait sans retenue, et bientôt il ne vit plus que ce sourire, qui réveilla au creux de son estomac la petite douleur avec laquelle il commençait à se familiariser.

Il se retourna pour s'apercevoir que Mme Cooprel semblait mécontente, à cause de l'amitié que Matthew lui manifestait, justement ; elle en avait les mains qui tremblaient.

90

Abigail essuya nerveusement dans son tablier ses mains qui tremblaient, sans cesser d'observer son fils, puis M. Tremain. Cet homme était différent, elle l'avait su tout de suite. Matthew aussi s'en était rendu compte, qui, déjà, jetait sur lui des regards si brillants, des regards de fils pour le père qu'il n'avait pas. Elle en conçut une jalousie soudaine et d'autant plus puissante que jamais, depuis qu'elle tenait la pension, Matthew n'avait tenté de nouer de tels liens avec l'un ou l'autre de ses locataires ; les sentiments qu'il manifestait à M. Tremain l'inquiétaient.

M. Tremain la perturbait beaucoup.

Il ne ressemblait à aucun des autres mineurs. Avec ses airs souvent sombres et réservés, il n'était pas du genre qui se laisse apprivoiser. Il ne cherchait pas à être « gentil ». Il avait même une façon de lever sur elle le regard qui dénonçait chez lui la violence du caractère. Il pouvait se montrer dangereux ; mais il avait aussi parfois, dans le regard, une telle douceur, une telle détresse.

Elle se sentait alors portée vers lui par l'envie de le consoler. Pour son salut, elle devait se garder de lui, et si possible éloigner le petit Matthew. Surtout, elle ne devait jamais laisser entrevoir à cet homme l'effet qu'il produisait sur elle, car ce serait lui donner un pouvoir contre quoi elle ne pourrait plus jamais lutter ensuite ; ce serait consommer, d'avance, sa perte.

Pour déposer la marmite de pommes de terre fumantes, Mme Cooprel se pencha sur la table à côté de Willem, et celui-ci inhala, non le succulent fumet qui, pour lors, ne l'intéressait que médiocrement, mais le parfum délicat émanant des longs cheveux que l'hôtesse n'avait pas eu le temps de remettre en chignon. Le souvenir des jambes qu'elle lui avait montrées involontairement en courant dans le pré le fit s'agiter sur sa chaise, et quand par mégarde elle l'effleura du bout des doigts, il sursauta comme si elle l'avait brûlé. Il ne la regardait pas, et pourtant il était conscient de tous les mouvements qu'elle accomplissait, là, tout près de lui. Il l'entendit qui respirait de façon oppressée, et ainsi, il sut qu'elle craignait son contact encore plus que lui. Enfin, il osa tourner les yeux sur elle au moment où elle s'éloignait, et il vit qu'elle avait les mains tremblantes.

Elle alla s'asseoir à l'autre bout de la table, et à ce moment seulement, leva les yeux pour embrasser du regard tous ses convives. De loin, elle semblait plus tranquille qu'au cours du dîner de la veille, mais elle gardait les sourcils froncés, comme si un gros souci la rongeait tandis qu'elle distribuait les paroles aimables à droite et à gauche; Brawley éleva la voix pour se faire remarquer, elle se tourna vers lui pour écouter ce qu'il avait à lui dire, et dans ce mouvement, elle croisa le regard de Willem, fixe comme celui d'une statue. Elle s'humecta les lèvres, puis, très vite, baissa les yeux et mit beaucoup de soin, ensuite, à ne plus renouveler l'expérience.

Devant son assiette toujours pleine alors que les grâces étaient dites depuis longtemps, Willem se demanda pourquoi la vision d'un bout de langue pointant entre deux lèvres roses avait le pouvoir de l'émouvoir à ce point.

Il consomma une bouchée de ragoût, puis une autre, mais il eût été incapable, ensuite, de définir en quoi consistait le plat présenté. Il en fut ainsi tout au long du repas, et au moment du dessert — une tourte aux pêches — il n'avait plus qu'une idée en tête : faire l'amour avec Mme Cooprel.

Abigail vit ses mains se crisper sur la queue de la terrine fumante : ne pouvait-elle, enfin, se conduire en adulte ? Elle se rendait compte que son silence, inhabituel, accroissait son malaise d'instant en instant. Elle chercha donc un sujet de conversation sans danger, afin de pouvoir échanger quelques mots avec M. Tremain, lorsqu'elle arriverait à lui. Elle trouva.

— J'ai voulu nettoyer votre chambre aujourd'hui, mais quand je suis entrée, je me suis aperçue que vous y étiez en train de dormir.

Il leva les yeux sur elle, et parut fort embarrassé, comme d'avoir été pris en faute.

— Je suis désolé si j'ai gêné le déroulement de vos travaux, Mme Cooprel. D'habitude, croyez-moi, je ne m'endors pas au milieu de la journée.

— Je... Je ne vous disais cela que par rapport à mon programme de travail hebdomadaire, monsieur Tremain...

Abigail sentit ses joues chauffer. Cela l'agaça.

— Je ne voulais pas que vous pensiez que je ne tenais pas mes engagements. Vous comprenez, monsieur Tremain...

En entendant Mme Cooprel bégayer sur un sujet aussi anodin, Willem sentit croître son désir d'elle. Il en était sûr, il la troublait ! Mais il ne voulait pas lui faire peur. Certes, il était loin le temps où, d'un seul éclat de voix, il terrifiait les femmes. Et pourtant, il était clair que Mme Cooprel tremblait devant lui. Il chercha donc un moyen de lui faire comprendre, avec tact, qu'elle n'avait rien à redouter de lui : il avait juré fidélité à Moïra, jusqu'à la mort, et il entendait tenir ses engagements.

Il brûlait de désir, mais persistait à croire qu'un homme d'honneur se devait d'honorer sa parole.

— Madame Cooprel?

— Oui, monsieur Tremain?

Elle avait la voix bien douce pour lui répondre, tandis qu'elle ouvrait sur lui ses grands yeux un peu tristes, comme un petit animal pris au piège et faisant savoir d'un regard qu'il ne se défendrait pas.

— Voulez-vous m'appeler Willem?

Tendu lui aussi, comme prêt à exploser, il espérait qu'elle ne saurait rien de son état. Il la regarda qui réfléchissait, les paupières baissées et la lèvre inférieure tremblant imperceptiblement. Lorsqu'elle reporta sur lui son regard, il y lut une angoisse indicible.

— Oui, lui dit-elle. Si vous voulez.

Il espérait qu'elle comprendrait ses intentions, très louables forcément, à cause de son serment qu'il n'avait pas l'intention de briser; mais Abigail tenait devant elle sa terrine, comme pour se protéger de lui et des désirs qu'elle lui supposait sans doute; elle respirait très fort aussi, trop fort pour se sentir vraiment à l'aise.

— Puis-je vous appeler... Abigail? demanda-t-il.

Lui aussi se mettait à hésiter, à bégayer. Il savourait ce prénom — Abigail — comme un fruit défendu autour duquel il aurait longuement tourné avant de se décider à le cueillir.

— Certainement, monsieur Tremain... Je veux dire: Willem.

Elle n'avait plus qu'un tout petit filet de voix, et dans le regard qu'elle lui jeta à ce moment, Willem fut sûr qu'il lisait du ressentiment; de l'anxiété aussi.

Il regretta son offre, qui n'adoucissait pas leurs rapports, ne les simplifiait pas; au contraire! Il voyait bien que Mme Cooprel tremblait plus que jamais à son approche.

94

Frustré, malheureux, il soupira en songeant qu'il eût bien mieux fait de se taire; qu'au lieu de vouloir faire ami-ami avec Abigail Cooprel, il devait appliquer tous ses efforts sur Moïra et sur son enfant : voilà un enseignement qu'il ferait bien de garder constamment à la mémoire, désormais.

De toute façon, il se connaissait assez pour savoir qu'il n'oublierait pas de sitôt ses vœux nuptiaux. Son hôtesse lui échauffait les sens, c'était vrai, mais elle se trouvait plus en sûreté avec lui qu'avec aucun de tous les autres hommes siégeant autour de la table.

Seulement, elle n'en savait rien !

7.

En sortant de la banque de Silverton, Lars savoura le bref moment de répit qu'il éprouvait toujours à ce moment-là : la culpabilité, qui le tenaillait continuellement depuis la naissance de Matthew, soudain s'allégeait.

Il plia le reçu et le fourra dans sa poche. Plus tard, il l'ajouterait à la pile de tous ceux qu'il avait accumulés depuis des années : avec une belle régularité, et toujours secrètement, en effet, il déposait de la poussière d'or sur un compte ouvert au nom de Matthew peu de temps après la naissance de celui-ci ; le montant total commençait à être impressionnant.

Le vieil homme soupira : il savait que ce moment de repos, de bonheur presque parfait, ne serait jamais qu'une accalmie dans l'agitation de sa vie, et que bientôt sa conscience se remettrait à le faire souffrir comme un ulcère. Puis il remit sur sa tête son vieux chapeau tout cabossé et traversa la rue Greene en regardant vers le ciel gris : les nuages y couraient vite. Il accéléra le pas, sans considération pour ses rhumatismes douloureux, souvenir des longs mois trop froids qu'il avait passés dans la montagne.

Il était parti cette année-là dès le début du printemps, plus tôt que d'habitude, pour arracher le minerai de fer à des roches qui en contenaient pourtant bien peu. Après qu'il eut trouvé le courage d'avouer la vérité à Abigail, il était redevenu le couard de toujours, et il avait fui dans la solitude des hauteurs, pour ne plus voir le visage, pour ne plus avoir à affronter le regard de la jeune femme.

Mais il n'ignorait pas que, bientôt, il devrait rentrer.

Il savait que de nombreuses questions l'attendaient, auxquelles il serait obligé de répondre.

Il n'avait même pas osé révéler à la jeune femme l'endroit où il avait enterré la petite fille mort-née ; une boule se forma dans sa gorge à cette évocation. Il n'avait jamais été beau parleur avec les femmes, et d'avoir vécu plusieurs années dans l'entourage d'Abigail ne lui avait donné aucun talent supplémentaire en ce domaine.

Etrange, songeait-il, comme les événements s'étaient enchaînés. Il avait été si sûr d'avoir raison, en laissant croire à Abigail qu'elle avait donné le jour à Matthew.

Grave erreur ! Il eût dû lui apprendre d'emblée la vérité ; mais cela, il l'avait compris trop tard, en prenant toute la mesure de la souffrance qu'exprimaient les yeux de la jeune femme, tandis qu'il lui parlait.

Par son silence, il l'avait trahie.

Avec gêne, il toucha du bout des doigts le médaillon d'or caché sous sa chemise. Certains jours, ce fragile bijou pesait à son cou aussi lourdement que la pierre qu'il méditait d'y accrocher avant de sauter dans la rivière. Certes, il avait travaillé dur pour assurer l'avenir de Matthew. Il avait même construit de ses mains la pension de famille que dirigeait Abigail. Il avait cru que ces bonnes actions feraient taire en lui la voix de la femme dont il ignorait le nom. Il s'était trompé.

C'était sa seconde erreur. Lancinant, le souvenir de la défunte l'avait forcé à prononcer devant Abigail des aveux trop longtemps retenus.

Il avait travaillé dans les montagnes plus longtemps que d'habitude, cette saison. Il espérait racheter, par son travail de forçat, le gros mensonge qui bouleversait deux vies innocentes ; mais tout au fond de lui-même, il savait que l'or n'était pas la réponse convenable.

Dans tout ce gâchis, Matthew était sa seule consolation : ce garçon avait pris dans son cœur la place des enfants et des petits-enfants qu'il n'aurait jamais. Chaque fois qu'il pensait à lui, un sourire attendri éclairait son visage. Il songea qu'il devrait rapporter un cadeau, quelque chose d'amusant pour un enfant déjà grand.

Il aperçut des hommes finissant de charger un chariot appartenant à Otto, et il essaya d'accélérer le pas ; cet effort eut pour effet de le faire boiter davantage, et plus douloureusement. Aussi revint-il à une allure modérée. Il était très vieux, maintenant, et le froid de la montagne avait affecté tout son corps de manière irréparable. Fataliste, il haussa les épaules : si ces hommes choisissaient de partir sans lui, ce serait tant pis. Il accomplirait le voyage en compagnie d'un autre équipage ; les hommes accrochés à la montagne étaient aussi nombreux que des fourmis.

Une mule se mit à braire férocement, et il dut bondir de côté pour éviter un coup de sabot ; un homme aux cheveux noirs et au regard sombre s'employait à accrocher une poutrelle métallique sur le flanc de l'animal, qui protestait.

Intrigué, Lars accorda un second regard à l'homme impassible, et découvrit qu'il avait affaire à l'Irlandais Noir, méconnaissable depuis qu'il s'était dépouillé de la barbe et des longs cheveux encore arborés la veille. Il s'arrêta pour observer comment il traitait avec l'animal ombrageux : de très grande taille et solidement charpenté, il travaillait sans hâte, tout en débitant, d'une belle voix de basse, des paroles apaisantes et des compliments dont l'effet se faisait peu à peu sentir.

Lars connaissait les rumeurs déplaisantes qui couraient à propos de l'Irlandais Noir. Maintenant qu'il le voyait agir, il avait du mal à croire que cet homme fût réellement capable de se laisser emporter par d'atroces colères pour les motifs les plus futiles ; malgré les difficultés que lui créait la mule, en effet, il gardait le calme le plus parfait, ne montrait pas le moindre signe de mauvaise humeur ; certes, avec ses yeux bleu clair et ses épais cheveux plus sombres que les plumes d'un corbeau, des esprits mal intentionnés pouvaient prétendre qu'il ressemblait à Lucifer en personne, mais était-ce la preuve d'un tempérament déplorable ?

A ce moment de ses réflexions, Lars entendit soudain le chef d'équipe qui hurlait des ordres pour mettre le convoi en marche. Il attrapa au passage la ridelle du dernier chariot et s'installa sur le plateau brinquebalant, en se demandant quel cadeau original il pourrait bien rapporter à Matthew.

Willem sauta au bas du chariot et saisit au passage la caisse de dynamite, qu'il plaça sur son épaule pour gravir le flanc de la montagne ; à son passage une marmotte s'arrêta de ronger quelque racine pour l'observer.

— Tu ferais mieux de te trouver un abri sûr ! lui dit-il.

Sa voix résonna étrangement dans le silence des cimes ; la marmotte cracha pour manifester le déplaisir que lui causait le perturbateur, mais n'en détala pas moins derrière les rochers. Satisfait, Willem déposa sa caisse sur le sol, en souleva le couvercle au moyen d'une tige métallique, et y préleva quelques bâtons de dynamite, ainsi qu'un rouleau de mèche.

100

Il caressa le rocher, qui lui parut glacial. Parfois, dans des instants tels que celui-là, il avait l'impression d'entendre battre un cœur au sein de la masse minérale. Il ferma les yeux et se laissa envahir par les sensations étranges, mystérieuses, magiques.

Puis il retrouva son regard d'expert en explosifs : s'il plaçait sa charge ici, le rocher se détacherait de la montagne avec autant de netteté qu'une belle tranche découpée dans les tartes de Mme Cooprel. Aussitôt il se rappela à l'ordre — ce n'était pas le moment de rêver — et reprit son travail avec une ardeur renouvelée. Le marteau et le burin en main, il creusa une cavité propre à recevoir la quantité de dynamite qu'il avait calculée.

Pourtant, il eut beau faire, il parvenait de moins en moins bien à chasser de son esprit l'image d'Abigail Cooprel et de Matthew, tandis qu'il faisait voler autour de lui les éclats de roche coupants comme des lames de rasoir.

Ses mains travaillaient avec l'automatisme que seule donne la longue pratique d'un métier. Il avait tant de fois déjà accompli ce genre de tâche qu'il eût pu travailler maintenant les yeux bandés. Il n'avait pas non plus besoin d'attendre l'explosion pour vérifier ce qu'il savait d'avance : la charge qu'il avait placée ferait place nette pour la route d'Otto. Il alluma la mèche, et, sans hâte excessive, alla se mettre à l'abri d'un rocher.

L'explosion formidable ébranla toute la montagne. Une pluie de cailloux s'abattit sur Willem adossé au rocher, la tête dans les genoux.

Il se redressa pour aller voir. Toussant dans la poussière blanche qui lui piquait les yeux, il vit la surface de la montagne, désormais bien lisse et bien nette, exactement comme il l'avait prévu.

— Otto sera content, murmura-t-il ; jusqu'au prochain obstacle !

Lars se faufila dans le vestibule et sans bruit entama l'ascension de l'escalier : sa chambre, celle qu'Abigail ne louait jamais, se situait au troisième étage. Il grimaça à l'idée de transporter jusque dans ces hauteurs son lourd sac de voyage, puis, foulant de ses bottes éculées le tapis bien entretenu qui atténuait les craquements des marches, il se lamenta en soi-même d'être devenu si vieux et si faible. Sur le palier du troisième étage, il se redressa trop vite et faillit partir en arrière sous le poids qu'il transportait. Son équilibre rétabli, et la main prudemment cramponnée à la rampe, il se mit à sourire cependant, à l'idée du bonheur de Matthew lorsque celui-ci découvrirait ce qu'il lui rapportait.

Il ouvrit la porte de sa chambre, laissa tomber son sac dès le seuil franchi, et, très content d'en avoir terminé soupira de bien-être en s'étirant, puis se massa le dos de ses deux mains ; ses os craquaient de toutes parts.

Cela fait, il s'agenouilla devant son sac, qu'il ouvrit fébrilement. Il lui tardait de voir le sourire de Matthew. Il se prit à rêver : grâce au présent qu'il rapportait, ses relations avec Abigail pourraient peut-être changer du tout au tout...

Abigail s'arrêta de plumer sa poule quand elle entendit s'ouvrir puis se refermer la porte d'entrée. La main en l'air, elle attendit, mais comme personne dans le vestibule n'actionnait la clochette pour l'appeler, elle en vint à se dire que son imagination, une fois de plus, travaillait trop. Elle vivait sur des charbons ardents depuis que Willem Tremain avait pris pension chez elle, et le moindre bruit inusité, à tout moment de la journée, la faisait sursauter.

Une fois de plus, donc, elle se gourmanda pour accorder à cet homme une importance qu'il ne méritait pas, et, de rage, arracha une pleine poignée de plumes à sa poule.

Par la fenêtre de la cuisine, elle vit Matthew, qui, dans la cour, essayait d'ouvrir une géode grosse comme un melon, au moyen d'une pioche dont Lars avait raccourci le manche pour lui. En souriant, vaguement inquiète, elle observa les moulinets qu'il pratiquait avant d'abattre l'outil peut-être un peu trop lourd pour lui, puis elle nota qu'il avait un pantalon dont le bas n'atteignait déjà plus le haut des souliers.

— Et cette fois, je n'ai plus d'ourlet pour le rallonger encore, murmura-t-elle, exaspérée.

Carl n'était pas très grand, et elle-même ne pouvait se targuer que d'une taille légèrement au-dessus de la moyenne. Aussi s'était-elle souvent demandé de qui pouvait tenir son fils, qui se développait vite et arborait des épaules impressionnantes pour un enfant si jeune. Maintenant, elle commençait à prendre conscience qu'elle ignorait tout de la famille de Matthew.

« Son père devait être un homme particulièrement robuste », pensa-t-elle.

La gorge serrée, elle comprit qu'elle se mettrait à pleurer si elle continuait de songer à cela. Elle se leva pour aller rincer sa poule complètement dénudée, puis elle l'allongea sur une planche pour la vider, avant de la couper en quatre morceaux parfaitement égaux, qu'elle jeta dans une marmite d'eau bouillante.

La poule en boulettes : le plat préféré de Matthew.

Sans qu'elle l'eût en quelque façon cherché, M. Tremain revint hanter les pensées de la jeune femme ; il lui faisait peur, elle ne savait pas pourquoi, et depuis qu'il l'avait appelée par son prénom, elle ne cessait plus de se torturer à propos de lui ; c'était un homme étrange, plein de secrets et de mystères; il avait reconnu qu'il avait une épouse, contrairement aux autres mineurs qui, toujours, refusaient de laisser échapper la moindre confidence en ce domaine.

A chaque jour qui passait, Abigail se posait de plus en plus de questions sur M. Tremain et l'épouse qu'il avait évoquée. Willem Tremain ne ressemblait pas aux autres locataires. Il n'avait pas le genre à placer les femmes sur des piédestaux pour les admirer de loin; non: il fallait plutôt s'attendre avec lui à se faire jeter à terre pour y recevoir des révélations... des révélations que mieux valait peut-être ne pas connaître lorsqu'on se flattait d'être une personne honnête!

Abigail rageait lorsqu'elle songeait à la vie tranquille menée par elle en compagnie de Matthew, jusqu'à l'irruption de M. Tremain. Elle lisait dans les yeux de son fils une admiration qu'il n'avait jamais eue pour elle, et dont elle souffrait, non par jalousie, mais parce qu'elle en avait déduit qu'il avait des besoins qu'elle ne pourrait jamais satisfaire. De toutes les façons possibles, donc, Willem Tremain bouleversait le petit monde dans quoi elle s'était crue à l'abri des cruautés infligées par la vie.

Dans le vestibule, l'horloge sonna, et Abigail secoua la tête pour en chasser les pensées qui l'attristaient. Elle s'avisa alors de ce qu'elle était restée très longtemps immobile, un quartier de poule en main, devant le pot où s'agitait l'eau à gros bouillons; trop longtemps! les mineurs ne tarderaient pas à rentrer, la faim au ventre. Le temps n'était plus aux rêveries; la mâchoire serrée et le regard résolu, elle s'enjoignit d'oublier, une bonne fois pour toutes, Willem Tremain et surtout ses émois déraisonnables lorsqu'il posait le regard sur elle. Elle se répéta, pour bien s'en pénétrer, qu'elle était la mère du petit Matthew, la seule mère en tout cas que ce dernier eût connue : en aucune façon M. Tremain ne pouvait s'interposer entre elle et son fils ; en aucune façon M. Tremain ne pouvait ternir son bonheur.

L'été tirait à sa fin ; Willem Tremain partirait, comme tous les autres mineurs ; aux premiers froids, elle se retrouverait seule avec Matthew, et pendant de longs mois, elle n'aurait plus à craindre l'arrivée d'un inconnu capable de lui enlever son enfant.

Willem sauta au bas du lourd chariot et remercia Fred Valsen pour le voyage. Il frappa son chapeau contre sa jambe, et fut environné d'un épais nuage de poussière fleurant bon la poudre. Il toussa et hâta le pas, pressé qu'il était de se passer la tête sous l'eau froide de la pompe, dans la cour de la pension. Se débarbouiller et s'asseoir ensuite à table : telles étaient les composantes d'un bonheur simple qu'il ne se souvenait plus d'avoir connu. D'un geste sec, il remit la casquette sur sa tête, et, se passant la paume de la main sur sa mâchoire, râpeuse comme une roche déchiquetée, il n'osa pas d'abord imaginer quel spectacle il donnait avec son visage blanchi de poussière, avec deux ronds dessinés autour de ses yeux par la sueur. Puis il trouva l'idée si comique, qu'il en riait encore en arrivant à destination.

Levant les yeux en direction du toit, il vit la fumée qui trahissait l'intense brasier entretenu dans le fourneau, et aussitôt ses narines dilatées captèrent des fumets succulents qui lui firent regretter, une fois de plus, de ne pas avoir assez d'argent pour s'offrir une gamelle et ainsi profiter, sur le chantier, des casse-croûte préparés par Mme Cooprel. Il en bavait rien que d'y penser ! Pourtant, il persistait à penser qu'il ne devait pas donner à son hôtesse plus d'argent que ne le stipulait leur contrat de base, et s'il savait fort bien qu'il ne retrouverait pas Moïra plus vite en se laissant mourir de faim, il essayait de payer, par cette pénitence qu'il s'imposait, les pensées misérables qu'il accordait de plus en plus souvent à celle qui n'était pas son épouse.

Il arriva à la pompe et s'étonna de n'y trouver personne ; Brawley, Snap, Tom et Mac travaillaient aux mines de Guston, beaucoup plus proches de la maison que sa route en chantier. D'un coup d'œil au soleil déclinant à l'horizon, il vérifia qu'il ne rentrait pas plus tôt que d'habitude, puis il se dépouilla de sa chemise, qu'il noua autour de ses reins selon la coutume instaurée par les mineurs.

La tête sous le tuyau, il actionna le bras de la pompe. Lorsque le flot se déversa sur sa tête et ses épaules, il ne put retenir un cri de surprise, et pendant quelques secondes se trouva incapable de retrouver sa respiration. S'étant bien vite, cependant, accoutumé à la température glaciale, il se redressa et empoigna le savon au moyen duquel il se frictionna les cheveux et le visage, puis la poitrine à la toison elle aussi blanche de poussière. Couvert de mousse, il s'agenouilla de nouveau pour se rincer, et cette fois trouva du plaisir à se laisser picoter la peau par l'eau jaillissant du fond de la terre. Enfin il se redressa, des deux mains repoussa en arrière ses cheveux, et rattrapa sa chemise, dont il s'aperçut que les deux manches et le col avaient trempé dans une flaque.

— Décidément, c'est mon jour de chance ! murmurat-il en tirant le vêtement pour le tordre.

Le bruit des graviers écrasés par ses chaussures résonnait étrangement dans la cour aussi calme et paisible que l'intérieur d'une église. La main sur la poignée de la porte, il se demandait une nouvelle fois où étaient passés les mineurs, quand il reçut contre lui une masse chaude et douce.

106

Il entendit Abigail qui haletait contre lui. Il vit qu'elle cillait avec frénésie et menaçait de s'écrouler à ses pieds. Après avoir jeté un rapide coup d'œil aux alentours pour voir si quelqu'un ou quelque chose les menaçait, il prit la jeune femme par les bras pour l'aider à se remettre d'aplomb.

— Abigail, s'écria-t-il. Que se passe-t-il ?

Elle leva vers lui un regard éperdu.

— Je... rien...

Elle ferma les yeux, prit une longue inspiration, et conclut :

— Il ne se passe rien, en fait.

Elle ne disait pas la vérité; Willem en fut aussitôt convaincu.

Sourcils froncés, il se tenait très droit, un peu rigide, et ne savait au juste quelle contenance adopter. En fait, il perdait la tête, à sentir contre soi ce corps si souple qui hantait ses nuits. Sous ses doigts, il percevait les battements du pouls, très rapides, qui semblaient battre la cadence des idées qui lui passaient par la tête. « Convoite-la tant que tu veux, se dit-il soudain ; de toute façon, tu ne l'auras jamais. »

— Monsieur Tremain... je veux dire, Willem... vous avez failli me faire mourir de peur ! dit dans un souffle Abigail Cooprel. Je sortais pour voir si quelque chose n'allait pas, et...

— Pourquoi avez-vous pensé que quelque chose n'allait pas ?

Le regard de Willem s'attachait aux lèvres tremblantes. La métaphore des pétales de rose lui vint à l'esprit. « Je la veux, se dit-il ; Dieu me pardonne, Moïra me pardonne, mais j'éprouve pour cette femme un désir que je n'ai jamais connu. »

— Personne n'est encore arrivé pour le dîner, murmura Abigail, qu'il tenait toujours par les deux bras, sur le seuil. J'ai peur qu'un accident soit arrivé à la mine.

Willem se demanda si la disparition de ses amis mineurs le chagrinerait autant que l'idée de ne pouvoir assouvir son désir.

— Je suis sûr qu'ils ne tarderont pas, affirma-t-il d'une voix qu'il ne reconnut pas ; personne n'a envie de manquer un de vos délicieux repas. Si un accident avait eu lieu, vous auriez entendu sonner les sirènes.

Il s'obligea alors à rendre la liberté à son hôtesse, mais eut beaucoup de mal à immobiliser ses bras le long du corps. Il voulait toucher encore cette peau si douce. Il se répéta qu'il n'en avait pas le droit, et eut la certitude alors qu'une déchirure se produisait à l'intérieur de sa poitrine, qui le faisait souffrir atrocement. Un soupir frustré lui échappa.

— Quelque chose qui ne va pas ? s'inquiéta Abigail Cooprel, dont les grands yeux bleu-vert exprimaient une compassion réelle.

— Non, tout va bien ; mais je crois que je ferais mieux de boutonner ma chemise, car je risque de prendre froid.

« Froid, moi ? songea-t-il avec une ironie amère ; au contraire, j'ai l'impression de me consumer ! »

Abigail cligna des yeux et soupira. Elle savait qu'elle ne devait pas montrer une telle insistance — c'était très impoli, et même assez dévergondé —, mais elle ne pouvait détacher son regard de la toison noire, sur la poitrine de M. Tremain, toute scintillante de gouttelettes d'eau. Si elle baissait les yeux, elle constatait les muscles puissants de l'abdomen, guère surprenants quand, comme elle, on s'était familiarisée depuis quelque temps avec ceux des bras : très grand, très fort, très mâle, M. Tremain avait la carrure d'un homme habitué à soulever les montagnes.

Abigail aurait voulu détourner le regard, mais elle ne le pouvait pas. En six ans de veuvage, elle avait presque oublié à quoi pouvait ressembler un corps d'homme ; les autres mineurs, toujours dissimulés sous d'épaisses couches de vêtements, de barbe et de cheveux, n'avaient jamais excité sa curiosité. Depuis six ans, elle n'avait donc plus eu l'occasion de contempler un homme, un vrai, et elle s'apercevait maintenant que ce spectacle lui avait manqué.

Fascinée, extatique presque, elle remarqua soudain l'étrange médaille qui pendait au cou de M. Tremain, à demi dissimulée, il était vrai, dans sa toison bouclée.

C'était le prétexte qu'elle cherchait, elle qui avait tant envie de toucher ces muscles luisants, afin de vérifier s'ils étaient aussi durs qu'ils lui paraissaient. Prise d'une véritable folie, elle voulait caresser, palper ce corps superbe ; c'était la première fois qu'elle éprouvait de telles envies depuis la mort de Carl. C'était déraisonnable, bien sûr : M. Tremain était un homme dangereux, elle en était plus que jamais persuadée, mais maintenant cette idée l'excitait. Elle avait toujours peur de lui, mais elle aimait sa peur.

— Quelle étrange médaille..., réussit-elle à balbutier.

— C'est un bijou de famille, lui répondit Willem.

Abigail se sentait prête à chavirer, la tête lui tournait, et sûrement, elle avait de la fièvre.

— Très joli, dit-elle ; vraiment très joli, et si original.

Elle avança la main pour toucher. Ses ongles effleurèrent le disque d'or, glissèrent et griffèrent la peau de M. Tremain, dont tout le corps, elle le sentit nettement, se raidit à cet instant, et il inspira fortement comme sous l'effet d'une brûlure intense.

— Abigail ! s'écria-t-il.

C'était une réprimande, un avertissement.

Abigail retira vivement sa main et regarda le visage de son interlocuteur, aux yeux trop noirs, aux mâchoires trop serrées, et dont la bouche d'ordinaire si généreuse s'était réduite à un trait. Effrayée, elle recula en murmurant :

— Je suis désolée... Je... je ne voulais pas... Je vous prie de pardonner ma trop grande familiarité.

Sans attendre de réponse, elle pivota vivement sur elle-même et courut s'enfermer dans sa cuisine.

Les yeux fermés, Willem relâcha sa respiration en un long sifflement contenu. Il avait la bouche pâteuse et une grosse boule dans la gorge. Le désir lui ravageait les entrailles de si douloureuse façon qu'il médita d'aller se jeter encore une fois sous le jet de la pompe. S'il avait cru avoir définitivement brisé ses pulsions viriles, Abigail venait de lui prouver qu'il n'en était rien. Il était comme un explosif longtemps inerte, dont la mèche venait d'être mise à feu.

— Paxton, j'espère que vous avez de bonnes nouvelles pour moi, murmura-t-il en prenant le chemin de sa chambre, un peu plus tard, lorsqu'il eut quelque peu repris ses esprits.

Ayant boutonné sa chemise, il jeta un regard plein d'intérêt à son image dans le miroir ; le désir allumait encore ses yeux, et, il fallait l'admettre, Abigail avait un étrange pouvoir sur lui.

Déjà, il se sentait prêt à mettre le genou à terre devant elle.

Il entendit de gros rires, à quoi il sut que les locataires étaient enfin arrivés. Il devait les rejoindre, pour retrouver à leur contact ce qui lui manquait encore de sérénité.

Il chercha un peu d'aide dans le souvenir de Moïra. Il ne se sentait pas le droit de lui être infidèle, parce qu'il croyait très fort à la sainteté du mariage.

110

Jamais il n'avait été tenté de déposer son obole dans le giron des filles faciles et des prostituées qui hantent les lieux où œuvrent les hommes solitaires, travailleurs de force aux solides appétits. Ses appétits à lui, il les avait toujours tenus en lisière, et cela rendait d'autant plus incongrus ses rêves de luxure à propos d'Abigail Cooprel, cette veuve, cette femme si convenable.

Il soupira et pria pour recevoir de Paxton des renseignements encourageants, avant qu'il eût tout à fait perdu la tête.

8.

Willem s'arrêta sur le seuil de la cuisine — et écarquilla les yeux. Il se rattrapa au chambranle comme s'il craignait de vaciller, devant un spectacle si incroyable qu'il eut pendant un assez long moment l'impression de rêver. Puis il vit Matthew, arrêté comme lui, bouche bée de surcroît, et il sut que tout cela était bien réel.

Lentement, il parcourut du regard tout le tour de la table, s'arrêtant un bref instant sur chacune des physionomies si étonnantes, choquantes presque : tous les mineurs arboraient un visage frais, lisse et plus rose que celui d'un bébé ; les hommes barbus et chevelus du matin s'étaient transformés en chérubins rasés et tondus de près.

Willem jeta un coup d'œil en direction d'Abigail, de l'autre côté de la pièce : au lieu de paraître s'amuser de la bonne farce préparée par les locataires, elle semblait nerveuse et distraite, elle ne cessait de se mordre la lèvre inférieure, et plus que jamais elle évitait de le regarder en face. Instinctivement, il porta la main à la médaille cachée sous sa chemise, et se reprocha d'être la cause directe de la détresse qu'il décelait chez son hôtesse. A la pensée qu'une fois de plus, il avait effrayé une jeune femme, son estomac se contracta douloureusement.

— J'avais pensé qu'il y aurait eu davantage de commentaires, lâcha soudain Tom Cuthbert, qui semblait fort déçu.

Willem avait le cœur serré. A chaque seconde qui passait, il trouvait la scène de moins en moins amusante. Les dix clowns au visage bicolore, brun en haut, tout rose en bas, là où la barbe de plusieurs années n'avait jamais permis au soleil de hâler la peau, eussent dû le faire éclater d'un rire inextinguible.

Oui, il aurait dû rire. Mais il ne le pouvait pas.

Il se sentait pris à l'encontre des mineurs d'une irritation qui se gonflait en lui comme une houle mauvaise. Il lui en coûtait de l'admettre, mais il les détestait de s'être mis en frais pour attirer sur eux l'attention d'Abigail Cooprel.

Il accrocha son regard à celui de Brawley, l'homme qui se rendait malade d'amour pour l'hôtesse, et n'éprouvait aucune gêne à la dévorer des yeux. Pour lui, il éprouva une vraie haine, sans raison puisque Abigail semblait ne pas même s'apercevoir des attentions dont elle était l'objet.

— Matthew, j'ai une surprise pour toi !

La voix de stentor fit sursauter Willem, qui se retourna. S'il n'avait pas été si hypnotisé par les grands yeux bleu-vert d'Abigail, il eût entendu les pas dans le vestibule.

Matthew s'élança hors de la cuisine, et Willem s'écarta au dernier moment pour éviter *in extremis* d'être bousculé, voire jeté à terre.

Abigail elle aussi accourait au son de la voix rocailleuse, en essuyant ses mains dans son tablier.

Au passage, Willem put respirer le frais parfum qui émanait d'elle, et une nouvelle fois ses entrailles se tordirent. Elle aussi, il pouvait la haïr à cause du charme inconscient dont elle usait pour l'attacher à elle, contre sa volonté.

Car il avait un engagement à respecter, un vœu à honorer.

Eh bien, s'il tenait tant que cela à se montrer digne et fier, il n'avait qu'à fuir, très vite, très loin.

Pour commencer, il pouvait détourner le regard de la tentatrice.

Mais il ne le fit pas.

Abigail se trouvait tout près de lui et souriait d'une façon qu'il n'avait jamais observée chez aucune femme avant elle ; elle ne montrait plus la moindre trace d'anxiété, et au contraire rayonnait de bonheur.

Lentement, Willem se retourna pour voir qui avait le pouvoir de provoquer ce changement radical.

— Depuis quand êtes-vous rentré ? demanda Abigail.

La curiosité de Willem, déjà vive, s'aggrava considérablement lorsqu'il assista aux embrassades de son hôtesse et du vieux mineur.

— Il y a déjà pas mal de temps, répondit ce dernier ; mais vous étiez si occupée dans votre cuisine que je n'ai pas osé vous déranger.

— Alors, c'est vous qui avez fait ce bruit que j'ai entendu ?

Abigail aplatit les deux revers de la vieille veste de l'homme, puis en tapota les épaules poussiéreuses.

— Oncle Lars !

Matthew, qui, muet, avait assisté au début de l'entretien en se serrant contre la jambe du mineur qu'il avait agrippée, se faisait enfin entendre. Sur sa tête descendit une main déformée par l'arthrite, qui ébouriffa tendrement ses cheveux.

Willem observait le trio et sa frustration s'augmentait. La façon dont Matthew prononçait cette invocation — Oncle Lars ! —, et plus encore les regards extatiques qu'il jetait en direction du vieil homme, éveillaient en lui un sentiment acide en quoi il était fondé à reconnaître les affres de la jalousie.

— J'ai quelque chose pour toi, déclara alors le dénommé Lars.

Il avait une voix rocailleuse, éraillée même, et un accent indéfinissable, élaboré à partir de multiples composantes, germanique, britannique et nordique, jugea Willem, qui pouvait se proclamer grand clerc en cette matière pour avoir tant écouté les mineurs immigrés d'Europe qui grattaient les roches du Colorado.

— Pour moi ? s'exclama Matthew, tout excité. Qu'est-ce que c'est ?

— Mmm... Un seul regard à cet objet m'a suffi pour comprendre qu'il était fait pour toi.

Lars se pencha sur son sac qu'il avait posé devant lui, et tous ses os se mirent à craquer, rappelant le bruit du chêne qui se déchire en deux. Lentement, avec des gestes rendus imprécis à cause de ses doigts engourdis par les rhumatismes, il défit les nœuds de la ficelle qui fixait le rabat de toile.

Les yeux bleus de Matthew ne perdaient pas une miette de ces préparatifs que, sans doute, il trouvait bien longs. Il bouillait, c'était évident, de l'envie d'aller lui-même s'occuper de ces nœuds intempestifs.

Willem, qui observait cette scène avec intérêt, se demandait si le garçon supporterait d'attendre jusqu'au bout, quand le rabat s'ouvrit brusquement et une boule fauve jaillit du sac.

Le jeudi 31 juillet, au moment précis où l'horloge sonnait 7 heures et demie, l'enfer lâcha le plus amusant de ses diablotins dans la pension de Mme Abigail Cooprel.

La petite boule fauve explosa littéralement dans le vestibule. Abigail gémit. Matthew poussa un cri de joie et se lança à la poursuite du phénomène, manquant de jeter au sol un Lars qui riait tout son soûl.

116

Les sourcils hauts, Willem se frottait la mâchoire d'un air perplexe. Il s'était attendu à tout, en matière de surprise, mais certainement pas à ce petit chien fou qui prenait possession du nouveau domaine qui lui était attribué en poussant des glapissements incohérents.

Le hasard voulut qu'à cet instant précis le chat du deuxième étage, sans doute alléché par la perspective de quelques reliefs tombés des assiettes des mineurs, descendît l'escalier. Le petit chien se porta vivement à sa rencontre, pour le saluer peut-être. Aussitôt, le matou siffla d'importance, arrondit son dos et gonfla ses poils, afin de paraître plus imposant, plus menaçant. Malheureusement pour lui, ses efforts ne servirent à rien, car l'intrus au poil fauve, pas impressionné du tout, lui aboya au museau avec une impertinence extrême.

— Oh, non ! gémit Abigail.

Pendant un bref instant, le vacarme cessa dans le vestibule. Les deux adversaires se défiaient du regard, charbons noirs d'indignation fixés sur les yeux globuleux et bruns pétillants de bonne humeur. Naturellement, aucun des deux ne pouvait tourner le dos, car ç'eût été reconnaître qu'il abandonnait le terrain à l'autre.

Le chien s'accroupit devant le chat à l'échine arrondie.

Dans le silence annonciateur des grandes catastrophes, tous retenaient leur respiration.

Willem vit que le chien se ramassait sur lui-même, au point de ne plus former qu'une toute petite boule à l'intérieur de laquelle on devinait les muscles tendus ; seule la queue, recourbée en crochet, qui balayait lentement le sol, prouvait qu'il ne s'agissait pas d'un animal empaillé.

— Faites bien attention, maintenant, lança Willem aux autres spectateurs.

Le chien bondit soudain et le chat, surpris par ce mouvement, sauta littéralement en l'air. Willem ignorait qu'un chat pouvait exécuter un double saut périlleux arrière, mais celui-ci venait indubitablement de commettre cet exploit insensé ; lorsqu'il retomba à terre, l'animal émit un long feulement qui racla les nerfs de tous les spectateurs, tandis que le chien manifestait sa joie d'avoir remporté la victoire par une série d'aboiements tonitruants, propres à briser les tympans les mieux trempés. Galvanisé par ce premier succès, il voulut repartir à l'assaut ; mais le tapis chinois, sous ses pattes, glissait et se pliait en accordéon. Il ne progressait pas. Etonné, il accrut sa vitesse, et se mit à tricoter des quatre membres avec une frénésie incroyable. Ce qui devait arriver arriva : lorsqu'il eut derrière lui tout le tapis, ses griffes se plantèrent dans le plancher ciré, et il partit comme un éclair, en émettant un jappement d'effroi.

— Ne vous mêlez pas de cela, ordonna Willem en prenant Abigail par les épaules pour la tirer en arrière, tandis que le chien passait devant eux comme un boulet de canon.

— Oh, non ! ma maison ! se lamenta encore Abigail, la main devant la bouche.

Les premiers dégâts se produisirent tout de suite après : un joli guéridon de chêne supportant un vase bleu empli de fleurs s'écrasa au sol en projetant partout ses éclats, comme un melon trop mûr.

Le chat réussit à éviter le chien incapable de contrôler ses évolutions, en sautant sur la table où Abigail rangeait les gamelles des mineurs. Il y eut une suite de chocs métalliques assourdissants : les objets tombaient sur le sol les uns après les autres. En un rien de temps, tout l'espace de travail se trouva vide, et la manœuvre eût pu se révéler payante pour le chat, si le chien n'avait trouvé le moyen de le rejoindre pour le tourmenter.

Un miaulement déchirant, qui dut s'entendre jusqu'à

118

Silverton, avertit tout le monde que le spectacle prenait un intérêt nouveau. Le chat avait en effet sauté du plan de travail jusque sur le fourneau, où son séjour fut bref; l'odeur des poils roussis emplit la cuisine. Dans son mouvement de fuite, la pauvre bête effleura encore de sa queue le tuyau d'évacuation brûlant, et la puanteur s'en augmenta d'autant.

— J'en ai assez ! cria soudain Brawley.

Au vu de tous, il s'avança sur le champ de bataille en retroussant ses manches, montrant par là qu'il était prêt à intervenir.

— Si j'étais vous, je me méfierais, l'avertit Willem.

Sans rien vouloir entendre, Brawley se pencha pour saisir le chat qui passait juste à ce moment entre ses deux jambes, mais il poussa aussitôt un hurlement de douleur. Le chat répondit d'une série de feulements frénétiques. Pendant une pleine minute de confusion, il fut impossible de savoir qui, de l'homme ou de la bête allait l'emporter. Le pugilat se déroulait sous le regard intéressé du chien, ravi de se découvrir un allié, colosse tout rouge exécutant des mouvements extraordinaires des jambes et des bras.

Quand enfin Brawley lâcha le félin, il était couvert de sang et jurait d'une façon affreuse. Willem essaya de ne pas rire devant la chemise lacérée et les grandes stries sanguinolentes sur la joue rasée de frais.

— Cela fait-il mal ? ne put-il cependant s'empêcher de demander, un peu hypocritement, au combattant battu qui s'engageait à toute vitesse dans l'escalier.

Il trouvait maintenant très sympathique l'animal renfrogné qu'il croisait deux fois par jour sur le palier du deuxième étage.

Dans la folie de ces instants, Abigail s'était approchée de lui, toute frémissante de détresse. A chaque mouvement qu'elle faisait, il sentait son pouls s'accélérer. Il grinçait des dents et tâcha de s'éloigner un tout petit peu, car les courbes généreuses qu'il devinait sous la robe continuaient de l'affoler, à un point qui n'était pas permis. Mais voilà que l'inconsciente se rapprochait à son tour, et se pressait même contre lui en se penchant pour découvrir sous le meuble ce que manigançaient le chat et le chien! Il se mordit la langue pour combattre par la douleur les effets inavouables qu'elle avait sur lui. Puis il essaya d'oublier jusqu'à la présence de la jeune femme, en s'absorbant dans la contemplation de Matthew, qui riait de bon cœur au milieu du vestibule, tandis que Lars s'esquivait discrètement.

— Je vous en prie, Willem, faites quelque chose! murmura Abigail en s'accrochant à son bras.

En tournant vers lui son regard plein de larmes, elle lui offrait la vision d'un visage qu'il n'oublierait jamais jusqu'à son dernier jour. Dans ce court moment plein d'émotion, la jeune femme avait donc prononcé, comme si cela lui était venu le plus naturellement du monde, son prénom! La bouche entrouverte, les yeux brouillés et assombris, elle lui demandait son aide comme si elle n'avait personne d'autre au monde.

A ce moment précis, Willem sut qu'il ne pourrait jamais rien refuser à cette femme; qu'il devait faire son deuil de l'espoir, trop longtemps caressé, de retrouver Moïra pour mener, avec elle, une vie normale d'époux que la fatalité avait interrompue. Il le regrettait certes, tout en sachant que six ans de séparation avaient causé le mal, et non Abigail Cooprel.

Un bruit sourd attira son attention sur la mêlée qui n'avait pas cessé. Le temps était venu pour lui de prendre les affaires en main. Se frayant un passage dans le groupe compact des mineurs assemblés comme au théâtre, il s'approcha de la pompe.

120

— Tom, dit-il d'une voix forte, pour couvrir le brouhaha. Quand je crierai, vous ouvrirez la porte de derrière.

L'homme indiqua d'un signe de tête qu'il avait bien compris la consigne, et il recula jusqu'à la porte sans perdre du regard le chat en fureur ; aux chaises heurtant le sol, on pouvait suivre la progression du chat que le chien poursuivait toujours, sous la grande table.

Willem s'empara d'un seau, qu'il remplit d'eau. Un choc à l'arrière de ses jambes faillit lui faire perdre l'équilibre. En se retournant, il vit Skipper McClain, la dernière victime du chien, qui s'écroulait dans un amoncellement de chaises renversées, et jurait plus grossièrement encore que Brawley.

Willem retrouva son équilibre et à deux mains empoigna le seau plein d'eau. Patiemment, il attendit un nouveau passage des adversaires, et à ce moment il jeta l'eau sur le chien, qui s'arrêta net.

— Maintenant ! hurla Willem, tandis que le chien s'ébrouait, envoyant des gouttes d'eau dans toute la cuisine.

Tom ouvrit la porte de derrière, par laquelle le chat s'engouffra.

— Refermez vite ! ordonna Willem.

La porte claqua sec. Le silence se fit.

Etalé sur sol, les quatre pattes en croix au milieu de la cuisine ravagée, tout dégoulinant, le chien resta immobile pendant une longue minute. Puis il se redressa et de nouveau se secoua avec vigueur. Puis, la langue pendante, il trotta vers Matthew et s'assit à côté de lui en lui jetant des regards éperdus d'amour. Il était l'image idéale du *meilleur ami de l'homme*.

Les mains aux hanches, Abigail s'avança pour l'invectiver :

— Espèce de... Espèce de...

Elle ne trouvait pas l'insulte appropriée.

— Maman! protesta le garçon, en entourant de ses deux bras le cou encore humide de l'animal.

Il reçut en remerciement un grand coup de langue par tout le visage.

Willem se dit — et il avait raison — qu'une amitié à la vie, à la mort, venait d'être scellée entre ces deux êtres.

— Tu as failli dire des gros mots! reprit Matthew, dont les sourcils froncés soulignaient l'accusation.

— Oh!

Abigail Cooprel porta sa main à sa bouche. Elle avait les yeux ronds et lumineux, et sous ses doigts écartés transparaissait le rouge de ses joues.

Willem reçut d'elle un nouveau regard implorant; jamais elle ne lui avait semblé si jolie, ni si fragile qu'à cet instant. Il eut l'impression de ressentir en lui un grand vide, dont il n'eût pas pris conscience jusque-là et qu'elle seule pouvait combler. Il désirait cette femme, non parce qu'elle était femme, mais parce qu'elle était vive et indépendante, et que malgré cela elle le regardait avec des yeux implorants, parce qu'elle avait besoin de lui. De toute la force de sa volonté, il appela à la rescousse l'image de Moïra, mais sans succès. Il ne parvenait même plus à se rappeler la forme de son visage ou la couleur de ses yeux. En vérité, il en arrivait même à se demander pourquoi il avait été amoureux d'elle.

Cela, cependant, n'apaisa pas sa détresse. Abigail Cooprel, comme Moïra, était inaccessible à ses désirs. Pris entre le ciel et l'enfer, il restait un homme sans épouse — et pas plus libre pour autant.

9.

— Lars ! Comment avez-vous pu me faire cela ?

Abigail pleurait dans son tablier.

Willem la regarda un instant, agitée de gros sanglots, puis, résistant au plaisir de rendre à Matthew le sourire espiègle que ce dernier lui adressait, il jeta un coup d'œil circulaire sur le vestibule et la cuisine, et continua de remettre en ordre les lieux dévastés.

En vérité, les dégâts, spectaculaires, n'étaient pas si graves que cela, et déjà une demi-heure de travail en avait gommé la plupart des effets. Dans le vestibule, les tapis avaient été enlevés pour être pendus dehors, les morceaux du vase cassé balayés, et le plancher essuyé ; dans la cuisine, il avait suffi de redresser les chaises renversées, de ramasser les gamelles, et là aussi, d'éponger l'eau répandue par Willem pour bloquer la course du chien. Tout redevenait comme avant, et l'horloge rythmait le temps avec sa régularité coutumière.

Willem voulait faire baisser la tension qui régnait encore dans la pièce. Il désirait surtout voir s'effacer du visage d'Abigail cet air malheureux qu'il y décelait encore. Il avait envie de la prendre dans ses bras pour la consoler. Il se sentait prêt à lui dire que l'incident n'avait pas d'importance, que tout recommencerait comme avant.

123

Tout? voire...

— J'ai une petite faim, dit-il; pas vous?

La grande aiguille se redressa au cadran de l'horloge, un déclic se produisit et huit coups sonores retentirent, huit coups pendant lesquels Abigail Cooprel regarda Willem, le visage empreint d'incrédulité. Dans le silence revenu, elle s'exclama :

— Faim? Comment pouvez-vous penser à manger dans un moment tel que celui-ci? Je...

Elle se détourna pour jeter un regard furieux en direction du chien qui léchait consciencieusement le visage de Matthew.

— Je ne veux plus voir ici cet animal!

Le garçon releva la tête. Etonné d'abord, peut-être pas sûr d'avoir compris ce qui était en jeu, il fronça très vite les sourcils pour répondre avec fermeté :

— Je refuse qu'on chasse *mon* chien.

En l'entendant, Willem frissonna. Cette voix enfantine, non dénuée de caractère, avait le don de faire vibrer en lui une corde secrète. Du plus profond de lui-même, il souhaita que Matthew obtînt gain de cause; pourquoi? peut-être tout simplement parce qu'il avait souvent rêvé de ce qu'aurait été la vie de son propre enfant s'il l'avait connu, et qu'il aurait aimé que celui-ci eût lui aussi un animal familier, pour l'aider à affronter le monde souvent cruel et froid.

— Comment? s'exclamait Abigail avec colère. Tu veux le garder! Regarde-le, ce mal bâti! De plus, nous n'avons pas les moyens de nourrir un animal.

Willem se trouvait fasciné par le spectacle de cette femme qui, pour la première fois, donnait libre cours aux sentiments qui l'animaient, alors que jusque-là, elle avait toujours pris grand soin de garder un visage lisse et une voix égale. C'était une révélation véritable que de découvrir les passions qui couvaient en elle.

124

— Je serais heureux de verser mon obole pour la nourriture de ce chien, dit-il soudain.

Ou plutôt, il s'entendit prononcer des mots si incroyables qu'il se demanda s'il n'était pas en train de perdre la raison.

Depuis un an, depuis qu'il avait compris qu'il ne retrouverait jamais Moïra sans l'aide de professionnels chevronnés, il s'était privé de tout, ou de presque tout. Il vivait dans un dénuement presque complet, et s'affamait scrupuleusement afin de pouvoir payer le détective de chez Pinkerton. Oui, il avait faim, et voilà qu'il offrait de prendre à sa charge l'entretien d'un chien sans se soucier des dollars que cela lui coûterait ! Pourquoi ? Pour qui ? Pour un garçon qui ne lui était rien, un garnement au visage plein de rousseurs, qui avait eu l'heur de l'émouvoir de temps à autre !

— Je me suis déjà arrangé avec Hans Gustafson, intervint Lars. Nous aurons chaque semaine notre provision d'os et d'abats.

Willem eut envie de serrer la main du vieil homme.

— Il est déjà trop grand, protesta Abigail. Il dévastera tout dans la maison, vous verrez ! Déjà, il a cassé mon vase bleu.

— J'en rachèterai un autre, affirma Willem.

Cette fois encore, l'idée lui était venue du plus profond de lui-même, et il se demanda d'où naissait cette formidable envie de donner sans compter. Les sourcils froncés, il en vint à se convaincre qu'il n'avait pas été très généreux avec Moïra, et que, peut-être, il cherchait maintenant à racheter sa sécheresse d'antan.

Oui, c'était vrai : jamais il n'avait rapporté de petits cadeaux à son épouse, de ces petits riens qui eussent donné de si grandes joies à celle qui les aurait reçus. Le regard émerveillé qu'il n'avait jamais vu sur le visage de Moïra, il voulait le susciter chez Abigail.

Celle-ci, justement, le regardait d'un air, non pas émerveillé, mais soupçonneux.

— Au fond, ce vase n'était pas très important, lui dit-elle.

Puis elle détourna le regard et s'absorba dans de menues tâches ménagères.

Plus il la voyait agir ainsi à son encontre, plus Willem se sentait pris du désir obstiné de détruire le mur qu'elle construisait autour d'elle. Mais s'il cherchait à analyser les raisons qui l'animaient, il les trouvait confuses, et peut-être pas aussi louables qu'elles paraissaient au premier abord : certes, il désirait sincèrement dorloter la jeune femme, lui donner tout ce qu'elle pouvait désirer de la vie ; mais une part de son être, plus sombre et pas très rassurante, avait envie de la subjuguer, voire de la dominer.

Peut-être ne se commettait-il dans cette affaire que par intérêt pour l'enfant ?

Il reporta son regard sur Matthew, qui serrait plus fort le cou de l'animal et plaidait pour lui d'une voix plaintive. Sa raison lui enjoignait de s'éloigner de ce mélodrame domestique, mais son cœur, dans lequel il sentait fondre l'une après l'autre les épaisseurs de glace qui l'enserraient, lui commandait de rester.

— Il n'a pas de maison, maman, disait Matthew. Il a besoin de moi, et de toute façon, j'ai envie de le garder.

Willem vit Abigail aux prises avec un grave dilemme. Passionné, il attendit le résultat de ces délibérations intimes, mais prit avec lui-même le pari que le résultat en serait favorable : Abigail ne rejetterait pas le chien, car elle était trop bonne pour commettre un tel acte de cruauté.

Il l'interpella :

— Abigail...

126

Elle se tourna vers lui, le regard fixe, et il comprit qu'elle continuait de réfléchir et n'apprécierait pas de le voir se mêler de ce qui ne le regardait aucunement. Il convint qu'elle avait raison : qu'avait-il à se soucier d'un chiot, quand tant d'autres soucis plus importants nécessitaient tous ses soins ?

Pourtant, il jeta un regard bref en direction de Matthew, si heureux de se faire lécher avec tant de constance, et il revint sur sa décision : il n'avait pas le droit d'abandonner une cause juste, quelqu'explosive que pût devenir la situation s'il exprimait son point de vue.

— Ce garçon a le droit d'avoir un compagnon, fit-il avec calme.

La riposte fusa :

— Je vous remercie de votre opinion, monsieur Tremain...

Surpris, il haussa le sourcil.

— Bon, d'accord, *Willem*, rectifia-t-elle. Mais n'oubliez pas que la mère de Matthew, c'est moi...

A ce moment, Abigail Cooprel s'interrompit et plaça les deux poings sur les hanches, ce qui annonçait une sentence définitive.

— ... et je n'apprécie nullement vos interventions dans *mes* affaires ! conclut-elle enfin.

Sous l'attaque des mots qui le piquaient comme des guêpes, Willem serra les mâchoires, mais sans cesser de contempler celle qui le remettait en place de si belle façon : elle avait de bien beaux yeux, qui brillaient de force et d'intelligence, mais aussi d'une opiniâtreté qu'il jugeait surprenante ; la compagne parfaite pour un homme épris d'idéal, se dit-il. Oui, l'épouse rêvée — pour un autre que lui, hélas.

Du menton, il désigna Matthew et le chien.

— Regardez-les, Abigail. Ne sont-ils pas faits l'un pour l'autre ? Osez me dire que vous les séparcrcz...

La jeune femme examina la scène touchante, mais se refusa à tout commentaire.

— Ils s'aiment, Abigail. Je m'engage à aider au dressage de ce chien. Alors, consentez-vous à le garder, maintenant ?

Les sourcils froncés, Abigail lui jeta un bref regard encore plein de courroux, puis se tourna de nouveau vers l'animal, maintenant étendu paresseusement entre les jambes de Matthew.

Lars, jusque-là fort discret, prit part au débat :

— Je n'aurais jamais cru que vous aviez le cœur assez dur pour rejeter dans les ténèbres extérieures un pauvre chien abandonné.

Piquée au vif, Abigail Cooprel pivota sur elle-même et décocha au vieillard un regard plein d'irritation ; Willem sut que cette observation se fondait sur des événements fondamentaux dans la vie commune de ces deux personnes, car la jeune femme avait pâli, et ses lèvres tremblaient.

— Très bien, finit-elle par dire d'une voix lasse. Si vous promettez tous les deux d'éduquer cet animal, j'accepte de le garder ; à l'essai ! Permettez-moi tout de même de vous dire que je ressens tout cela comme un insupportable chantage.

— Vous verrez que les choses se passeront sans anicroches, désormais, se hâta d'assurer Willem.

Indécise, très certainement bouleversée, et estimant à coup sûr que son autorité avait été contestée, Abigail Cooprel ne savait quelle attitude adopter.

Willem savait ce qu'il aurait dû faire pour la rassurer : la prendre dans ses bras et la serrer contre lui. Sagement, il résista à ce désir et proposa :

— Si nous passions à table, maintenant ? J'ai toujours faim.

128

Le rituel domestique, lui semblait-il, achèverait de remettre en ordre la maison bouleversée — il ne songeait pas qu'à l'aspect matériel... — et peut-être chasserait des yeux de son hôtesse ces passages nuageux qui le navraient tant.

Abigail soupira, et, se tordant les mains, désigna la cuisine :

— Je doute qu'il y ait encore quelque chose de consommable, murmura-t-elle.

La couleur revenait à ses joues. De nouveau elle s'animait. Dans les mouvements, déjà plus vifs, qu'elle accomplissait dans ses fonctions, elle recouvrait sa grâce coutumière.

Troublé, Willem s'aperçut soudain qu'il ne parvenait plus à détacher son regard des rondeurs qui s'agitaient joliment sous l'étoffe assez terne d'une robe de tous les jours.

A l'exception de Brawley, dont l'intervention s'était soldée par un échec cuisant, tous les mineurs avaient assisté au mélodrame sans se manifester. L'annonce d'un éventuel repas leur redonna du nerf, et sans se concerter, ils se mirent aussitôt au travail, qui finissant de ranger la vaisselle dispersée, qui épongeant les restes d'humidité au sol, qui disposant sur la table les assiettes dans lesquelles, quoi qu'en dît Abigail, il devait bien rester un peu de nourriture sauvée du désastre.

— Vous devriez vérifier, conseilla Willem. Il me semble que le contenu de la marmite n'a pas souffert ; et cela sent fort bon.

Il essayait de sourire, mais il se sentait oppressé, mal à l'aise. La scène à laquelle il venait de participer renouvelait et aggravait les interrogations qui ne cessaient de l'assaillir depuis qu'il était entré dans cette maison. Il trouvait Abigail Cooprel de plus en plus... intéressante...

129

ou stimulante, tant par son esprit bien trempé que par son corps aux courbes si évocatrices des plaisirs qu'il s'interdisait avec toute autre que Moïra. Il s'étonnait aussi de découvrir en lui des trésors d'amour paternel pour un garçon qui ne lui était rien. Résultat : il se demandait s'il n'était pas en train de perdre tout contrôle de ses sentiments et de ses sens ; il avait l'impression de marcher sur une corde raide tendue entre son devoir et ses désirs ; il n'était plus du tout assuré de tomber du bon côté.

Mais au fait, quel était le *bon* côté de sa vie ?

— Il a raison, madame...

La voix de Snap interrompit Willem dans ses méditations.

— Certaines chaises sont un peu bancales, mais la vaisselle est intacte, et la table prête.

Abigail soupira et s'essuya le visage avec son tablier, avant de se diriger vers le fourneau.

Willem se tourna vers Matthew :

— Viens avec moi. Nous allons donner à ton chien son premier repas.

Lars observait Willem avec une curiosité grandissante. Le voyant s'éloigner avec Matthew, il soupira d'aise et décida qu'il avait affaire à un homme bien, qu'il avait envie de connaître davantage ; mieux, dont il souhaitait faire son ami.

Toutes ces histoires qu'on racontait à son propos ? De purs mensonges, il en était persuadé ; l'Irlandais Noir ? une légende forgée de toute pièces. Il suffisait de le voir, docile comme un agneau, et volontiers conciliant, alors qu'en comparaison, Abigail avait tendance à se conduire comme un véritable tyran domestique !

Lars savait parfaitement ce qui tourmentait cette dernière, toujours si tendue que le moindre événement imprévu risquait de lui faire perdre le contrôle de soi ; elle avait autour de la bouche et des yeux des ridules de contrariété qui s'étaient accentuées ces derniers temps. Jamais il ne l'avait vue si nerveuse, si prête à exploser à tout moment ; elle se comportait comme un animal pris au piège, qui, blessé, continuait à se débattre...

Les questions en suspens à propos de Matthew n'étaient peut-être pas pour rien dans cet état d'esprit. Lâchement, Lars s'était tenu éloigné le plus longtemps possible pour éviter d'y répondre, mais il avait conscience de ne pouvoir se dérober plus longtemps. L'instant de vérité était venu...

— Viens, mon garçon, disait Willem. Voyons si ta maman a des restes à nous donner pour ton chien. Au fait, quel nom désires-tu lui donner ?

— Je ne sais pas encore, répondait Matthew en souriant. Je voudrais trouver un nom spécial, parce que ce n'est pas un chien comme les autres.

Il se levait, entraînait le chien avec lui, et glissait sa petite main dans celle de Willem.

A ce moment, Lars vit que Willem sursautait, puis restait comme pétrifié. Il se demanda ce que pouvait ressentir l'Irlandais Noir, dont le visage gardait une impassibilité presque effrayante.

Willem sentit son cœur se serrer, sans savoir si c'était de bonheur ou de tristesse. Incrédule, il regarda sa main, qui en tenait une autre plus petite ; si petite, si douce et si vulnérable, qu'il craignait de la briser en la pressant trop fort. Puis il vit le petit garçon, qui lui souriait affectueusement, et il éprouva pour lui, en retour, un amour prêt à toutes les folies qu'un père est capable d'accomplir pour son enfant; Matthew, en vérité, comblait le vide de son cœur. Il ne se souvenait pas d'avoir éprouvé un sentiment si enthousiasmant, aussi gratifiant. Il avait envie de chanter, ce qui ne lui était plus arrivé de temps immémorial.

— Voulez-vous vous asseoir à côté de moi pendant le repas, monsieur Tremain? souffla Matthew.

Willem se perdit dans le regard adorateur des yeux si bleus. Voilà qui encore le bouleversait, lui qui jamais n'avait été le héros de personne; mais il s'agissait d'une lourde responsabilité. En deux battements de cœur, il formula un nouveau serment : s'engager à veiller au bonheur de Matthew. Il satisfaisait ainsi une obscure et profonde superstition : s'il acceptait cette charge, quelqu'un d'autre, quelque part, assumerait les mêmes devoirs envers son propre enfant.

Un événement bizarre se produisit alors; une sorte de miracle : l'enfant inconnu que Willem avait cherché depuis six pleines années prit soudain pour lui le visage de celui qu'il avait devant lui, et il formula une prière fervente pour que son fils — il voulait maintenant que ce fût un fils — ressemblât à Matthew Cooprel. Ses doigts se crispèrent sur la petite main confiante.

— Si ta maman n'y voit pas d'objection, je serai heureux de m'asseoir à côté de toi, déclara-t-il.

Il jeta un coup d'œil en direction d'Abigail Cooprel, qui détourna le regard qu'elle fixait sur lui sans en avoir l'air. Il eût pu jurer avoir vu luire de l'hostilité dans ses prunelles, mais il chassa cette pensée en se persuadant qu'il avait trop d'imagination, d'autant plus que l'hôtesse, maintenant, lui souriait.

— Certainement, mon chéri, dit-elle. M. Tremain pourra s'asseoir avec nous au bout de la table, s'il le désire.

Elle agita ensuite ses ustensiles au-dessus du fourneau

et produisit plus de bruit que le nécessitaient ses fonctions.

Non sans suffisance, Willem sourit, mais son âme subissait les effets d'un séisme intérieur. Très fier, mais aussi très troublé, il prit place avec la gravité qui convenait à ses nouvelles fonctions de père suppléant.

Le repas commença. Matthew fit preuve d'un bel appétit, imité en cela par le chien qui, en un rien de temps, dévora deux pleines écuelles, opération à la fin de laquelle il avait les flancs toujours aussi creux. Comme Abigail Cooprel ne cachait pas le souci où la mettaient d'aussi remarquables dispositions, Lars se hâta d'affirmer :

— La fille de Gustafson nous apportera le premier contingent d'os et d'abats dès demain.

— Veux-tu que nous commencions le dressage demain ? demanda Willem.

Le regard brillant, Matthew répondit aussitôt :

— Ce soir, même, si vous voulez.

Willem partit d'un bon rire et caressa les boucles de l'enfant, aussi denses que la fourrure d'un petit chat. Il autorisa sa main à s'attarder un tout petit peu plus de temps que nécessaire, simplement pour le plaisir.

— Je comprends ton impatience, dit-il, mais songe que ce repas est le premier dont ce chien ait pu bénéficier depuis fort longtemps. A mon avis, il n'a plus qu'une envie, maintenant : dormir.

— Vous voulez dire que cette bête doit rester ici ?

Ce cri de protestation, véhément, venait de Brawley, qui faisait une apparition saisissante sur le seuil de la cuisine, avec trois griffures affreuses sur la joue, et la main droite enveloppée dans un épais bandage.

— Mais oui, Brawley. Ce chien est adopté, répondit Lars, sur un ton moqueur.

Willem s'aperçut alors que le dénommé Brawley jetait à l'enfant un regard plein de ressentiment, pour ne pas dire de méchanceté. Son instinct paternel nouvellement éveillé s'en renforça d'autant.

Brawley regarda ensuite la table, où ne restait qu'une seule chaise disponible pour lui : celle de Willem, à l'autre bout, très loin d'Abigail Cooprel. En grommelant, il se dirigea vers cette place qui pour lui avait toutes les caractéristiques d'un injuste exil.

Aucun doute ne subsistait dans l'esprit de Willem : Brawley n'avait jamais éprouvé d'affection vraie pour Matthew, et les attentions auxquelles il s'était astreint ne devaient que lui faciliter la conquête d'Abigail Cooprel.

En riant, Lars interpella l'homme qui s'asseyait lourdement :

— Brawley, je ne sais quelle idée bizarre vous a poussé à vous raser, mais je crois que vous feriez mieux de laisser repousser tous vos poils, pour cacher ces vilaines balafres.

Le visage de Brawley devint plus rouge que ses cheveux. Il eut pour Willem un regard plein de haine.

Ce dernier comprit qu'il devait s'attendre à de sérieux ennuis de ce côté.

10.

Willem se réveilla en sueur. Par la fenêtre, il vit les sommets de la montagne qui se coloraient en rose : l'aube s'annonçait.

Il avait mal dormi. Plusieurs fois il avait entendu Moïra qui l'appelait des profondeurs d'un brouillard pernicieux, mais en vain l'avait-il cherchée. Il s'éveilla avec la conviction qu'il ne la retrouverait jamais.

Comme si cette épreuve ne suffisait pas, il avait aussi rêvé à Abigail Cooprel et à Matthew, qui eux se reposaient dans le soleil et de loin l'observaient sans mot dire.

Une question le tourmentait : quel chemin devait-il suivre ? Devait-il rester dans le brouillard, ou choisir d'aller vers la lumière ?

Il était las du brouillard, des remords et des regrets. Il se sentait prêt à s'affranchir d'un passé obsédant pour choisir une nouvelle existence. Pourtant, plus il songeait à vivre, plus le poids de sa culpabilité alourdissait son âme. Il avait la conviction que même avec Moïra et son enfant, il ne retrouverait jamais la sérénité, car un trouble subsisterait au plus profond de son cœur ; une faille.

Il n'était plus le même.

Certes, il restait décidé à accomplir tous les sacrifices possibles pour Moïra, mais Abigail Cooprel, femme unique et précieuse à tous points de vue, ne se laisserait plus oublier.

Willem se sentait pris comme dans un étau.

Avec la lenteur d'un vieillard alourdi par les soucis d'une longue et pénible existence, il posa les pieds sur le plancher et se leva. Sans attendre, il se pencha au-dessus du bassin et s'aspergea le visage. Puis il se rasa dans la lumière commençante. Habillé, il ouvrit doucement la porte et jeta un coup d'œil dans le couloir.

Il perçut les parfums annonciateurs du petit déjeuner, accompagnés de menus bruits et d'une mélodie fredonnée par Abigail occupée devant le fourneau. Il descendit sur la pointe des pieds, mais à mi-chemin s'arrêta pour écouter mieux. Il songea qu'il n'était pas de plaisir plus simple, et pourtant plus intense, que de s'adosser à un mur, les mains dans les poches, pour écouter une femme en train de chantonner ; il y avait là de l'indiscrétion. En souriant, il ferma les yeux et chercha à l'imaginer, il essaya de deviner quelle robe elle portait.

Elle devait, selon lui, avoir ce qu'il appelait « sa coiffure matinale », c'est-à-dire un vague chignon arrondi au sommet du crâne, avec beaucoup de mèches lui retombant sur le visage. Aurait-elle aussi de la farine sur le bout du nez ? le pari était plus risqué ; il s'engagea sur le « oui ».

Il ouvrit les yeux au moment où un nouveau parfum, celui des épis de maïs rôtis, venait chatouiller ses narines, provoquant dans son estomac ces gargouillements qui le gênaient tant. Il reprit sa descente, avec cette idée qu'il allait au-devant de grandes désillusions s'il persistait à s'adonner à de telles fantaisies : il était un homme marié, ce qui rendait Abigail Cooprel indisponible pour lui. Son cœur et son corps devraient se consumer sans espoir, et il préférait les voir se dessécher plutôt que de tenter la moindre avance.

136

— Bonjour, Abigail.

Il entra dans la cuisine au pas décidé du conquérant qu'il refusait d'être ; Abigail se retourna vivement et rougit comme s'il la surprenait dans quelque mauvaise action, et il se réjouit de constater qu'effectivement, quelques traces de farine lui tachaient le nez : dans son pari gagné avec lui-même, il voulut voir un heureux présage.

— Bonjour, Willem.

Abigail lui fit subir une inspection en règle, de la tête aux pieds, puis des pieds à la tête, avec un regard chargé de suspicion, lui sembla-t-il. Il se déplaça et s'arrangea pour tourner le dos, et perçut aussitôt comme un soupir de soulagement. Il s'en chagrina, car il n'aimait pas cette armure de froideur dont elle se protégeait chaque fois qu'elle avait à lui adresser la parole ; qu'avait-il pu faire ou dire pour susciter une telle réserve ?

— Il me semble que nous sommes les seuls à être levés de si bon matin, dit-il avec un entrain forcé.

Il s'empara d'une tasse accrochée au mur ; que pourrait-il dire ensuite pour préserver un semblant de conversation ?

— Je me lève toujours très tôt, expliqua Abigail Cooprel, derrière lui. En plus, il faut que je prépare dès aujourd'hui les pâtisseries pour la fête de demain.

Il choisit de ne se retourner point, préférant emplir sa tasse à la cafetière, et du fourneau aller se planter devant la fenêtre. Là, il imagina qu'il était marié avec cette femme, et qu'il vivait en ce moment, avec elle, un de ces matins tranquilles qu'ils appréciaient par-dessus tout, avant l'effervescence de la journée ; quel effet cela lui ferait-il d'être marié, *vraiment* marié ? serait-il heureux de descendre, à l'aube, pour retrouver Abigail, devenue son épouse, dans la cuisine ?

Observant les effets de la lumière au-dessus des grands

arbres qui bouchaient son horizon, il commença à écha-
fauder une histoire émouvante, dans laquelle il était le
mari d'Abigail, et Matthew son enfant, *leur* enfant.

— Ah, oui, la fête, murmura-t-il, sans conviction.

Peut-être pourrait-il apprendre à apprécier de nouveau
ce genre de rassemblement, s'il avait la possibilité d'y
assister en compagnie d'Abigail et de Matthew.

— J'ai au moins une demi-douzaine de courses à faire
pour acquérir tout ce dont j'ai besoin dans la préparation
du pique-nique, dit encore Abigail. C'est pourquoi j'ai
décidé de m'y mettre dès aujourd'hui.

Willem sourit : il trouvait bon d'entendre une femme
lui raconter, tranquillement, quelles tâches elle comptait
accomplir au cours de la journée. Un jour, peut-être, il
connaîtrait cette vie simple et tranquille, normale en
somme.

Abigail observait la solide silhouette de son locataire
— ces épaules si larges, et par contraste ces hanches si
étroites —, et se demandait pourquoi il la rendait si nerveuse ; il avait certes tendance à fourrer son nez dans ce
qui ne le regardait pas, à toujours poser des questions à
propos de ceci ou de cela, mais cette explication ne suffisait pas à expliquer son trouble ; il y avait aussi cette
façon bien à lui d'arriver sans bruit, comme s'il désirait la
surprendre. Et elle qui sursautait chaque fois, comme une
gamine prise en faute ! il devait y prendre goût ; était-il
pervers ? Pourtant, si elle voulait, il lui serait facile de
désamorcer son jeu : elle n'avait qu'à l'ignorer, ou tout
simplement le considérer comme n'importe quel autre de
ses locataires...

Mais, décida-t-elle, c'était impossible, car M. Tremain... Willem Tremain lui faisait grande impression. Le

jour où elle pourrait vaquer sans prendre garde à lui plus qu'à une potiche... ce jour-là, les poules auraient des dents !

Elle eût apprécié de voir les autres mineurs débouler dans l'escalier pour lui prêter le secours de leur simple présence, mais une bonne demi-heure devait encore s'écouler avant le début du petit déjeuner. Alors elle s'affaira, en tâchant de ne pas jeter, au passage, davantage que quelques coups d'œil à la dérobée sur la silhouette en vérité splendide, avec des cheveux qui prenaient dans les premiers rayons du soleil des reflets chauds, étonnants. Pourquoi avait-elle l'impression de marcher au bord d'un précipice chaque fois qu'elle le regardait ? Pourquoi, surtout, refusait-elle de lui accorder sa confiance ? Après tout, il n'avait jamais commis envers elle d'acte répréhensible. Elle avait passé la plus grande partie de sa nuit à retourner sans fin ce genre de questions, sans être plus avancée pour autant. Elle se savait d'autre part ridicule d'imaginer que celui-ci, plus que n'importe quel autre, ne s'était présenté chez elle que dans l'intention de lui ravir Matthew ; pourquoi lui, vraiment ? Tant d'années s'étaient écoulées sans qu'aucune parentèle ne vînt se manifester ; courait-elle de plus grands dangers maintenant que Lars lui avait avoué la vérité ? Certes non. Elle n'avait pas à s'inquiéter.

Pourtant, son cœur se serrait de crainte chaque fois qu'elle apercevait Willem Tremain ; chaque fois même qu'elle pensait à lui.

— Voulez-vous prendre tout de suite votre petit déjeuner ? proposa-t-elle.

S'activer : elle ne connaissait pas de meilleur moyen pour se calmer.

— Non, pas encore.

Il n'avait pas daigné se retourner pour lui répondre ; pourquoi ? encore une question sans réponse.

Willem ne se retourna pas pour répondre. Les yeux fermés, il savourait l'arôme de son café, et, reprenant le jeu auquel il s'était adonné un bref instant dans l'escalier, essayait de deviner à quoi s'occupait Abigail derrière lui. Délicieuse torture que ce plaisir simple dont il avait tout oublié, pour l'avoir si peu connu : un homme et une femme buvant ensemble leur premier café dans la quiétude du petit matin.

Il se surprit à espérer que les mineurs, ce matin-là, ne descendraient pas pour le petit déjeuner. Il conçut l'idée folle que cette maison était désormais la sienne, que plus personne d'autre que lui, Abigail et Matthew n'avaient le droit d'en fouler le sol. Il frissonna à ce rêve impossible, inaccessible, et de toute façon indu.

Il n'avait droit à rien.

— Willem ?

La voix d'Abigail perça son chagrin comme un rayon de lumière dans la nuit ; il se retourna.

— Oui, Abigail ?

Elle cilla, mais ne lui répondit point. De nouveau sa lèvre inférieure tremblait. Elle restait aussi immobile que lui, mais une force surprenante les attirait l'un vers l'autre.

Il résista au désir de se jeter sur elle, d'abord parce qu'il ne le devait pas, mais surtout parce qu'il savait qu'elle non plus ne voulait pas s'abandonner à cet élan ; et qu'elle avait raison ! Courir l'un vers l'autre, c'eût été provoquer une catastrophe irréparable, comme se jeter de concert dans la profonde crevasse qui les eût séparés.

Son bon sens enfin recouvré, pourtant, Willem s'aperçut qu'il n'était plus qu'à deux pas d'Abigail. Il ne se rappelait pas avoir parcouru une telle distance depuis la fenêtre. La jeune femme lui sembla elle-même fort éprouvée, et le petit nez taché de farine frémissait comme sous l'effet d'une peur intense. Il voulut la rassurer.

— Abigail... je...

Il lui prit le menton et sans brutalité le souleva pour mieux voir le visage tourmenté.

— Willem, murmura-t-elle. Il ne faut pas...

Il ne comprit pas les mots prononcés, ne voyant plus que les lèvres qui s'entrouvraient juste devant lui. Qu'il eût aimé goûter leur saveur ! quel goût avaient-elles ? cannelle, ou pommes cuites ? Etaient-elles plus douces que le miel ? Plus enivrantes qu'un vin fort ?

— Ces crêpes me semblent bien appétissantes !

La voix de Snap expédia Abigail à l'autre bout de la cuisine plus vite que ne l'eût réussi un bâton de dynamite explosant entre eux.

Willem vit la jeune femme qui s'agitait, pâlissait puis rougissait, se tordait les mains, et tentait désespérément de trouver quelques paroles de bienvenue. N'y parvenant pas, elle lui adressa un regard chargé de reproches, puis elle s'activa de nouveau, ne recouvrant enfin sa sérénité qu'à l'arrivée en troupe de tous les autres locataires.

Il alla s'asseoir et prit sa tasse entre ses mains.

Tous les regards étaient fixés sur lui.

Il n'avait plus faim.

Abigail ouvrit la porte numéro 12. Les émanations qu'elle capta dès ses premiers pas à l'intérieur de la chambre, lui rappelèrent Willem Tremain avec une force presque insupportable ; cela, joint à la profonde tristesse qu'elle ressentait depuis le matin, la mit au bord des larmes.

Elle avait enfin eu le courage d'aller retrouver Lars

pour exiger de lui l'entière vérité ; à quel prix ! Plus jamais elle ne pourrait s'extasier devant l'effloraison de l'aubépine derrière l'église, maintenant qu'elle savait que ce modeste bosquet de fleurs sauvages marquait la tombe de sa petite fille, ainsi que celle de la femme inconnue morte en donnant le jour à Matthew. Elle avait envisagé un instant de déposer sur ce lieu sacré un monument plus convenable, mais avait renoncé à ce noble projet en se rappelant qu'elle ne savait pas quel nom y faire graver.

Elle traversa la chambre à grands pas pour ouvrir la fenêtre. Elle se pencha à l'extérieur pour inhaler l'air encore frais, en espérant que cette médecine aurait quelque effet sur son pauvre cœur battant trop vite. Elle croyait sa vie gâchée, condamnée à l'échec en tout ; pourtant, Dieu dans sa grande bonté, et malgré l'extrême rigueur dont il l'avait accablée, avait jugé nécessaire de lui donner un fils pour remplacer la petite fille qu'elle n'avait pas été capable de mettre au monde ; dans quel dessein ?

D'un geste vif, elle arracha les draps du lit, puis à grands mouvements mit toute la chambre en ordre, sans cesser de se reprocher sa grande naïveté et ses frayeurs quasi enfantines. Mieux valait travailler que de ressasser des pensées délétères ; son jour de lessive était normalement fixé au lendemain, mais en raison de la fête, elle avait décidé de décaler d'un jour son emploi du temps normal ; la pensée d'avoir à changer encore les draps des onze autres chambres lui arracha toutefois un soupir de lassitude, rare chez elle.

Ayant déposé sur la table de toilette deux serviettes propres, elle s'arrêta pour examiner le décor : seule une valise cabossée, devant le lit, révélait que la chambre était occupée, et pourtant, elle ne se sentait pas moins affectée que si Willem Tremain en personne s'était trouvé là. Elle tremblait comme une feuille. Elle gardait l'impression étrange que cet homme était venu semer la désolation dans sa vie.

— Arrête de délirer ! cria-t-elle soudain.

En six ans, aucun de ses locataires ne l'avait troublée à ce point ; sa fatigue était-elle en cause ? Elle s'était déjà consciencieusement gavée de fortifiants, et envisageait maintenant d'aller quérir, chez l'apothicaire, un sédatif.

— En fait, je suis jalouse, déclara-t-elle à son reflet dans le miroir.

Voilà un point qui méritait plus ample observation : au vrai, elle s'agaçait beaucoup de l'intérêt marqué à Willem Tremain par son fils. Il lui en coûtait de l'admettre, mais elle souffrait de voir celui-ci, à l'instar du chien qui déjà ne le quittait plus, suivre Tremain partout. Elle supportait mal les regards pleins d'affection et de confiance qui s'échangeaient entre eux.

Anxieuse, elle se demandait quel manque comblait ainsi Matthew, elle établissait le compte de tout ce qu'elle n'avait pas su, ou pas pu lui donner. Au petit déjeuner du matin, elle avait remarqué comment il imitait Willem ; avec amertume, elle avait comparé cette attitude spontanée avec toutes les recommandations sans effets par elle prodiguées depuis tant et tant d'années.

Mais quand l'hiver reviendrait, Willem Tremain s'éloignerait, comme tous les autres, il quitterait son établissement. Quel effet désastreux aurait cette séparation sur le cœur tendre de son fils ? il souffrirait, elle en était sûre, et par avance elle souffrait pour lui.

Abigail soupira et retourna à la fenêtre. Avant de fermer, elle se pencha au-dehors et aperçut Matthew caracolant dans le pré derrière son inséparable compagnon. Elle s'attarda un instant à les observer, puis finit par sourire sans arrière-pensée à la contemplation de ce bonheur simple.

L'aigreur lui revint très vite.

— « Je serais heureux de verser mon obole pour la nourriture de ce chien » ! dit-elle en essayant de contrefaire l'accent de Willem Tremain.

Non content de prétendre qu'elle avait le cœur sec, il jouait en plus les généreux en offrant les quelques dollars qu'il l'accusait implicitement de ne pas vouloir sacrifier pour le bonheur de son fils ! Mais où s'arrêterait cette insolence ?

Et elle, qui malgré toutes les avanies qu'il lui faisait subir, persistait à lui trouver du charme ! Il fallait vraiment qu'elle eût perdu la raison !

Claquant la fenêtre avec violence, Abigail décida de se rendre de toute urgence chez l'apothicaire : oui, une tisane sédative lui ferait le plus grand bien.

Sur le chemin du retour, Willem s'arrêta aux écuries de louage. Il avait passé la plus grande partie de la journée à chercher le meilleur moyen de faire comprendre à Abigail Cooprel qu'elle ne devait pas avoir peur de lui. Il avait aussi décrété qu'il était fou de se tourmenter sur un sujet qui n'en valait pas la peine, mais avait tout de même conclu que, au moins pour l'honneur, il devait prouver la pureté de ses intentions, dût-il souffrir davantage dans l'opération.

Il entra dans l'écurie faiblement éclairée, et huma non sans plaisir les fortes odeurs de paille, de foin, de cuir et de crottin.

— Hello ! lança-t-il pour attirer l'attention.

Appuyé au chambranle de la porte, il attendit avec patience, et plusieurs minutes après vit venir à lui un jeune homme chargé d'un gros sac de toile.

— Puis-je vous aider ? demanda ce dernier, en jetant le

144

sac par terre, puis en l'ouvrant pour révéler les innombrables feuilles de chou qu'il se disposait à distribuer à ses pensionnaires.

— Oui, répondit Willem. Combien me coûterait, par jour, la location d'une voiture et d'un cheval ?

Il jeta un rapide coup d'œil sur la rue et médita de fuir avant de consommer sa nouvelle folie.

— Trois dollars, annonça le garçon d'écurie, en commençant la répartition de ses bienfaits.

— Et combien pour un chariot avec équipage ?

Le garçon s'interrompit dans sa tâche et se retourna :

— Gros chariot, ou petit chariot ?

Willem prit un air dégagé :

— Petit.

— Deux dollars et demi, mais retour avant le coucher du soleil.

Willem plongea la main dans sa poche et en retira une pleine poignée de pièces :

— A quelle heure puis-je prendre possession de l'attelage ?

A peine le dîner était-il terminé que Willem priait la compagnie de l'excuser et qu'il montait en hâte dans sa chambre. Allongé sur son lit, un bras passé sur les yeux, il écouta longuement le bruit des conversations qui, assourdies, montaient du rez-de-chaussée jusqu'à lui. De temps en temps il percevait l'écho d'une chanson fredonnée par Abigail Cooprel, quelques notes seulement, un air bref et harmonieux qui, chaque fois, touchait en lui des cordes très sensibles ; il y avait aussi les rires de Matthew, et alors, il souriait.

Matthew : il aimait décidément beaucoup ce garçon dont la présence mettait du beaume sur son cœur meurtri.

145

Il avait besoin de lui. Sur cette pensée apaisante, il se tourna de côté avec la ferme intention de trouver un prompt sommeil.

Il avait l'intention de sortir du lit, le lendemain matin, bien avant Abigail Cooprel, et ce serait un exploit difficile à accomplir. De toute façon, il devait revenir de l'écurie de louage avant qu'elle ne sortît de la maison.

Après s'être maintes et maintes fois retourné, après avoir tant fait grincer les ressorts de son lit qu'il en avait les oreilles cassées, il se résigna au fait qu'il ne pourrait dormir cette nuit-là. Il se leva, passa ses vêtements propres, et sur la pointe des pieds descendit l'escalier.

Une lueur venant de la cuisine attira son attention, et il se demanda quel autre insomniaque avait trouvé là refuge. Il entra, et trouva Lars, vêtu d'un caleçon rouge, assis au bout de la table.

— Déjà debout, ou pas encore couché? lui demanda ce dernier en le voyant.

Il répondit d'abord d'un clin d'œil, puis :

— Déjà debout, je pense...

Il se servit de café et vint s'asseoir en face du vieil homme.

— Et vous?

Apercevant à ce moment les doigts du vieillard tout tordus d'arthrite, qui serraient avec difficulté la tasse que celui-ci tenait, il se demanda par quel miracle le vieil homme avait survécu à tant de rudes hivers en haute montagne.

Celui-ci soupira :

— Plus je vieillis, moins je dors...

Il frotta ses yeux rougis par la fatigue.

— Jeune homme, je voudrais vous poser une question : vous est-il déjà arrivé de commettre, en connaissance de cause, une action peu convenable?

146

Willem revécut en une fraction de seconde toute l'histoire de sa vie et, le cœur lourd, il soupira :

— J'en ai commis tant que je n'en puis dresser le compte.

Curieusement, Lars sourit à cette affirmation, et repartit :

— Alors, permettez-moi de vous donner un conseil : accomplissez votre devoir dans la limite de vos possibilités, et oubliez tout le reste. Surtout, ne vous mêlez pas de ce qui ne vous regarde pas. En vieillissant, vous prendrez peu à peu conscience de toutes vos erreurs, et leur poids s'alourdira sur vos épaules jusqu'à devenir intolérable.

Willem s'interrogea sur le sens de cet avertissement, en observant Lars qui continuait à se frotter les paupières comme s'il cherchait à effacer une image difficile à supporter.

— C'est d'une grande sagesse, avança-t-il prudemment.

Il but un peu de café, et se demanda s'il avait devant lui l'esquisse de ce qu'il serait dans plusieurs années, seul et plein d'amertume.

Lars s'interrompit. Il avait le regard troublé lorsqu'il dit :

— Le Seigneur sait que j'aimerais terminer ma vie ici-bas avec la conviction que je n'ai causé le malheur de personne ; avec l'espoir que je n'ai pas brisé pour toujours le cœur d'une femme honorable.

Willem ne sut cette fois que répondre, et les deux hommes burent ce qu'il leur restait de café, en suivant chacun le cours de leurs pensées. Ils furent interrompus dans leurs méditations par le cliquetis des griffes du chien qui s'avançait jusqu'à eux, et se posait sur l'arrière-train pour les observer.

— C'est bien, ce que vous avez fait pour Matthew, déclara Lars.

Il se pencha pour gratter la tête de l'animal, qui gémit de plaisir.

— Ce n'était rien, répondit Willem. Matthew est un si gentil garçon.

— J'ai remarqué que vous l'appréciiez beaucoup. Avez-vous des enfants ?

— Un... Je crois...

Les sourcils broussailleux de Lars se haussèrent.

— Ah ! Vous avez donc semé à tout vent !

— Oui, et non. J'ai été marié, et nous attendions un enfant... mais... disons que nous avons mal tourné...

A son tour, Willem chercha le réconfort dans un contact affectueux avec le chien, avant de poursuivre :

— Je n'ai pas connu mon enfant.

— Quel âge aurait-il ?

— A peu près celui de Matthew...

Willem sourit tristement.

— Je ne sais même pas si c'est une fille ou un garçon.

11.

Assis sur le banc de son chariot, les rênes en mains, Willem attendait devant la pension; son impatience grandissait de minute en minute.

De bon matin, il s'était rendu à l'écurie de louage, où il avait trouvé, prêt pour lui, le véhicule réservé la veille; l'ensemble avait belle allure, le cheval piaffait. Willem avait hâte de provoquer la surprise de Matthew et d'Abigail.

N'y tenant plus, il sauta à terre et se dirigea vers la porte. Là, il essuya ses semelles sur le tapis, et raviva la brillance de ses chaussures sur l'arrière de son pantalon. Après quoi, il entra; la mélodie fredonnée par Abigail, dans la chambre qu'elle occupait au premier étage, fit battre plus vite son cœur. Sur la pointe des pieds, il gagna la cuisine, s'empara des deux grands paniers préparés par la jeune femme la veille au soir, et, comme un voleur, courut dehors pour déposer son butin dans le chariot.

Lorsqu'il se retourna, Abigail, sur le seuil, les poings sur les hanches, arrondissait les yeux sous l'effet de la surprise.

— Que faites-vous? demanda-t-elle, en regardant le cheval, comme si c'était à lui que s'adressait la question.

Elle portait une grande tarte aux myrtilles, presque à la verticale, comme un bouclier.

Willem grimaça ; celle pour qui il s'était lancé dans ces frais se tenait là, déjà pleine de méfiance à son égard, et aussitôt il se mettait à douter du bien-fondé de son projet. Le cœur serré, il se permit de l'examiner par en dessous : elle lui sembla fraîche et pimpante, avec ce bonnet de percale soigneusement repassé, qui ne parvenait pas à contenir tout entière l'opulente chevelure ; malheureusement, les yeux bleu-vert très assombris viraient sur le noir, et cela lui gâchait le portrait.

Gêné comme un gamin pris en faute, Willem s'absorba dans le spectacle de ses pieds qui rassemblaient des petits cailloux devant lui.

— J'ai loué ce chariot afin que vous n'ayez pas à marcher jusqu'au terrain de pique-nique, réussit-il enfin à expliquer.

— Vous ne pouvez pas faire cela, protesta la jeune femme.

— C'est déjà fait.

— Vraiment, monsieur Tremain, vous ne mesurez pas les conséquences de vos actes...

Abigail semblait encombrée par la grosse tarte aux myrtilles. Willem s'avança pour l'en débarrasser.

— Que diront les gens quand ils verront que je me promène avec vous ?

— Ils diront que Mme veuve Cooprel a conquis un nouveau mineur par l'action conjuguée de ses charmes et de sa cuisine, répondit Willem, le dos tourné, car il déposait la tarte dans le chariot, à côté des deux paniers.

— Est-ce le cas ?

Mme veuve Cooprel avait changé de ton ; sa voix coupait comme le blizzard.

Glacé, Willem fit semblant de ne pas avoir compris :

— Le cas de quoi, Abigail ?

— Vous ai-je conquis, monsieur Tremain ?

Avant de répondre, Willem se perdit dans le regard d'Abigail, cette femme si forte d'apparence, mais dont le cœur se révélait si tendre parfois. Il eut envie de la prendre dans ses bras pour lui donner un baiser ; juste un.

— Si je réponds oui, quelle sera votre réaction ? voulut-il savoir.

— Je vous demanderai de trouver un autre logement, monsieur Tremain, et de ne plus jamais remettre les pieds dans ma maison.

Willem dut chercher un appui contre la ridelle du chariot. Hébété, il chercha de nouveau le regard de son interlocutrice aux propos si sévères, et acquit la conviction qu'elle ne plaisantait pas ; elle préférerait le voir partir plutôt que de donner la moindre prise à la malveillance d'autrui. Dans ce moment critique, son respect pour elle s'accrut dans de considérables proportions... ainsi que son désir ; mais il avait affaire — il venait d'en obtenir une nouvelle confirmation — à une femme d'honneur, qu'il devait se contenter d'admirer de loin.

— Dans ce cas, *Abigail*...

Il prononça ce prénom avec emphase.

— ... je dirai seulement que vous avez suscité mon respect, et que je tâcherai désormais de me rappeler quelle doit être ma place.

A ce moment, Matthew surgit par la porte restée ouverte.

— Regarde, maman, s'écria-t-il. Willem a loué un chariot. Nous n'aurons pas à marcher.

— J'avais remarqué ! répondit Abigail avec sécheresse.

Willem comprit que sans le garçon, elle lui aurait tourné le dos pour rentrer chez elle, et rien ni personne n'eût pu ensuite la décider à accepter la promenade en chariot.

La brise matinale, qui venait de tourner, lui apportait les frais parfums de la jeune femme, savon mêlé d'un soupçon d'eau de rose, la seule coquetterie qu'elle se permettait. Il s'enflamma de désir, et dut se cramponner plus durement à la ridelle pour ne pas laisser transparaître l'émoi où il se trouvait; son salut était en jeu, puisqu'il venait de lui être interdit de manifester les sentiments qu'il éprouvait pour son hôtesse, sous peine d'ostracisme.

Il ne voulait pas être rejeté dans les ténèbres extérieures...

Oppressé, il prit acte de ce qu'il n'avait pas réussi à rendre Abigail moins prévenue contre lui; au contraire! Dorénavant, elle serait plus soupçonneuse encore à son endroit; chacun de ses gestes, chacune de ses paroles seraient pesés et évalués avec la plus grande sévérité.

Abigail autorisa Willem à lui prendre la main pour monter dans le chariot, en essayant de ne pas accorder trop d'importance aux battements déréglés de son cœur provoqués par ce simple effleurement. Comment pouvait-elle se mettre dans un tel état à cause d'un homme qu'elle était sûre de ne pas aimer; d'un homme qui l'agaçait de toutes les façons possibles? Par exemple, ce chariot loué en catimini: le geste pouvait paraître délicat au premier abord, mais il ne devait pas falloir chercher beaucoup pour trouver des raisons sous-jacentes, une intention peu recommandable. Elle avait fort bien agi en indiquant avec netteté qu'elle n'acceptait pas les propos galants, et si ce M. Tremain persistait à vouloir lui faire cette cour ridicule et odieuse, elle l'engagerait vivement à trouver un autre toit que le sien. Oui... mais pourquoi frémissait-elle d'émoi chaque fois qu'il approchait? Pourquoi s'obstinait-elle à le fuir, alors qu'en même temps, il lui apparaissait toujours comme un rayon de soleil après une longue saison de pluie?

Pourquoi?

Installée sur le siège assez confortable qu'il avait eu la délicatesse d'aménager avec quelques couvertures, elle admira son fils qui bondissait sur le plateau avec l'agilité d'un écureuil; le chien suivait naturellement de près, et se coucha aux pieds de l'enfant qui lui gratta le crâne avec affection; les rires et les jappements de joie se mêlèrent aux grincements du chariot.

Abigail perçut avec déplaisir ce sympathique charivari; le bonheur de son fils la chagrinait, maintenant; parce qu'elle n'y contribuait en rien? parce qu'elle en était exclue? Peinée, elle ferma les yeux et tenta de ne plus penser à rien.

— Maman?

Elle sursauta et rouvrit les yeux.

— Oui, mon chéri?

Stupéfaite, elle prit conscience de ce que Matthew, au lieu de s'asseoir comme elle, s'était dirigé vers le banc du conducteur; là, une main sur l'épaule de Willem, il la regardait d'un air interrogateur; depuis combien de temps? A la vue de cette scène touchante et si naturelle, elle se sentit mordue, une fois de plus, par une jalousie féroce. Elle ne supportait pas ce geste de confiance de son fils envers un autre qu'elle-même, et souffrait davantage encore de ne pouvoir, elle, s'abandonner à de telles libertés avec Willem Tremain; pourquoi ne pouvait-elle pas agir avec innocence et sans arrière-pensées? Parce qu'elle était une femme honnête, voilà pourquoi! Affligée de déceler en elle un penchant certain pour le dévergondage, elle rougit et détourna le regard.

S'apercevant que Willem l'observait, elle craignit qu'il ne pût lire dans ses pensées et s'en repaître pour se moquer; mais elle ne décela dans le regard bleu que l'expression d'un tendre désir et d'un chagrin discret. Gênée, elle reporta son attention sur Matthew qui s'impatientait.

— Que veux-tu, mon chéri?

— Willem voudrait être mon partenaire pour les jeux... si tu n'y vois pas d'inconvénients.

Le cœur de la jeune femme se contracta. Quand Lars avait déclaré qu'il ne participerait plus aux jeux parce qu'il se trouvait trop vieux, elle avait pensé que, tout naturellement, son fils la choisirait comme partenaire. Or, voici qu'elle était rejeté, trahie! Une blessure lui était infligée, dont sans doute elle ne se relèverait jamais. En se mordant la lèvre inférieure, elle considéra Matthew, qui en toute innocence lui préférait Willem Tremain. Avait-elle le droit de le désespérer?

Capable de sacrifier au bonheur de son fils, elle refusait en revanche de marquer la moindre faveur à Willem Tremain; cruel dilemme.

— Bien sûr, Matthew, finit-elle par murmurer du bout des lèvres. Je suis sûre que M. Tremain sera un partenaire parfait pour la course.

Déjà, Matthew se tournait vers Willem pour une nouvelle question :

— Et mon chien?

— Il aura la meilleure place, tu verras...

Sur un clin d'œil complice, Willem prit l'animal dans ses bras et l'installa sur ses genoux.

— Au fait, quel nom désires-tu lui donner?

Matthew hésita à peine.

— Je trouve que c'est un chien très intelligent; brillant même, d'après Lars. Alors, j'ai pensé que je pourrais l'appeler Brillant, tout simplement. Qu'en pensez-vous?

La question, naturellement, s'adressait au seul Willem ; de ce grave débat, Abigail, une fois de plus, se trouvait exclue.

— C'est un joli nom, en effet, approuva Willem.

Le chien bien calé sur ses genoux, il prit les rênes, desserra le frein, et claqua de la langue ; le chariot s'ébranla alors que les autres locataires de la pension n'étaient même pas sortis du lit.

Boudeuse, le dos raide contre la ridelle, Abigail attendit pendant tout le trajet que son fils quêtât son avis sur le nom du chien ; mais, apparemment, il n'en avait pas besoin. Elle en ressentit une vive douleur, qui alla en s'accentuant, et lui gâcha par avance tous les plaisirs qu'elle attendait de la journée. Plusieurs fois, elle jeta un regard plein d'acrimonie en direction du large dos de Willem, qui, se disait-elle, l'emmenait en ville comme un vulgaire paquet ; silencieux ou sifflotant, il agitait les rênes et caressait le chien, mais il semblait avoir oublié jusqu'à son existence ; de toute façon, qu'il s'intéressât à elle ou l'ignorât, elle lui en voulait.

Au moment de passer les premières maisons de Guston, Abigail tâcha de se divertir un peu en absorbant par tous ses pores l'effervescence qu'elle percevait dans les drapeaux claquant au vent et dans les gens s'agitant avec une bonne humeur communicative ; c'était un jour de célébration nationale qu'elle venait vivre, elle devait se réjouir en oubliant Willem Tremain qui, de son côté, songeait déjà moins à elle qu'à la future course qu'il devait disputer sous peu.

Matthew gratta à ce moment le crâne du chien — comment s'appelait-il déjà ? Ah, oui : Brillant — et reçut en retour un coup de langue humide ; Abigail soupira et dut se retenir des deux mains à la ridelle pour ne pas se précipiter sur l'enfant afin de l'essuyer avec son mouchoir.

Ce n'est plus un bébé, se gourmanda-t-elle.

Effectivement, son fils n'était plus un bébé à dorloter du matin au soir, il le serait de moins en moins, et un jour viendrait, bientôt, trop vite, où il partirait vivre une autre vie sur quoi elle n'aurait plus aucun droit de regard.

Cette pensée lui arracha un soupir.

Willem entendit soupirer Abigail. Sans en imaginer avec précision les termes, il sut quel genre de conflit troublait l'âme de la jeune femme. Il se demanda comment elle prendrait l'autre surprise qu'il avait préparée pour elle, avec la complicité de Matthew.

Il s'inquiéta aussi de savoir s'il devrait, au coucher du soleil, chercher un autre toit pour s'abriter.

12.

Une grande toile rayée claquant au vent abritait deux longues planches posées sur des chevalets, et sur ces tables de fortune s'alignaient des dizaines de tourtes dont la plupart, tout droit sorties des fours domestiques, exhalaient des fumets chauds et très odoriférants.

D'un bout de ficelle ramassé dans la rue, Willem aida Matthew à confectionner une laisse pour Brillant, afin de prévenir l'irruption de cet animal dans le concours, auquel il n'avait pas le droit de participer.

— Combien croyez-vous qu'il faut en manger pour gagner ? demanda Matthew.

Si Willem ne put s'empêcher de sourire en voyant le petit visage si sérieusement tourné vers lui pour recevoir son avis, il éprouva aussi la nostalgie de son enfance perdue, et, plus poignant encore, le regret de ne pouvoir connaître avec son propre enfant des instants aussi privilégiés.

— Au moins trois, répondit-il ; peut-être plus.

Le garçon hocha la tête d'un air méditatif, puis reporta son regard sur les pâtisseries, qu'il dévora littéralement du regard.

Willem éclata de rire en le voyant si plein de détermination.

— Qu'y a-t-il de si amusant ?

Abigail, qu'il n'avait pas entendue venir, l'interrogeait avec la sévérité dont elle ne s'était pas départie depuis le début de la journée. Il frissonna, mais tâcha de ne rien révéler de son malaise diffus.

— C'est Matthew, expliqua-t-il. Il a envie de participer au concours.

Le parfum discret de la jeune femme couvrait les senteurs des pâtisseries, et le spectacle autour de lui s'estompa graduellement.

— Oh...

Abigail caressa la joue de Matthew et lui recommanda :

— Essaie si tu veux, mais ne mange pas à te rendre malade. N'oublie pas que nous avons apporté de quoi pique-niquer.

Pétrifié, Willem comprit que cet avertissement s'adressait surtout à lui, et qu'il était en quelque sorte responsable, maintenant, de la conduite de l'enfant.

— N'aie pas peur, maman.

Matthew, qui proférait ces paroles apaisantes, lui décocha en même temps un regard en coin, tout en effleurant le crâne du chien. Par-dessus la tête d'Abigail, il lui répondit d'un clin d'œil complice, non sans se dire qu'il était loin d'éprouver l'assurance dont il essayait de faire preuve. Son innocente machination risquait de se retourner contre lui dans peu de temps, et avant la fin de la journée, il recevrait peut-être notification de sa condamnation : un exil perpétuel, loin de la pension qu'il considérait un peu comme sa maison. Anxieux, il inspira longuement et chercha un sujet de réflexion qui lui permettrait de calmer ses nerfs.

Un gros homme au visage rubicond encadré d'énormes favoris en côtelettes monta sur une caisse pour annoncer le début du concours.

158

— Souhaitez-moi bonne chance, implora Matthew, qui se dirigeait vers la table.

Willem répondit d'un nouveau clin d'œil — l'usage de la parole lui était momentanément retiré — et crispa sa main sur la laisse du chien. Il entendit le soupir d'Abigail, mais évita de tourner vers elle son visage. Il avait peur, réellement peur ; son esprit obsédé ressassait indéfiniment la même incantation : « pourvu que ma petite surprise ne me soit pas imputée comme une faute impardonnable ! »

Matthew s'assit et agrippa les bords d'un plat comme si sa vie en dépendait. Dès que le coup de feu libératoire retentit, il plongea dans la tourte pour commencer à la dévorer ; lorsqu'il se releva pour reprendre son souffle, Willem vit de loin son visage déjà maculé de myrtilles cuites. Concentré, efficace, il vint très vite à bout de la première unité et sans tarder attira à lui une deuxième tourte qu'il attaqua avec tout l'enthousiasme dont pouvait se montrer capable un enfant de six ans participant au premier concours de sa vie.

— Il va se rendre malade, maugréa Abigail.

Willem lui murmura à l'oreille :

— Laissez-le accomplir le premier exploit de sa vie. C'est un grand garçon, vous savez.

Il la vit se tourner lentement vers lui, très raide et les lèvres pincées, avec dans le regard un mélange de doute et de crainte. Elle avait une attitude exprimant une vulnérabilité à laquelle il ne pouvait pas rester indifférent. Il se rapprocha :

— Abigail !

— Oui ?

Elle s'humecta les lèvres, puis se prit la gorge comme si elle étouffait.

— Avez-vous peur de moi ? demanda-t-il.

Elle écarquilla les yeux :

— Pourquoi, mon Dieu, devrais-je avoir peur de vous ?

— C'est en effet la question que je me pose depuis un certain temps.

— Bien sûr que non, je n'ai pas peur de vous, ce serait ridicule. Simplement, je m'inquiète un peu de l'intérêt trop vif que vous marque Matthew.

Willem fronça les sourcils et étudia le visage de la jeune femme.

— C'est un très gentil garçon, assura-t-il. J'apprécie beaucoup les moments que je passe avec lui.

Abigail sursauta comme si elle avait été piquée.

— Pourquoi ? demanda-t-elle sèchement.

Willem haussa les épaules. Il eût voulu tout expliquer à propos de Moïra, mais cela l'eût obligé à avouer la faute qu'il se reprochait dans son désastre conjugal, et pour cette épreuve, il ne se sentait pas encore prêt.

— L'amitié de Matthew compte beaucoup pour moi, se contenta-t-il de dire.

Ce fut au tour d'Abigail de l'observer avec beaucoup d'attention ; elle ne le croyait pas, c'était évident, et cherchait sur son visage les preuves de son mensonge. Il se soumit à cet examen, et en inhalant le discret parfum qui émanait d'elle, il médita sur un moyen qu'il devait trouver pour combler l'abîme de méfiance les séparant.

Ce moyen, ne consistait-il pas à tout dire du long chemin qui l'avait amené jusqu'à Guston ?

— Abigail, je voudrais...

— Et voici le vainqueur !

Un tonnerre d'acclamations et d'applaudissements arracha Willem au précipice sur le bord duquel il évoluait. Tournant son regard vers le lieu du concours, il aperçut Matthew, barbouillé de myrtilles d'une oreille à l'autre, brandissant le ruban bleu qu'il venait de remporter.

160

— J'ai tout manqué ! se lamenta Abigail.

Willem grimaça : c'était à cause de lui qu'Abigail n'avait pu suivre la marche de Matthew vers le triomphe. Il recula de deux pas pour se mettre en retrait, pour aussi juguler les émotions puissantes qui le perturbaient.

— Et maintenant, hurla l'homme juché sur la caisse, voici une petite surprise.

A l'insu d'Abigail, Willem échangea un regard nerveux avec Matthew.

Avec ses favoris qui semblaient plus fournis quand il souriait, le bonimenteur avait l'air d'une marmotte. Il attendit le retour du silence complet pour expliquer :

— Les plus jolies femmes de Guston ont accepté de contribuer à une vente aux enchères...

Un murmure appuyé monta de l'assistance, composée essentiellement de mineurs solitaires et d'hommes d'affaires ; jetant un rapide coup d'œil autour de soi, Willem ne compta pas plus d'une douzaine de dames, parmi lesquelles Abigail pouvait se targuer d'être la plus jolie.

— Nous avons ici quelques beaux paniers de pique-nique...

L'homme aux épais favoris désigna une rangée de paniers décorés de rubans et de fleurs des champs.

— Ces paniers, ainsi que je vous le disais, nous ont été donnés par les plus jolies dames de Guston, qui accepteront — elles s'y sont engagées — à en partager le contenu avec celui d'entre vous qui fera monter le plus haut les enchères. Les fonds récoltés alimenteront un fonds de pension en faveur des mineurs, une cause juste, et très nécessaire.

— Elles ont moins de quatre-vingts ans, j'espère ! lança une voix dans la foule.

— Tais-toi, Horace ! répondit aussitôt un autre anonyme.

161

De grandes exclamations de joies saluèrent cet échange.

Abigail elle-même ne dédaigna pas de sourire derrière sa main, et Willem se réjouit de la voir enfin se détendre un peu ; il jugea qu'elle était vraiment la plus belle femme de l'assemblée, radieuse avec les rayons de soleil qui nimbaient d'or ses cheveux, et se demanda par quelle aberration il avait pu la trouver commune et peu séduisante la première fois qu'il l'avait vue.

— Allons-y !

Willem fut tiré de sa rêverie par le cri du bonimenteur, qui brandissait le premier des paniers, tout bleu des fleurs piquées dans l'entrelacs des brins d'osier, avec autour de la poignée des rubans assortis.

— Soixante-quinze cents ! lança une voix de baryton.

— J'ai entendu : soixante-quinze cents ! reprit l'homme sur la caisse.

Les enchères ne tardèrent pas à monter très vite, pour la plus grande joie de l'assistance qui s'y passionnait, mais on s'arrêta à deux dollars, prix qui parut décevoir Matthew : celui-ci, en effet, tourna vers Willem un regard assombri.

— Mon petit, comment te sens-tu ? demanda aussitôt Abigail, en lui posant sa main sur le front.

— Bien, maman.

Matthew recula pour se soustraire à la caresse maternelle.

Sujet à des accès alternés d'angoisse et d'enthousiasme, Willem surveilla les enchères suivantes. Un par un, les paniers furent attribués ; sur les anses enrubannées se serrèrent chaque fois deux mains, celle d'une jeune femme rougissante et une autre, crevassée, d'un robuste mineur tout aussi intimidé entraînant sa conquête d'un jour vers la prairie où devait se tenir le pique-nique ; Abi-

162

gail souriait d'attendrissement devant ces couples consti-
tués au hasard, et Willem, qui ne cessait de l'observer,
eût pu parier qu'elle avait le regard embué d'un peu
d'envie; peut-être ne serait-elle pas trop fâchée, après
tout?

— Ah! voici le dernier panier, dit-elle.

Le cœur battant, la grimace aux lèvres, Willem regarda
le dernier objet proposé à la convoitise du public : pas le
plus beau, tout bancal, avec un nœud attaché de guingois
sur l'anse cabossée, avec certes un gros bouquet d'ancolies, mais déjà défraîchies. Pourtant, il se sentit tout ému,
si ému que les bourdonnements dans ses oreilles attei-
gnirent l'intensité d'une cataracte.

— N'est-ce pas un joli panier? demanda le bonimenteur, qui ne semblait pas convaincu de ce qu'il disait.
Qui veut commencer?

Un silence embarrassé lui répondit; aucun des hommes
présents ne semblait s'enthousiasmer à l'idée de partager
ce pique-nique si pauvrement paré.

— Cinq dollars!

Willem entendit sa voix résonner trop fort, et il rougit.
Le regard fixé sur le sol, il perçut le petit cri de surprise
émis par Abigail, ainsi que les murmures de la foule intri-
guée. Il se tourna un peu sur le côté, et fut gratifié du sourire radieux de Matthew, qui, à lui seul, suffisait pour lui
prouver qu'il avait eu raison d'imaginer ce stratagème.

— Ah! fit le bonimenteur, ravi. Voilà ce que j'appelle
de l'audace! Qui veut renchérir?

Il couvrit la foule de son regard impérieux.

— Cinq dollars vingt-cinq!

C'était Brawley Cummins.

Willem pivota et vit ce dernier, loin derrière, appuyé
contre un sapin. Il lui adressa un signe de bienvenue, et
nota au passage la belle couleur rouge vif des griffures

sur la joue ; cet homme avait-il la moindre idée de l'identité de la propriétaire du panier ? Enervé par cette perspective, il lança :

— Dix dollars !

Un cri unanime monta de la foule. Abigail fronça les sourcils et demanda :

— Il me semble reconnaître ce panier. Matthew, n'as-tu rien à m'apprendre à ce sujet ?

Le regard aussi troublé que s'il venait d'être surpris en train de commettre une très vilaine action, le garçon, pour quêter un soutien moral, se tourna vers Willem qui crut alors tout perdu.

— Dix dollars et dix cents ! jeta-t-il, affolé.

— Monsieur ! lui répondit le bonimenteur agacé. Vous enchérissez contre vous-même !

— Je sais...

Tout ce qu'il savait, c'était qu'il tenait à remporter ce panier pour pique-niquer avec Abigail et Matthew ; cela valait bien des dépenses inconsidérées ; cela valait bien le risque de se ridiculiser.

— Dix dollars et cinquante cents !

— Vous semblez y tenir ! Une fois, deux fois, trois fois ! Adjugé au monsieur en chemise bleue, le panier offert par... Mme Abigail Cooprel. Monsieur, si vous voulez bien vous avancer pour prendre possession de votre bien.

Abigail jeta à Willem un regard noir de ressentiment, puis se tourna vers un Matthew plus rouge que les coquelicots.

— Nous aurons une explication à la maison, dit-elle d'une voix glaciale.

— Oui, maman.

Willem s'éloigna pour payer le montant de l'enchère. Lorsqu'il revint avec le panier, il s'entendit accueillir par ces mots jetés sans aménité :

164

— Je suppose que c'est votre œuvre!

— Oui, répondit-il, non sans solennité.

Abigail prit la main de Matthew et tenta de l'entraîner.

— Viens, nous rentrons à la maison.

— Vous ne pouvez pas partir maintenant, plaida Willem en la suivant, que penseront les gens? On nous observe...

Les yeux d'Abigail s'arrondirent.

— Vous ne pouvez vraiment pas partir comme cela, Abigail.

— Il est déjà assez ridicule que vous ayez dilapidé tant d'argent pour un simple pique-nique! murmura la jeune femme. Vous auriez au moins pu l'arranger un peu mieux.

— C'est l'œuvre de Matthew.

Abigail parut suffoquer.

— Est-ce vrai? demanda-t-elle d'une voix étranglée.

— Oui.

— Dans ce cas, ne restons pas ici. Nous nous donnons en spectacle.

Willem faillit hurler de joie en comprenant qu'il avait remporté la partie; du moins, la première manche.

— Tout de même, reprit Abigail, vous avez payé trop cher.

D'un geste tendre, elle caressa les boucles de Matthew.

— Il ne fallait pas laisser la moindre chance aux autres, expliqua Willem.

Il jeta un bref coup d'œil à Brawley, qui, toujours adossé au sapin, ne le quittait pas du regard.

Après une courte pause, Abigail sourit et dit:

— J'espère au moins que ce que vous avez mis dans le panier vaut le prix que vous avez consenti.

— Même vide, je n'aurais voulu l'abandonner à personne d'autre.

Matthew courait derrière Brillant, qui poursuivait un papillon en poussant de féroces aboiements.

— Je vous en prie, dit Willem. Ne soyez pas fâchée contre lui. C'est moi qui ai eu cette idée.

Il ouvrit le panier, en sortit un vaste torchon à carreaux rouges et blancs, qu'il déplia et étala sur l'herbe.

— Quelles sont vos intentions, en ce qui concerne Matthew ? lui demanda la jeune femme.

Il s'interrompit dans sa tâche et, se relevant, observa qu'elle avait les mains tremblantes. La réponse qu'il proférerait avait une importance primordiale, il le savait ; elle pouvait même déterminer l'avenir de trois personnes. Crânement, il risqua pourtant une plaisanterie :

— A vous entendre, j'ai l'impression d'être un prétendant plein d'arrière-pensées.

— C'est que je ne veux pas voir souffrir mon fils, lui fut-il aussitôt répondu, et sans rire. Quand l'hiver reviendra, vous rassemblerez vos affaires et vous disparaîtrez. Le pauvre petit risque alors d'avoir le cœur brisé, s'il s'attache trop à vous.

Un sentiment de compassion envahit Willem, qui, en un éclair, comprit ce qu'était la vie de cette femme et de ce petit garçon : des hommes passaient le printemps et l'été à la pension, nouaient, pour certains, des liens d'amitié — plus étroits, en tout cas, que ceux unissant normalement un locataire et une hôtesse —, et disparaissaient au début de l'hiver, sans savoir s'ils reviendraient aux beaux jours de l'année suivante. Il comprit mieux la réserve dont Abigail faisait preuve à son égard : fataliste, elle avait conscience de ne pouvoir jamais s'attacher durablement à un autre être que Matthew.

— Essayez-vous de vous débarrasser de moi, Abigail ?

demanda-t-il, d'une voix qu'il ne voulait pas faire paraître trop sérieuse. J'ai l'impression que vous êtes jalouse.

Il vit s'écarquiller les yeux bleu-vert.

— Jalouse, moi ?

— Naturellement, je plaisantais...

Mal à l'aise, il se força à un petit rire ; il gardait l'impression que la jeune femme lui cachait quelque chose, mais choisit de ne pas insister.

— Je parie que vous avez faim...

Il sortit du panier le jambon acheté la veille chez Gustafson, une salade de pommes de terre, une bouteille de limonade et une tarte aux myrtilles, qu'il montra en disant :

— Je ne sais pas si Matthew sera tenté, après tout ce qu'il a ingurgité ; je ne lui en couperai qu'une toute petite part, pour commencer.

La jeune femme, qui suivait des yeux les évolutions de son fils toujours courant derrière le chien, laissa échapper un soupir lourd de signification.

Willem abandonna ses préparatifs pour se rapprocher d'elle et il lui posa ses deux mains sur les épaules.

— Abigail, dit-il d'une voix contenue, soyez sûre que je n'essaie pas de m'immiscer entre vous et votre fils. Matthew est un gentil garçon, et je n'ai que le désir de devenir son ami... le vôtre aussi.

— Je n'ai pas besoin d'ami, monsieur Tremain...

Abigail tremblait sous ses doigts, mais ne cherchait pas à se dérober à la douce pression qu'il lui imposait.

— Quant à Matthew, il reçoit de moi tout l'amour dont il peut avoir besoin.

— Permettez-moi quand même d'être son ami. C'est tout ce que je demande : juste devenir son ami.

Une série de rires et d'aboiements préluda au retour de

167

Matthew et de Brillant; Willem observa comment Abigail se recomposait une attitude, en clignant des paupières et en secouant la tête comme si elle émergeait d'un rêve; d'un mauvais rêve?

— Est-ce que nous pouvons commencer à manger? demanda Matthew, en se laissant tomber sur l'herbe.

Il enlaça, pour le tirer en arrière, le chien qui s'était aventuré sur le torchon afin de renifler le jambon.

Willem effleura le crâne de l'animal et commenta en riant :

— Nous ferions mieux de nous y mettre, sinon il risque de ne pas nous rester grand-chose dans quelque temps.

— Que veux-tu, mon chéri? interrogea Abigail, qui pendant ce temps s'était laissée tomber à genoux.

Elle s'activa pour charger une assiette de jambon et de pommes de terre en salade, mais il n'échappa point à Willem qu'elle avait les mains tremblantes.

— Après le pique-nique, pourrons-nous aller nous promener? demanda le garçon.

La question s'adressait à Willem, qui vit Abigail se raidir.

— Si ta maman est d'accord pour venir avec nous, s'empressa-t-il de répondre.

Un instant, il regretta d'être encombré par son passé, il imagina ce qu'eût été sa vie sans cette épouse absente qui persistait à l'obliger. Puis il se haït d'avoir de telles pensées, et s'immergea dans un morne silence.

Le chien caracolait devant eux comme un poulain trop longtemps tenu renfermé dans l'écurie; Willem lui avait retiré sa laisse dès qu'il ne risquait plus de gêner par ses évolutions erratiques, les gens encore en train de pique-niquer. Infatigable, Matthew le poursuivait et mettait un point d'honneur à ne pas se laisser trop distancer.

Abigail et Willem marchaient avec plus de componction, la jeune femme tenant sa robe légèrement relevée, ce qui lui donnait une grâce supplémentaire.

— Il faut que je vous remercie d'avoir été le partenaire de Matthew aujourd'hui, déclara-t-elle soudain, en tirant sur le ruban de son chapeau. Il a passé une excellente journée, et c'est en grande partie grâce à vous. Songez que c'est la première fois qu'il gagne un concours.

Elle semblait essoufflée comme après une longue course ; Willem l'écoutait avec la plus grande attention, sans cesser pour autant de s'émerveiller de menus détails — les mèches qui s'échappaient du chignon, les deux boutons supérieurs du chemisier défaits, à cause de la chaleur — qui sur tant d'autres femmes l'eussent laissé froid.

— C'est moi qui dois vous remercier de m'avoir autorisé à partager cette fête avec vous, dit-il. Et puis, je suis si heureux que vous ne m'ayez pas tenu rigueur du petit coup en douce que j'avais imaginé, à propos des enchères.

S'il ne s'était pas retenu, il l'eût à ce moment prise dans ses bras pour la presser contre lui, et lui faire comprendre tout ce qu'il éprouvait pour elle, tous ces sentiments qu'il osait à peine s'avouer à lui-même.

— Matthew vous aime beaucoup, reprit-elle.

Elle s'arrêta pour enfiler sous son chapeau plusieurs mèches qui la gênaient depuis un moment en voletant avec insistance devant ses yeux ; mais, soit à cause d'un geste trop brusque de sa part, soit parce que son chignon avait été confectionné de manière trop hâtive, une pluie d'épingles s'abattit sur ses épaules, et de là sur le sol, tandis que la lourde masse de ses cheveux jaillissait sous les fleurs d'organdi comme une source soudain libérée.

Ce spectacle somme toute anodin, eut le don de mettre Willem dans tous ses états. Eperdu de désir et d'amour, il se sentit prêt à mille folies, et il se disposait à déclarer sa flamme, lorsqu'un cri plein d'angoisse le ramena au sens des réalités.

— Maman!

De loin, Matthew faisait de grands gestes.

— Que se passe-t-il, mon chéri? demanda Abigail.

— C'est Brillant. Il a trouvé une grotte!

Alarmé, Willem oublia ses tourments amoureux et pressa le pas. Il rejoignit Matthew qui attendait devant un puits de mine abandonné, encombré par les poutres et les planches qu'on y avait sans doute jetés pour prévenir les accidents; il restait assez d'espace cependant pour autoriser le passage d'un chien, ou d'un enfant.

— Il faut que j'aille chercher Brillant, dit Matthew.

— Non...

D'une main ferme, Willem retint le garçon qui se laissait déjà glisser dans l'orifice.

— Ne fais jamais cela, tu m'entends?

Il avait crié, ce qui ne lui était plus arrivé depuis de longues années, et il fut choqué de se savoir encore capable de violence, même pour une bonne cause.

— Monsieur Tremain...

D'un geste sec, Abigail arracha du bras de son fils la main de Willem qui le tenait toujours.

— Laissez-moi régler cette affaire.

Son expression dure désespéra Willem, qui ne put que hocher la tête en signe d'acquiescement. Le front en sueur, le cœur battant, il s'éloigna de quelques pas, tête basse, et s'adossa à un gros rocher pour éviter de s'écrouler sur le sol. Là, il ferma les yeux, et respira à longs traits en se disant que tout ce qui lui arrivait de mal était sa faute. Il entendit Matthew qui chuchotait:

— Maman ? Que se passe-t-il avec Willem ?

Il rouvrit les yeux et constata que le garçon s'inquiétait pour lui. Il s'empressa d'affirmer :

— Je vais bien...

Il décolla du rocher son dos trempé de sueur, et se rapprocha.

— Il m'est arrivé un grave accident, autrefois, dans une mine qui ressemblait beaucoup à celle-ci...

La voix altérée, il ajouta à l'adresse de Matthew :

— Promets-moi de ne jamais entrer dans un puits de mine abandonné. C'est plus dangereux que tu ne l'imagines...

Brillant choisit ce moment pour émerger des profondeurs ; Willem l'attrapa aussitôt et l'attira à lui.

— Toi, mon vieux, lui dit-il, tout ce que tu as gagné à cette affaire, c'est que nous allons te remettre ta laisse !

Et il ne lâcha plus l'animal jusqu'à l'endroit où ils avaient abandonné leur panier pique-nique.

Abigail donnait la main à Matthew, et suivait Willem qui courait, fuyant littéralement le puits de mine abandonné.

Par bribes lui revenaient les confidences des mineurs, le premier soir que cet homme étrange s'était assis à sa table.

— L'Irlandais Noir, murmura-t-elle.

Elle commençait à comprendre comment il s'était acquis ce surnom. Elle frissonna, et hâta le pas pour le rejoindre devant le chariot.

13.

Willem prit sur le fourneau le lourd fer à repasser, et, la langue entre les dents, le fit glisser sur sa chemise blanche ; sa seule bonne chemise.

Il s'était levé alors qu'il faisait encore nuit ; bien avant Abigail. En effet, il devait repasser, et préférait pour cela rester seul ; non pas qu'il se sentît maladroit ou incompétent ; un homme, selon lui, devait être capable de se débrouiller seul en toutes circonstances, y compris en reprisant ses chaussettes lorsque le besoin s'en faisait ressentir.

Fort habile, donc, dans le maniement du fer à repasser, il ne cessait néanmoins de jeter de fréquents coups d'œil en direction de la porte.

Pour la première fois depuis plusieurs années, il avait décidé d'assister à l'office, et voulait se présenter à l'église dans la tenue la plus correcte possible ; pour faire honneur à Matthew, se disait-il ; pour aucune autre raison.

Abigail s'attardait dans le vestibule, dans un recoin ombreux près du comptoir. Elle repoussait à loisir le moment d'entrer dans la cuisine éclairée par une unique lampe à pétrole, s'attardant à observer les jeux de lumière dans les cheveux ébouriffés de Willem. Chaque fois qu'elle le voyait se déplacer pour remettre sur le fourneau le fer un peu refroidi, elle retenait sa respiration. Elle le trouvait beau, si beau qu'elle en était bouleversée. Sans souci d'effet, puisqu'il se croyait seul, il faisait rouler les muscles d'un torse puissant, sur lequel le médaillon d'or dansait. Elle l'entendit frapper du pied sur le sol, et, se demandant quel menu souci de détail l'agaçait ainsi, elle se surprit à sourire.

Willem finit de repasser sa chemise et l'enfila aussitôt. Il la boutonna dans l'escalier. Dans sa chambre, il ouvrit sa valise, où il trouva l'accessoire indispensable : une cravate noire, qu'il noua avec application. Puis il cira ses souliers. Enfin, il s'attaqua au soin de sa chevelure, qu'il peigna longuement avant de trouver l'arrangement souhaité.

Satisfait de l'image que lui renvoyait le miroir — il ne se trouvait pas beau, mais convenable — il ressortit. Sur le palier, il trouva Matthew et Brillant qui s'élancèrent vers lui pour l'accueillir.

— Bonjour, dit-il en ébouriffant les boucles de l'enfant.

— Maman vient de me peigner, lui fit observer celui-ci, les sourcils froncés. Elle ne sera pas contente en voyant qu'il faut tout recommencer.

— Désolé. Viens avec moi, nous allons arranger cela.

Il rentra dans sa chambre, et attira Matthew devant le miroir, pendant que Brillant s'installait d'autorité sur le lit défait.

— C'est cela, fais comme chez toi, lui dit-il, le peigne à la main.

— Je crois qu'il vous aime bien, dit Matthew ; moi aussi, d'ailleurs.

174

Le peigne en l'air, Willem s'immobilisa.

— Moi aussi, je t'aime bien, murmura-t-il après un court moment de silence.

Incapable de croiser le regard du garçon dans le miroir, il préféra s'absorber dans son travail, et passa longuement le peigne dans les mèches désordonnées, le temps d'évacuer son émotion.

— Je suis content que vous veniez à l'église avec nous, reprit Matthew. Viendrez-vous vous asseoir à côté de moi ?

Abigail passait devant la porte à cet instant précis. Le cœur battant, elle s'arrêta pour écouter.

— J'en serais heureux, mon petit, dit Willem, d'une belle voix de basse.

— Maman et oncle Lars prennent toujours place au premier rang, expliqua son fils. Vous n'aurez qu'à vous mettre entre maman et moi.

— Ne crois-tu pas qu'il faudrait demander l'avis de ta maman avant de décider quoi que ce soit ?

Malgré elle, Abigail se sentit rougir ; avec Willem à côté d'elle, sur le banc étroit mis à la disposition des fidèles, elle risquait de ne pas pouvoir tirer d'elle-même une prière bien fervente ! Le front soucieux, mais le cœur battant, elle s'éloigna rapidement, pour ne pas risquer d'être surprise en train d'écouter à la porte.

Lars s'énervait depuis un certain temps sur le faux col que ses doigts engourdis ne parvenaient pas à fixer à sa chemise, lorsque enfin Abigail vint à son secours. Le petit déjeuner avait pris fin depuis longtemps, et ils se trouvaient seuls dans la cuisine.

— Je ne suis plus bon à rien, Abbie, soupira le vieillard en s'abandonnant aux soins de la jeune femme. J'ai déjà un pied dans la tombe, voilà la vérité.

Le cœur brisé, Abigail observa le visage ravagé par les rides ; Lars n'était déjà plus un jeune homme lorsqu'elle avait fait sa connaissance, et elle se demanda quel âge il pouvait bien avoir maintenant.

— Allons. Vous avez encore beaucoup d'années à passer parmi nous, dit-elle.

— Peut-être, répondit Lars, dont les sourcils froncés montraient qu'il n'en croyait pas un mot ; peut-être.

Les yeux embués, il sembla se laisser accaparer par de profondes, mais peu réjouissantes pensées, attitude dans laquelle l'avait souvent surpris la jeune femme depuis quelques semaines. Elle se doutait que les aveux quant à la mère de Matthew ne comptaient pas pour peu dans cet état de morosité.

— Lars, demanda-t-elle avec douceur ; y a-t-il un souci particulier qui vous mine ?

Elle emplit deux tasses de café et les posa sur la table.

A pas lents, en évitant de croiser son regard, Lars s'approcha. En prenant une tasse, il murmura :

— Pourquoi me posez-vous cette question, Abbie ?

— Parce que vous me semblez troublé. Je ferais n'importe quoi pour vous, et j'espère que vous en êtes persuadé. Sans vous, Matthew et moi ne serions plus de ce monde. Pour le reste... eh bien, le reste n'est pas si important que cela...

Lars pâlit. Brusquement, il reposa la tasse que ses mains tremblantes ne pouvaient plus tenir.

— Lars ! s'écria-t-elle. Que se passe-t-il, au nom du ciel ?

— Rien, répondit le vieillard qui pourtant semblait à ce moment le plus malheureux des hommes. Mettons cela

176

sur le compte des faiblesses imputables à mon grand âge...

Il se leva et se coiffa de son chapeau du dimanche.

— Nous nous retrouverons à l'église. Il y a une démarche que j'aimerais bien accomplir avant l'office.

Matthew courait loin devant Abigail et Willem, mais ne manquait jamais de revenir lorsqu'il s'était éloigné trop.

L'unique cloche de l'église appelait les fidèles au rendez-vous hebdomadaire avec le Seigneur; répercutés de vallée en vallée, ses tintements se propageaient très loin, jusqu'aux petites fermes isolées qu'on devinait au loin, accrochées aux flancs de la montagne.

Après un instant de silence, retentit la sirène.

— Une idée des mineurs de Cornouailles, expliqua Abigail. La cloche ne leur suffisait pas. Je me demande pourquoi. J'ai horreur de ce son strident.

— Si j'avais su, répondit Willem, j'aurais loué une voiture. Le chemin est trop long, surtout pour vous qui n'avez jamais l'occasion de vous reposer un peu au cours de la semaine.

— Je parcours ce chemin chaque dimanche depuis six ans, répondit la jeune femme.

— C'est la première fois, en tout cas, que je vois une église dans une ville si vite construite. D'habitude, les mineurs se soucient assez peu du service divin.

— Elle n'est peut-être pas très belle, notre église, reprit Abigail, mais elle a pour moi une grande importance.

Elle s'arrêta pour cueillir sur le bord du chemin quelques fleurs sauvages; pour les déposer sur la tombe anonyme, derrière l'église? Elle ne le savait pas encore.

C'était la première fois qu'elle se rendait à l'office depuis les aveux de Lars.

— Pourquoi cette importance ? demanda Willem.

Le cœur battant la chamade, Abigail prit le temps de cueillir encore quelques fleurs. Devait-elle tout dire ? Elle ne le savait pas. Elle termina son bouquet, en respira les effluves, et, comme on se lance dans un torrent glacé, déclara :

— Matthew est né... est né dans cette église.

Ils quittaient la route pour s'engager sur le chemin inégal conduisant à l'édifice de bois. De plus en plus angoissée, la jeune femme se demandait si elle pourrait recouvrer un peu de sérénité entre les murs sacrés, mais au fond d'elle-même, elle en doutait.

— Dans cette église, vraiment ? murmura Willem.

Il tourna la poignée de la porte, et laissa passer devant lui Abigail, dont il huma au passage le frais parfum d'eau de rose et de savon.

— Oui, dans cette église, lui murmura-t-elle à l'oreille ; sur le banc où je m'assieds chaque dimanche. C'est Lars qui m'a accouchée...

Sa voix tremblait, comme chaque fois qu'elle se remémorait le moment où le vieil homme avait déposé le bébé dans ses bras.

— J'ai appelé mon fils Matthew, parce que ce nom signifie *don de Dieu*.

Un léger mouvement se produisit derrière eux : c'était Lars qui arrivait à son tour, le chapeau à la main, et les dépassait pour aller s'agenouiller devant un gros buisson d'aubépines en fleur, aux branches tout entremêlées.

Willem s'étonna d'un tel comportement, mais n'osa aucun commentaire ni question.

— Venez-vous ? L'office va commencer.

La voix de Matthew le tira de sa rêverie.

— Je viens.

Il suivit le garçon à l'intérieur de l'église, s'assit à côté de lui sur le banc de devant, et attendit pour s'asseoir qu'Abigail fût arrivée à son tour. Il la trouva nerveuse.

— Cela vous gêne-t-il que je reste à côté de vous ? lui chuchota-t-il à l'oreille. Si vous préférez, je peux trouver une place ailleurs.

Il nota les deux fossettes qu'elle avait aux commissures des lèvres, signe certain d'une grande nervosité. Lui-même sentait son cœur qui encore s'accélérait, et il éprouva une intense satisfaction lorsqu'il s'entendit répondre :

— Non, bien sûr, vous pouvez rester ici.

Aussitôt, elle regretta sa faiblesse, mais il était trop tard. Heureusement, le révérend Davis montait en chaire, la Bible à la main ; elle attacha sur lui son regard, en se promettant d'écouter le prêche avec la plus grande attention, sans accorder la moindre pensée à Willem Tremain tout le temps que durerait l'office.

Hélas, c'était impossible.

Le cœur affolé et la tête bourdonnante ; la bouche sèche, mais les mains moites, elle ne prêta attention à rien d'autre que ce qui concernait son voisin, et si, à la fin de l'office, elle pouvait énumérer, dans l'ordre, tous les gestes et toutes les mimiques de celui-ci, elle eût été incapable, en revanche, de répéter le moindre mot du prêche. Le doigt dans son col qui la serrait trop au cou, elle s'agita même tant — elle avait l'impression d'être assise sur des charbons ardents —, qu'une fois, il se pencha vers elle pour murmurer :

— Des ennuis ?

— Non... non, dit-elle.

Pour la calmer sans doute, il eut un geste de père pour un enfant turbulent : il lui prit gentiment la main, ce qui contribua à augmenter son malaise dans de considérables proportions.

Au dernier *Amen*, ils se levèrent et sortirent. Sur le seuil de l'église, ils serrèrent comme tout le monde la main du révérend Davis, et Abigail approuva hypocritement Willem qui félicitait celui-ci pour la haute tenue du prêche, tout en souhaitant que la conversation ne roulerait pas ensuite sur ce sujet.

Heureusement pour elle, à peine faisaient-ils leurs premiers pas dans l'enclos que Matthew s'exclamait :

— Maman, j'ai faim !

Elle le couva du regard, et se demanda par quel étrange miracle il était déjà tout dépeigné, et pourquoi surtout il avait des taches vertes sur les genoux.

— Nous déjeunerons dès que nous serons arrivés, lui promit-elle.

Elle avait l'impression d'émerger d'un épais brouillard. Willem marchait à côté d'elle, et prenait grand soin, lui semblait-il, à ne pas l'effleurer. Elle le sentait un peu contraint, et puisait dans cette constatation une manière de réconfort : au moins n'était-elle pas la seule à s'émouvoir de leur commerce.

Lars s'immisça entre eux pendant une petite partie du trajet. Il s'était montré silencieux tout au long de l'office, ce qui ne lui ressemblait pas. Ses pensées flottaient, la jeune femme en était sûre, autour de la tombe qu'il avait creusée six ans plus tôt. Elle essaya d'engager la conversation avec lui :

— Vous semblez fatigué. Vous n'êtes pas malade, au moins ?

Lars sourit avec mélancolie et répondit :

— Hélas, il n'existe pas de médicament pour ce que j'ai.

Puis il lui tapota la main et s'éloigna à plus grands pas,

soucieux visiblement de ne pas gloser sur le malaise qui lui taraudait l'âme.

— Que peut donc avoir Lars ? demanda alors Willem. Il est évident qu'il a de gros soucis.

— Je ne sais pas. Il est taciturne depuis son retour de la montagne, c'est vrai.

— Croyez-vous que cela ait à voir avec l'amitié que me porte Matthew ?

— Peut-être. Qui sait ?

— Je comprends...

Willem ralentit le pas et tourna son regard vers Abigail.

— Il est compréhensible qu'on soit troublé en voyant un enfant s'attacher à un étranger... car je suis un étranger.

Abigail saisit la balle au bond :

— Puisque vous abordez le sujet, permettez-moi de vous poser une question qui m'obsède depuis quelque temps : que se passera-t-il quand, l'hiver arrivant, vous émigrerez vers des contrées plus accueillantes ?

Avant de répondre, Willem se pencha sur le talus pour y cueillir un long brin d'herbe qu'il se ficha entre les dents.

— Qui vous dit que je ne passerai pas l'hiver ici ?

— Comment ?

La jeune femme n'en croyait pas ses oreilles. Ce n'était pas la réponse qu'elle désirait entendre ! Willem Tremain l'obsédait tellement qu'elle en venait à évaluer le nombre des jours qu'elle risquait d'avoir encore à passer avec lui avant l'arrivée de la première neige.

— Mais oui ! reprit-il, avec un grand sourire. Il se pourrait que j'hiverne dans vos montagnes. Ne me dites pas que vous avez déjà loué ma chambre !

— Non... bien sûr que non ; mais aucun de mes locataires n'est jamais resté à Guston pendant l'hiver; même pas Lars. Pendant cinq ou six mois ne restent à la pension que deux personnes : Matthew et moi.

Ils parcoururent en silence le reste du trajet. Willem, qui observait à la dérobée le visage d'Abigail, sentait mûrir en lui une décision qu'il annoncerait sous peu, une décision dont il ne savait si elle le faisait frissonner de joie ou d'angoisse.

14.

Abigail repoussa les mèches qui lui retombaient sur les yeux et soupira : c'était lundi, le jour consacré à la boulangerie et à la pâtisserie, et à ce moment la lourde tâche qui l'attendait lui semblait insurmontable. Elle s'accorda quelques minutes de sursis, puis, sans enthousiasme excessif, repoussa ses couvertures et posa les deux pieds sur le sol, qui lui parut plus froid qu'à l'ordinaire ; la lumière tombant de la fenêtre semblait sale ; le sommet des montagnes avait cette vilaine couleur grise, annonciatrice des grandes pluies d'automne.

La jeune femme endossa sa robe de travail en calicot passé et rapiécé. Les chaussures et les bas en main, elle descendit l'escalier sur la pointe des pieds afin de ne pas réveiller les occupants de la maison ; Matthew, tellement fatigué la veille au soir que Willem avait dû le porter au lit, où il s'était endormi aussitôt sans vouloir lâcher les rubans bleus glorieusement gagnés dans les différentes épreuves de la fête ; Lars aussi, dont les insomnies s'aggravaient. Elle s'inquiétait pour l'enfant et pour le vieillard.

En arrivant à hauteur du comptoir, elle s'arrêta pour humer l'air ambiant, qui fleurait bon le café fraîchement coulé. Aussitôt ses sourcils se rapprochèrent et son cœur se mit à battre plus vite, car sans avoir à progresser davantage, elle savait déjà qui se trouvait dans la cuisine.

Nonchalamment appuyé contre le plan de travail, tout près du fourneau déjà ronflant, Willem Tremain se tourna vers elle dès qu'elle approcha du seuil ; avec les cheveux ébouriffés, comme souvent le matin, et les yeux un peu gonflés, comme s'il n'avait pas assez dormi, il lui paraissait plus vulnérable, ou plus exactement moins dangereux. Cela ne l'empêcha pas de sentir grossir dans sa gorge la boule nerveuse qui commençait à lui devenir familière.

Elle eut grand-peine à ne pas attacher son regard à la vaste surface de peau offerte à sa concupiscence entre les deux pans de la chemise ouverte jusqu'à la ceinture : il avait aussi l'habitude de ne pas s'habiller complètement avant le lever du soleil, et elle trouvait cela plus que troublant, gênant même ; le médaillon d'or brillait, comme à l'accoutumée.

— Je vous prie de m'excuser si mes activités matinales vous ont réveillée, lança-t-il en guise d'accueil.

Il porta la main sur la cafetière, qu'il semblait impatient de voir arriver à la bonne température pour déguster son premier breuvage du matin.

— Non... non, vous ne m'avez pas... pas réveillée, murmura la jeune femme, furieuse de ne pouvoir s'empêcher de bégayer lorsqu'il s'agissait de proférer de telles banalités.

— Pourquoi tant de précautions ?

Willem désignait les bas et les souliers qu'elle tenait toujours à la main. Elle rougit de s'être laissé prendre dans cette posture un peu ridicule. Elle expliqua :

— Je... je ne voulais pas réveiller Matthew...

Tout aussi embarrassé qu'elle, Willem s'était tourné pour fourrager dans le fourneau ; elle put donc s'asseoir pour enfiler ses bas.

— Il était si fatigué, hier soir, le pauvre petit.

Elle sursauta en découvrant que son interlocuteur s'était déjà retourné et qu'il semblait fasciné par le mollet qu'elle lui découvrait; allait-il croire que, femme sans vergogne, elle agissait ainsi intentionnellement?

Leurs regards s'accrochèrent; celui de Willem brillait.

— Willem, je..., balbutia-t-elle au bout d'un certain temps.

En fait, elle ne savait que dire.

Heureusement elle entendit trottiner derrière elle, et accueillit avec gratitude Brillant, qui apportait la diversion dont elle avait besoin.

— Prêt pour le petit déjeuner, bon chien? demanda Willem en se penchant pour flatter les flancs de l'animal, qui gémit de plaisir et se frotta contre sa jambe, pour quémander plus.

Abigail soupira; Willem avait capté l'amitié de Matthew, mais il avait su aussi s'attacher l'affection de Brillant.

— Je ferais mieux de me mettre au travail, lança-t-elle avec brusquerie.

Elle enfila dans ses souliers ses deux pieds, celui qui était protégé par le bas et celui qui ne l'était pas; ce détail n'avait aucune importance pour elle. Une fois de plus elle perdait ses moyens, comme chaque fois qu'elle se retrouvait seule, dans un lieu clos, en présence de Willem. Eperdue, elle courut plus qu'elle ne marcha vers son plan de travail, et en poussant un gémissement de forçat, elle souleva le sac de farine qu'elle avait traîné jusque-là avant de monter dans sa chambre.

Soudain, elle n'éprouva pas plus de difficulté à soulever ce poids que s'il s'était agi d'un sac de plumes.

— Laissez, disait Willem, tout proche d'elle. C'est trop lourd pour vous.

Elle sursauta et lâcha tout.

— Merci, dit-elle ; c'est très gentil à vous...

Elle jeta un coup d'œil vers la cafetière à l'intérieur de laquelle le noir liquide bouillonnait, ce qui lui permit d'ajouter fort à propos :

— Je crois que le café est prêt.

— Voulez-vous en boire une tasse avec moi ?

Willem déposa sans peine le sac de farine sur le plan de travail et se tourna vers elle.

— Non, je vous remercie, dit-elle.

Elle tourna les talons et remonta l'escalier à toute vitesse. Dans sa chambre, elle attendit le brouhaha provoqué par la troupe des mineurs descendant pour le petit déjeuner. Honteuse, mais soulagée, elle rouvrit sa porte et à leur suite, sous leur protection, regagna sa cuisine.

Abigail n'avait préparé qu'un quart de ses pâtisseries lorsqu'elle s'aperçut qu'elle manquerait de cannelle.

— Je travaille en dépit du bon sens, se dit-elle, agacée. C'est *lui* le responsable...

D'un coup de poing, elle écrasa la boule de pâte qu'elle était en train de travailler, et son esprit, obscurément, imagina que Willem Tremain subissait les effets de sa brutalité.

— Pourquoi ne part-il pas ? Pourquoi n'est-il pas comme les autres ?

Dans la cuisine déserte et silencieuse, sa voix trop forte résonna étrangement. Découragée, elle essuya ses mains dans son tablier et se laissa tomber sur un tabouret en soupirant :

— Si je veux terminer ces gâteaux, je vais être obligée d'aller moi-même en ville pour acheter ce qui me manque.

186

Elle était seule, en effet ; Matthew avait tant tarabusté Lars que ce dernier avait cédé, et l'avait emmené pêcher une heure ou deux, en compagnie du chien. Perdre son temps dans une longue course en ville était la dernière folie qu'elle eût envie de commettre à ce moment.

Pourtant, elle arracha son tablier et s'empara d'une boîte en fer blanc posée parmi divers objets sur une étagère. Elle souleva le couvercle, retira un rouleau de billets de banque qu'elle posa de côté, et s'appropria une poignée de pièces de monnaie qu'elle fourra dans sa poche avant de tout remettre en place. Cela fait, elle couvrit d'un torchon la pâte prête à lever, et sortit de la cuisine.

Sur le seuil de la maison, elle s'arrêta un moment pour accoutumer ses yeux à la lumière, aveuglante pour qui, comme elle, venait de passer de longues heures dans une pièce plutôt sombre ; c'était une belle journée ensoleillée, et les nuages matinaux avaient disparu sans mettre leur menace à exécution. Si seulement sa mélancolie pouvait se dissiper aussi facilement !

Elle se mit en route d'un bon pas, et il ne lui fallut pas plus de quelques minutes pour balancer son petit sac, tout en fredonnant un air à la mode. Pour la première fois depuis bien longtemps, elle nota les vives couleurs des fleurs piquetées sur les talus, ainsi que la construction, pourtant déjà bien avancée, d'une nouvelle maison, tout près de chez elle, de surcroît. Ainsi, songea-t-elle, elle avait tant été préoccupée par Willem Tremain, ces derniers temps, qu'elle eût été capable de laisser passer tout l'été sans en profiter le moins du monde ; l'automne se ferait annoncer dans quelques semaines seulement, puis très vite tomberaient les premières neiges ; les semaines filaient, depuis l'arrivée de l'Irlandais Noir.

Bientôt, elle se retrouverait de nouveau seule avec

Matthew ; vraiment ? Elle eût bien voulu pouvoir cesser de penser à Willem Tremain, au moins pendant quelques instants, mais elle s'en savait incapable ; surtout depuis l'étrange confidence qu'il avait faite peu de temps auparavant, à propos d'un éventuel séjour hivernal dans sa pension. L'évocation de cette perspective ne laissait d'accroître sa confusion...

Deux bonnes heures plus tard, elle revenait avec sa précieuse cannelle et une provision supplémentaire de levure. Dans sa hâte de se remettre au travail, elle entra en coup de vent dans le vestibule, et s'arrêta net : devant le comptoir se tenait un homme tout de noir vêtu, et au visage si sombre qu'elle vit aussitôt en lui un messager de mauvais augure.

Très grand, très maigre, il avait l'air d'un croque-mort, malgré son âge encore jeune ; son faux col de celluloïd, trop haut, qui l'obligeait à lever le menton, donnait l'impression qu'il toisait ses interlocuteurs avec mépris et sévérité. Marchant de long en large dans le vestibule, d'un air important, il se porta devant la jeune femme comme s'il prétendait lui interdire d'entrer.

— Qui... qui êtes-vous ? demanda-t-elle, la voix saccadée.

La main encore sur le bouton de la porte, elle s'apprêta à une prompte retraite au cas où la situation l'exigerait.

Elle vit l'homme foncer sur elle. Le cœur battant, elle recula sur le seuil, et jeta un coup d'œil dans la rue, tout aussi déserte que sa maison, malheureusement.

L'homme s'était arrêté, il fouillait fébrilement dans ses poches, et trouva enfin ce qu'il y cherchait : non une arme, comme Abigail l'avait cru un peu trop vite, mais une paire de lunettes cerclées de fer, qu'il plaça sur son nez. Sa physionomie s'en trouva changée, d'autant plus qu'il sourit d'un air juvénile en expliquant :

188

— Je ne peux rien voir sans elles...

Il s'inclina avec grande classe et se présenta :

— Paxton Kane. Je travaille pour l'agence Pinkerton.

Abigail crut voir s'ouvrir devant elle un gouffre insondable, et pendant presque une minute, elle répéta ces mots aussi terribles pour elle que l'annonce du jugement dernier.

— Pinkerton ? balbutia-t-elle. Les détectives ?

Elle avisa une chaise, vers quoi elle se dirigea à tout petits pas ; mais, les jambes paralysées par l'émotion, elle s'arrêta à mi-chemin.

— Oui, lui dit l'homme. Je voudrais voir M. Willem Tremain. Est-ce bien ici qu'il habite ?

Hébétée, elle cherchait à comprendre. Certes, elle avait tout de suite décelé le mystère dans la personnalité de Willem, mais jamais elle n'eût songé qu'il pût être recherché par l'agence Pinkerton ; un criminel, donc ? Elle n'arrivait pas à y croire.

— Madame ? Etes-vous malade ?

Les paquets enveloppés de papier brun tombèrent sur le sol.

— Non, je vais bien, réussit-elle à murmurer d'une voix blanche.

— Je n'en ai pas l'impression, répondit l'homme de chez Pinkerton. Laissez-moi vous aider.

D'autorité, il la prit par le bras, et la conduisit vers la cuisine, comme une petite vieille, non sans avoir au passage ramassé la cannelle et la levure, qu'il déposa sur la table en entrant. Puis, avec gentillesse, mais fermeté, il l'obligea à s'asseoir sur la première chaise venue, et s'en alla tirer pour elle un verre d'eau à la pompe, qu'il lui tendit en disant :

— Buvez ceci.

Elle porta le verre à ses lèvres. La fraîcheur de l'eau lui

fit du bien, mais n'empêcha pas les pensées de tourbillonner dans sa tête ; Willem Tremain, recherché par l'agence Pinkerton ! Elle songea soudain à Matthew, et à l'idée des dangers que son fils avait peut-être courus en fréquentant un dangereux criminel, se mit à trembler de plus belle.

— Monsieur Kane ?

— Oui, madame ?

— Pourquoi recherchez-vous M. Tremain ? De quoi s'est-il rendu coupable ?

— Coupable...

Interdit, Paxton Kane plissa le front ; puis soudain, son visage s'éclaira :

— Oh, madame, je crains de vous avoir induite en erreur. M. Tremain ne s'est rendu coupable de rien du tout. Si je veux le voir, c'est que je travaille pour lui, depuis un an environ.

Abigail agita la plaque métallique, puis, d'un mouvement sec du poignet, fit glisser les petits pains à la cannelle, tout chauds et tout dorés, dans une assiette aux motifs bleus. C'était une fournée supplémentaire à quoi elle s'était obligée, ayant vu sa production du matin disparaître dans le grand corps dégingandé de M. Kane ; c'était incroyable ce que cet homme si maigre pouvait ingurgiter ! Du coin de l'œil, elle le vit qui, enfin rassasié, se léchait les doigts avec gourmandise, avant de se laisser aller contre le dossier de la chaise, le visage béat et les yeux mi-clos.

— Madame, lui déclara-t-il non sans solennité, vous êtes la plus fine pâtissière que je connaisse. Je comprends pourquoi Willem s'attarde chez vous...

Il accepta volontiers la nouvelle tasse de café qu'elle lui proposait.

190

— Je dois admettre que j'ai été un peu surpris en découvrant votre magnifique maison. Ce n'est pas le genre d'endroit que Willem fréquente d'ordinaire.

Intéressée, Abigail tira une chaise et s'assit en face du détective.

— Quel genre d'endroit choisit habituellement M. Tremain ? demanda-t-elle.

— Les établissements les moins chers, et assez sordides, par la force des choses. Vos talents domestiques méritent le détour, je vous l'ai dit, mais je m'étonne tout de même que Willem se livre à ces dépenses qui, pour lui, me semblent inconsidérées.

— Et pourquoi cela, monsieur Kane ?

Abigail savait qu'elle n'aurait pas dû poser cette question, mais la curiosité la dévorait ; et pour une fois que s'offrait à elle une occasion d'en apprendre un peu plus à propos de Willem, elle n'allait pas s'en priver !

Paxton Kane retira ses lunettes et se frotta longuement les yeux. Puis il essuya les verres avec son mouchoir ; remit les lunettes et en ajusta la position sur son nez ; plia avec soin son mouchoir, qu'il rangea dans sa poche. Tout un rituel qui parut interminable à Abbie...

— Les règles de notre agence interdisent que nous parlions de nos clients en dehors du cadre de nos enquêtes, madame Cooprel.

— Je comprends. Je vous prie de m'excuser.

Un peu fâchée, tout de même, d'avoir tant attendu pour rien, Abigail se leva, mais Paxton Kane la retint par la main.

— Je vous en prie, rasseyez-vous. Je travaille à l'agence Pinkerton depuis un an seulement, et je n'arrive pas à résoudre le cas de Willem Tremain. C'est ma première enquête, vous comprenez...

Sous le regard attentif d'Abigail, qui se reprochait

191

l'indiscrétion dont elle faisait preuve ; mais qui n'eût cédé sa place pour rien au monde, il médita un moment, les yeux au plafond, avant de poursuivre :

— Mon honneur est en jeu dans cette affaire qui semblait si facile au premier abord. Franchement, il me coûte de vous l'avouer, mais je n'ai pas accompli le moindre petit progrès depuis un an que je travaille pour Willem Tremain ; surtout que je l'aime bien, Willem Tremain...

Il s'interrompit un moment, sourit, et sur le ton de la confidence expliqua :

— Je recherche quelqu'un pour lui. Je suis venu lui faire mon rapport...

Les coudes sur la table, Abigail se rapprocha ; mais Paxton se déroba :

— Désolé, madame, mais il m'est vraiment impossible de vous en dire plus.

15.

— Je n'ai pas le droit d'abandonner, Paxton !

Assis en face de l'agent Pinkerton, de l'autre côté de la table étroite, Willem n'avait pas besoin d'élever la voix pour se faire entendre, et pourtant il avait crié.

S'étira ensuite un long moment de silence, rythmé par le tic-tac obsédant de l'horloge. Tous les locataires ayant regagné leurs chambres, plus d'une heure auparavant, la pension entière eût déjà sombré dans la quiétude de la nuit, si les deux hommes ne s'étaient pas attardés dans le salon pour discuter de leur affaire.

— Plutôt mourir que de renoncer à retrouver mon enfant ! reprit Willem, un peu plus tard, et toujours de la même voix excessive.

Dans les yeux bleu sombre, Paxton trouva l'expression de l'angoisse, de la culpabilité et d'une émotion plus subtile qu'il n'y avait jamais décelée jusque-là. Il avait prévu cette réaction, et cependant, il avait du mal à supporter la passion désespérée qu'exprimait Willem, avec cette voix de baryton aux accents pathétiques.

— Willem, reprit-il avec patience, j'ai vérifié toutes les pistes possibles et imaginables. J'ai enquêté sur tous les orphelins, sur tous les enfants trouvés de cet Etat ; sans résultat. Il m'en coûte de vous le dire, mais j'en suis arrivé à la conclusion que Moïra a trouvé le moyen de sortir du Colorado, et peut-être même des Etats-Unis. Qui sait si elle n'est pas retournée en Irlande? Lorsque vous êtes venu vous confier à nous, la piste s'était déjà éventée, et maintenant, seul un miracle nous permettrait de retrouver votre enfant.

— Je sais que vous avez fait de votre mieux, Paxton, reprit Willem d'un ton las; et je ne doute pas qu'il vous en coûte de devoir abandonner cette affaire sans l'avoir résolue...

Il fourragea dans ses cheveux ébouriffés, avant de se pencher de nouveau en avant :

— Acceptez au moins de ne pas clore le dossier trop vite. Non, je ne vous demande pas d'avoir un homme en permanence pour s'en occuper, mais si par hasard un renseignement nouveau venait à vous être communiqué, je tiens à en être averti. Je suis prêt à payer ce qui sera nécessaire pour cela.

— Averti; mais comment? Où? J'ai déjà eu toutes les peines du monde à garder le contact avec vous, depuis que je travaille pour vous. Où l'agence sera-t-elle censée vous contacter, l'année prochaine, dans deux ans, dans cinq ans?

Willem ouvrit la bouche pour répondre, mais l'horloge se mit à sonner, et il compta dix coups avant de prendre effectivement la parole.

— Je sais quelles difficultés vous avez éprouvées pour me suivre au cours de mes pérégrinations.

— En effet!

Paxton eut la délicatesse de ne pas rappeler certains mauvais souvenirs que lui laissait son enquête, les maisons sordides où avait logé Willem, et dans lesquelles il avait dû pénétrer pour rendre compte.

D'une voix douce, mais assurée, car il avait tant médité

son idée au cours des jours précédents que maintenant sa décision était prise, Willem expliqua :

— Je devais gagner le plus d'argent possible pour rémunérer vos services ; mais j'ai le plaisir de vous informer que ma vie de nomade prend fin ici même. Communiquez à l'agence mon adresse dans cette maison, elle est définitive.

Paxton fut incapable de retenir une exclamation de surprise. Il arracha ses lunettes pour les essuyer sur son pantalon, signe certain chez lui d'une grande perplexité ; et quand il les remit, il s'aperçut que son interlocuteur le regardait avec calme et détermination.

— Parlez-vous sérieusement ? demanda-t-il cependant, car il avait du mal à y croire.

— Ce n'est pas une plaisanterie, répondit Willem, le cœur battant plus fort, comme chaque fois qu'il évoquait Abigail en son for intérieur. J'ai l'intention de m'établir ici, définitivement.

— Remarquez, je vous comprends, dit Paxton en souriant. Je sais ce que vaut la pension.

Il avait participé au repas du soir, ce qui lui avait permis de confirmer l'excellente appréciation qu'il avait formulée le matin après avoir décimé un bataillon de pâtisseries.

Willem haussa les épaules, mais ne précisa pas que la table d'Abigail était le moindre de ses soucis en l'occurrence. Paxton n'avait pas besoin de connaître tous les détails.

— C'est une femme bien, dit-il seulement ; et son fils, Matthew, un excellent garçon.

En le voyant soudain rêveur, Paxton se demanda si l'enfant n'était pas, plus que l'hôtesse, la raison principale qui l'incitait à jeter l'ancre. Il le connaissait bien, depuis un an qu'il le rencontrait à intervalles plus ou moins réguliers, mais n'avait jamais osé l'interroger sur les motifs qui le poussaient à éviter tout commerce avec les femmes, depuis la fuite de Moïra ; amour inextinguible ou observance intangible de préceptes religieux, il n'en savait rien, mais le fait demeurait : Willem Tremain, depuis six ans, menait une vie de moine ; il était peu probable, dans ces conditions, que Mme veuve Cooprel, malgré tant de séductions évidentes et diverses, eût assez de force pour l'attacher ; donc, le petit Matthew comblait un besoin d'amour paternel trop longtemps contenu.

— Je suis heureux d'apprendre que vous avez enfin trouvé un endroit où planter vos racines, dit-il d'un ton jovial.

Immobile et silencieux dans l'obscurité de l'escalier, Lars écoutait la conversation des deux hommes dans le salon. De nouveau, il se prenait à espérer.

Depuis plusieurs semaines, il avait observé Willem Tremain avec la plus grande attention, pour trouver en lui un signe, une preuve pour étayer l'hypothèse qu'il avait inconsciemment sentie s'ébaucher en lui. Au début, il n'avait pas pris garde à l'étonnante similitude entre les yeux de l'homme et ceux de Matthew ; puis, ayant remarqué enfin ces deux regards si bleus, il s'était accusé de vouloir à tout prix se débarrasser du remords atroce qui lui rongeait l'âme. Ce n'était pas tout, cependant : les cheveux du garçon s'assombrissaient de mois en mois, et il fallait s'attendre à les voir à l'adolescence prendre cette couleur bleu noir, si particulière, qui n'était pas la moins remarquable des caractéristiques de l'Irlandais Noir.

Mais ce n'étaient là que des conjectures. Il fallait trouver un argument décisif. Les doigts tripotant nerveusement le médaillon d'or qui n'avait pas quitté son cou depuis six ans, Lars se dit que tout eût été plus facile pour lui si au moins la mourante lui avait dit comment elle s'appelait.

Dans l'obscurité, il murmura :

— Si vous voulez que votre âme repose en paix, il faut m'aider.

Avec un peu de chance, la mère de Matthew entendrait cette prière.

Paxton attira pour soi une chaise supplémentaire, et avec patience il attendit une accalmie dans l'activité intense qui régnait autour de la table du petit déjeuner, pour avancer la main et s'emparer du plat de jambon qui passait à proximité.

— On risque sa vie ici, en essayant de se nourrir, commenta-t-il à mi-voix, pour Willem.

Ce dernier hocha la tête, mais ne répondit pas. Il semblait distrait, ce matin ; malheureux, même.

Paxton avait passé la nuit dans la chambre de Willem, sur un matelas supplémentaire fourni par Abigail, posé sur le sol devant la table de toilette. A plusieurs reprises, il avait été éveillé par des cris dans la nuit. Il savait, pour en avoir parlé plusieurs fois avec lui, que Willem était importuné par d'incessants cauchemars, mais à la suite de la conversation, la veille au soir, dans le salon, il l'avait un peu trop vite cru guéri des séquelles de l'accident originel.

Le voyant fixer un point au-delà de la table, il regarda dans la même direction que lui, et s'aperçut qu'il suivait les évolutions de l'hôtesse.

— Willem ? murmura-t-il, en se servant une pleine assiettée de crêpes.

Sans détourner son regard du spectacle qui semblait le fasciner, Willem lui répondit, bouche fermée :

— Mmm?

— J'ai deux jours à passer ici avant de retourner à Chicago. Que diriez-vous de m'emmener sur le chantier d'Otto Mears, pour me montrer un peu comment vous avez gagné votre réputation?

Willem se tourna vers lui, les sourcils froncés. Pour la première fois depuis le matin, il semblait avoir prêté attention à ce qu'il avait dit.

— Quelle réputation?

Paxton sourit.

— On dit que vous êtes un véritable magicien des explosifs. Cela fait un an qu'on m'en rebat les oreilles, et j'aimerais me rendre compte par moi-même.

Soulagé, Willem hocha la tête et but un peu de café. Pendant un moment, il avait cru que Paxton faisait allusion à ce ridicule surnom d'Irlandais Noir.

— Je dois passer plusieurs jours d'affilée au camp, dit-il en reposant sa tasse; et passer la nuit là-bas, donc. Venez, si le cœur vous en dit.

Abigail avait saisi cette partie de la conversation. Elle s'approcha:

— Vous partez donc?

A l'énoncé de cette question, Willem sentit sa gorge se serrer. Il eût voulu pouvoir croire qu'elle exprimait une angoisse, la peur de ne plus le revoir, mais il craignait que cela ne fût que du soulagement à l'idée de le voir s'éloigner plus longtemps que de coutume.

— Pour deux jours, lui dit-il. Otto creuse un tunnel, et il veut me garder sous la main.

— Parfait! s'exclama Paxton, ravi. Je ne pouvais rêver de meilleure occasion pour admirer vos méthodes de travail.

198

— Tout le monde les connaît, ses méthodes, railla une voix, à l'autre bout de la table.

C'était Brawley Cummins qui s'exprimait.

Paxton ajusta ses lunettes, et jeta sur le perturbateur un regard glacial.

— Vraiment? s'enquit-il avec une politesse trop appuyée pour être tout à fait sincère.

Mal à l'aise, mais ne voulant pas intervenir directement, Willem vit à ce moment Matthew qui entrait dans la cuisine, et conformément à l'habitude solidement établie maintenant, venait s'asseoir à côté de lui.

— Bonjour, Matthew, lui dit-il.

— Que se passe-t-il? demanda le garçon ébouriffé, aux yeux tout rouges de sommeil.

Tom Cuthbert se chargea volontiers de le renseigner :

— Brawley apprend à M. Kane comme l'Irl... — je veux dire : Willem — a acquis sa réputation.

— Oh..., murmura l'enfant, d'un ton qui montrait le peu d'importance qu'il attachait à ce genre de sujet.

Pour faire bonne mesure, il bâilla et ne s'intéressa plus qu'à son petit déjeuner.

— Vous semblez en savoir bien long, monsieur Cummins, reprit Paxton. Voudriez-vous m'en dire plus?

Il se tamponna les lèvres avec un rien d'affectation et posa ensuite sa serviette soigneusement pliée à côté de son assiette. Après quoi il se leva, et avec une lenteur soigneusement étudiée, retira sa veste, qu'il accrocha au dossier de sa chaise.

Ecarlate, Brawley suivit avec étonnement ces étranges préparatifs, et ne trouva rien de mieux que de bougonner :

— Il n'y a pas grand-chose à raconter, en fait. Même le dernier des crétins connaît toute l'histoire; alors...

Il enfourna un gros morceau de crêpe arrosé de sirop d'érable, dont une partie dégoulina sur son menton. Il ne songea pas à l'essuyer.

— Dois-je comprendre que je suis un crétin, monsieur Cummins ? demanda Paxton, avec la plus extrême amabilité.

— Ce que je veux dire, c'est que les messieurs de la ville feraient mieux de s'occuper de leurs affaires, au lieu d'embêter les honnêtes travailleurs avec des questions sans intérêt.

De l'autre bout de la cuisine, Abigail jeta un regard sévère à Brawley qui se déconsidérait, et fit semblant, s'il le perçut, de n'en rien voir.

Paxton souriait toujours, mais son regard glacial montrait qu'il ne plaisantait pas.

— Si je vous comprends bien, dit-il, je suis moi, un *monsieur de la ville*, alors que vous êtes, vous, un *honnête travailleur*. Est-ce bien cela, que vous voulez dire ?

Il adressa un petit clin d'œil complice à Willem, qui suivait le débat comme s'il ne le concernait en rien, tout en s'occupant du petit déjeuner de Matthew.

— C'est exactement cela ! proclama Brawley.

— Monsieur Cummins, veuillez avoir l'obligeance de sortir un moment, je vous prie...

Avec soin, Paxton retira ses lunettes, les ferma et les tendit à Matthew :

— Voudriez-vous garder cela pour moi, jeune homme ?

— Bien sûr.

Le garçon reçut les lunettes comme s'il s'agissait d'un oiseau tombé du nid.

— Paxton, demanda Willem, croyez-vous que tout cela soit nécessaire ?

— Certainement. M. Cummins a grand besoin qu'on lui inculque les bonnes manières.

200

Abigail cessa de remplir les gamelles, et se retournant, elle accrocha son regard à celui de Willem. Elle avait les joues rouges et les yeux brillants.

— Le chat et le chien ont assez commis de dégâts, dit-elle. Je ne veux plus qu'on saccage ma maison.

— Cela n'entre aucunement dans mes intentions, lui dit Paxton, avec la plus parfaite urbanité.

Pour complaire à la jeune femme, Willem tenta de s'interposer :

— Allons, Paxton, Brawley, ne vous conduisez pas comme des enfants.

— Occupe-toi de tes affaires, vociféra Brawley. Je suis assez grand pour me défendre.

— Fort bien, soupira Willem. Vous ne pourrez pas dire que je n'ai pas essayé de vous prévenir.

Aucun des mineurs ne voulut manquer le spectacle, et en un instant ils furent tous rassemblés dans la cour, autour des deux combattants qui s'apprêtaient pour la confrontation. Willem trouva une place près de Lars.

Sûr d'être avantagé, tant par la stature que par une technique rodée au cours d'innombrables rixes survenues à l'issue de ses beuveries, Brawley fanfaronnait. Paxton, qui organisait sa longue silhouette dans une position académique, une jambe en avant, le corps de biais, et les deux poings devant les yeux, trouva le moyen d'adresser un clin d'œil à Willem.

— A quoi joue-t-il ? demanda Snap, qui avait les yeux écarquillés par tant de ridicule affectation. On dirait qu'il se prend pour le grand John L. Sullivan en personne.

— Attendez de voir, avant de vous moquer, conseilla Willem.

— Quand vous voulez, lança Paxton, abrité derrière ses poings.

Brawley s'avança avec la grâce d'un grizzly.

Willem soupira. Seul parmi tous les spectateurs, il savait qu'il allait assister, non à un combat, mais à une exécution.

Les cartilages s'écrasèrent et d'emblée le sang jaillit du nez de Brawley. Choqué par cette série de coups préliminaires et fort précis, Brawley chancela.

Willem se retourna pour jeter un coup d'œil en direction de la maison ; Abigail observait-elle le pugilat de derrière les rideaux ? Il reçut dans le dos un coup qui l'envoya vers le bassin de la fontaine, dans lequel il s'étala de tout son long. Un peu étourdi, il se releva aussitôt, pour voir Paxton qui lui tendait la main en lui disant :

— Désolé, mon vieux, mais j'ai glissé.

Trempé des pieds à la tête, il sortit du bassin et reprit sa place dans le cercle des spectateurs, en pressant un peu ses vêtements pour en extraire le plus d'eau possible, en attendant de pouvoir aller se changer.

Le combat reprenait déjà. Brawley poussa un rugissement de bête et fonça tête baissée sur son adversaire, qui esquiva avec agilité. La leçon ne prit, au total, pas plus de cinq minutes, mais sans doute les commentaires dureraient-ils plus longtemps : les mineurs n'auraient pas trop, pour cela, de tout l'hiver.

Quant à la victime, il était douteux que son honneur si vilainement bafoué pût un jour recouvrer quelque lustre : on le vit en effet quitter le pré à quatre pattes, tout dégoulinant de sang, le nez écrasé et une oreille éclatée. En chemin, il rencontra Brillant, qui vint renifler cet animal bizarre, pour s'en détourner aussitôt avec dédain. L'humiliation finale lui fut assénée sur le seuil, où l'attendait Abigail :

— Monsieur Cummins, dit-elle d'un ton glacial, je vous prie de trouver une autre pension. Votre langage,

202

ainsi que votre comportement, ne conviennent pas au style de cet établissement.

La jeune femme dirigea ensuite son regard brillant de colère sur Willem, qui crut alors qu'il allait de la même façon recevoir son congé définitif. Il s'y résignait d'avance, puisqu'il était tout de même à l'origine de la rixe.

— Monsieur Tremain, je vous interdis de franchir le seuil avec ces vêtements trempés.

D'un geste vif, elle lui jeta une chemise et un pantalon secs, puis disparut à l'intérieur en claquant la porte derrière elle.

Jamais Willem n'avait été aussi heureux de se voir réprimander de la sorte. Ses vêtements à la main, il souriait de toutes ses dents : Abigail ne le repoussait pas complètement, elle pouvait s'accommoder de lui, elle acceptait de le garder comme locataire malgré l'esclandre qu'il avait provoqué ; n'était-ce pas un progrès considérable dans leurs relations ? En plus, elle était même montée dans sa chambre afin de prendre pour lui un change sec !

Mis en joie par cette récréation, Lars s'exclama :

— Notre Abbie n'est pas à prendre avec des pincettes...

Il se tourna vers Paxton :

— Permettez-moi de vous remercier pour votre bonne action, jeune homme. Il y avait longtemps que j'attendais ce moment.

Willem déboutonna sa chemise mouillée qu'il jeta à terre, avant de s'attaquer au pantalon. Soudain, il vit que le vieillard le regardait avec dans les yeux une sorte de terreur mystique. Montrant d'un index tremblant sa médaille d'or, il demanda :

— Où... où avez-vous eu cela ?

— C'est une médaille qui est dans ma famille depuis plusieurs générations, expliqua-t-il. J'en avais même deux, autrefois.

Lars se rapprocha, et, très ému, demanda encore :

— Pourriez-vous me dire ce qu'est devenue l'autre médaille ?

Avant de répondre, Willem fronça les sourcils et jeta un coup d'œil à Paxton, qui lui aussi examinait le vieillard avec une circonspection d'autant plus appuyée qu'il n'avait toujours pas de lunettes et que, d'un peu loin, il n'y voyait goutte.

— Pourquoi me posez-vous toutes ces questions ? reprit-il.

— Répondez-moi, Willem. Je vous en prie, répondez-moi ! A qui avez-vous donné l'autre médaille ?

La voix de Lars vibrait de son chagrin trop longtemps contenu.

Willem n'avait aucune raison de le désespérer davantage, et même s'il lui en coûtait de rappeler l'histoire de ses deux médailles, ce n'était nullement un secret. Il soupira donc :

— J'en avais donné une à ma femme, le jour de notre mariage.

16.

Debout devant l'aubépine en fleur, Lars pleurait, sans songer à retenir les larmes qui arrosaient la tombe comme une pluie de printemps. Il pleurait, non parce qu'il était malheureux, au contraire : après tant d'années de remords et d'attente angoissée, le père de Matthew était apparu ! Brisé par l'émotion, il renifla sans élégance et à l'intention de la femme et du bébé qui reposaient là, il murmura :

— Pardonnez-moi, mais je ne sais pas comment agir. Faut-il que je rapporte la vérité à Abbie ? C'était déjà si dur de lui apprendre que Matthew n'était pas son véritable enfant.

Anxieux et épuisé, il se laissa tomber assis sur l'herbe, et dans le soleil matinal médita sur les conséquences de son acte irréfléchi, six ans plus tôt : à cause de lui, trois personnes avaient vu leur destin bouleversé, et le pire était peut-être encore à venir.

— L'Irlandais Noir ! chuchota-t-il. Le père de Matthew, c'est l'Irlandais Noir.

Quand Willem Tremain apprendrait la vérité, n'aurait-il pas qu'une seule idée en tête : emmener très loin de Guston l'enfant dont il avait été trop longtemps séparé ? A cette perspective, Lars gémit. De sous sa chemise, il tira le médaillon d'or, jumeau de celui dont il avait reçu la révélation, et, le gardant en main comme une amulette, s'abîma dans une prière intense pour obtenir un dénouement favorable; pour que le cœur de tant d'innocents ne fût pas brisé par sa faute.

Ses pensées le reconduisirent à ce jour déjà lointain, où par hasard deux femmes en couches avaient échoué dans la petite église tout juste construite. Ayant posé sur le sein d'Abigail le bébé vagissant, il avait eu l'intention de lui révéler, aussitôt, que ce petit être n'était pas celui dont elle venait d'accoucher; mais elle avait à ce moment le visage rayonnant d'un tel bonheur qu'il avait senti les mots se bloquer dans sa gorge. Six ans plus tard, il avait enfin trouvé le courage d'avouer la vérité, mais à quel prix! Jamais il n'oublierait le regard d'Abigail, chargé de douloureux reproches. Pourrait-il ajouter à cette épreuve une autre, plus pénible encore, en disant à cette femme — à cette mère — qu'un homme était là, qui peut-être emmènerait l'enfant?

Adossé au mur de l'église, parmi les pierres tombales plantées de guingois, Paxton Kane épiait le vieil homme. Prétextant de soudaines douleurs consécutives à son combat de boxe, il avait laissé Willem se rendre seul sur le chantier, en l'assurant qu'il le rejoindrait plus tard, dès qu'il serait rétabli. La découverte du médaillon par Lars avait éveillé son intérêt. Le regard de celui-ci, mélange de confusion et de soulagement, lui avait rappelé celui qu'il avait observé chez certains délinquants au moment où ils étaient appréhendés par la police. Depuis, il ne l'avait plus quitté d'une semelle.

Tête basse, les épaules secouées au rythme des sanglots, Lars pleurait, et Paxton se sentait honteux de son

206

indiscrétion, mais il n'en réfléchissait pas moins aux enseignements à tirer de cette scène touchante ; pourquoi le vieillard était-il venu là épancher son chagrin ? n'importe quel endroit discret eût pu lui convenir ; mais il semblait attacher une importance particulière à ce buisson d'aubépines, et d'après son attitude, on eût pu croire qu'il se recueillait devant une tombe.

Une tombe...

Tendant l'oreille, Paxton essaya de saisir quelques bribes des paroles que Lars laissait échapper lorsque les sanglots lui laissaient quelque répit, mais se trouvant trop loin, il voulut se rapprocher. Au premier pas, il fit rouler quelques cailloux ; le vieillard sursauta et se retourna. Alors, il combla très vite la distance qui les séparait.

— Est-ce ici que vous l'avez enterrée, Lars ? demanda-t-il ; ici, sous ce buisson ?

Effaré, Lars fit « non » de la tête, puis acquiesça. D'une voix lasse, il expliqua :

— Cette nuit-là, j'ai fabriqué les cercueils et je les ai enterrés ; ici, oui, l'un à côté de l'autre.

— Qui ? insista Paxton, affligé d'avance à l'idée d'apprendre que l'enfant de Willem *aussi* était mort.

— La femme rousse et le nouveau-né ; une petite fille.

— Elle est donc morte en couches ! murmura Paxton, en cueillant, comme une relique, une délicate fleur d'aubépine.

— Oui, affirma Lars, qui faisait jouer le médaillon dans la lumière du soleil.

— Ainsi, elle a donné naissance à une petite fille, qui n'a pas survécu non plus.

— Que dites-vous ?

— Moïra — la femme qui portait ce médaillon —; vous me dites qu'elle a accouché d'une petite fille.

— Mais non ! Son bébé, c'était un garçon, en très bonne santé.

— Je ne comprends plus rien, s'impatienta Paxton. Qui est le bébé enterré ici avec Moïra?

— L'enfant d'Abigail. C'est la petite fille d'Abigail.

Lars éclata en sanglots bruyants, et pour le consoler, Paxton ne sut rien faire d'autre que de lui tapoter l'épaule.

— Si vous m'expliquiez, proposa-t-il quand le vieillard se fut un peu calmé.

— C'est simple : j'ai enterré côte à côte la femme morte en couches, et le bébé mort-né d'Abigail.

— Bon! mais si le bébé d'Abigail n'a pas survécu, qui est Matthew?

Paxton frissonnait d'émotion.

Lars le regarda comme s'il avait affaire à un demeuré, et ce fut d'une voix ferme, bien posée, qu'il révéla le nœud de l'énigme :

— Matthew est le fils de Willem Tremain. Willem Tremain est le père de l'enfant élevé par Abigail.

Paxton reporta son regard sur l'aubépine, comme pour y quêter la confirmation de ce qu'il venait d'entendre. Il murmura :

— Il faut que nous allions tout lui dire! Bon Dieu! Nous n'avons pas le droit de lui cacher la vérité plus longtemps.

Lars approuva d'un hochement de tête et ajouta :

— J'espère seulement qu'Abigail me pardonnera une seconde fois. Par ma faute, à cause de ma lâcheté, elle va souffrir encore...

Il n'avait plus la tentation de se dérober, et ce fut d'une voix somme toute assez assurée qu'il conclut :

— Trouvez Willem et dites-lui tout. Moi, je me charge d'Abigail.

**

Paxton faisait les cent pas aux abords du camp d'Otto Mears. Chaque fois qu'il se retournait, le soleil s'était enfoncé un peu plus derrière les sommets ; dans une heure, la nuit serait tombée sur la montagne. Sa main, dans sa poche, ne lâchait pas le médaillon que lui avait confié Lars. Il tira sa montre : 5 heures et quart ; Willem ne tarderait plus à revenir, maintenant. Paxton ne se tenait plus de joie à l'idée d'avoir enfin résolu un cas sur lequel il avait si longtemps peiné ; et plus encore à la perspective de la révélation étonnante qu'il s'apprêtait à délivrer.

Il sortit de sa poche le médaillon et une nouvelle fois en examina l'étrange gravure : un dragon aux longues ailes de chauve-souris. Il s'interrogea sur l'origine de cet emblème sorti tout droit, pour autant qu'il pût en juger, du Moyen Age ; ainsi que sur les circonstances qui l'avaient mis en possession de la famille Tremain.

La terre se mit à trembler soudain sous ses pieds, et un roulement grave et profond comme celui du tonnerre tomba de la montagne ; il se retourna et vit arriver un lourd chariot ramenant au camp les ouvriers. Il s'avança et constata avec joie que Willem faisait partie du groupe d'hommes couverts de poussière.

Ce dernier lui fit de loin un grand geste de la main.

— Paxton ! s'écria-t-il lorsqu'il parvint à sa hauteur. Vous arrivez alors que le travail est terminé !

Paxton trouvait en lui un personnage différent de celui qu'il avait connu depuis un an, et encore depuis la veille à la pension de famille. D'ordinaire sombre et taciturne, il se montrait là plein de jovialité, répondant du tac au tac lorsque ses camarades de travail le sollicitaient par leurs plaisanteries, et partant avec eux de grands rires qui résonnaient dans la vallée.

Il sauta du chariot pour s'en aller asséner une grande claque amicale sur l'épaule de Paxton.

— Comment vous sentez-vous, depuis ce matin ? Mieux ? Pourtant, on dirait que non ; pourquoi cet air douloureux ? Ne me dites pas que ce vieux Brawley vous a fait mal aux poings avec son visage !

— Willem, il faut que je vous parle.

Les deux hommes se dirigeaient vers un groupe de tentes plantées au hasard dans la prairie, au milieu desquelles un cuisinier, à l'aide d'un bâton, remuait dans une grande marmite un ragoût moins engageant que les nourritures préparées par Abigail. Willem s'empara d'une assiette en fer blanc, en donna une à Paxton, et ils allèrent se la faire alourdir du mélange incertain, qui avait au moins l'avantage d'être chaud.

Ils trouvèrent deux places côte à côte sur un banc, et sans cérémonie Willem commença à manger, après avoir dit :

— Je suis tout ouïe.

Paxton retint sa respiration. Par quoi devait-il commencer ? Il avait passé la plus grande partie de la journée à assembler les termes d'un discours possible, mais aucune combinaison ne l'ayant satisfait, il se trouvait maintenant obligé d'improviser. Incapable de parler, cependant, il sortit de sa poche le médaillon et le posa sur la table, devant Willem.

Ce dernier reposa doucement sur l'assiette la fourchette qu'il portait à sa bouche. Il regarda Paxton. Il ne souriait plus.

— Où avez-vous trouvé cela ? murmura-t-il.

Il ouvrit sa chemise pour vérifier qu'il n'avait pas perdu son propre médaillon.

— C'était Lars qui l'avait, expliqua Paxton.

— Lars...

Willem serra le poing sur son médaillon et ferma les yeux. Il avait compris.

210

— Où est Moïra?

— Enterrée sous le buisson d'aubépine, derrière l'église de Guston.

— Morte? Elle est donc morte! Depuis quand?

— Cela fait bien longtemps, Willem.

— Et... et mon enfant? Dites-le-moi...

La voix de Willem n'était plus qu'un murmure douloureux.

— ... mais ne me dites pas qu'il est mort aussi.

— Rassurez-vous, il vit. C'est un beau garçon.

De nouveau, Willem ferma les yeux. Il sourit, mais en même temps de grosses larmes perlèrent à ses paupières, et ses lèvres tremblèrent pour murmurer :

— J'ai donc un fils. L'avez-vous vu? Où est-il? Comment se porte-t-il? Quand pourrai-je le voir?

— Il va très bien, répéta Paxton.

Il n'osait pas aller jusqu'au terme de sa mission.

— Où? reprit Willem; quand?

— Vous l'avez déjà vu.

Paxton s'agrippa des deux mains au banc. Il craignait de tomber à la renverse.

— Je le connais donc!

— Oui; c'est Matthew Cooprel. Matthew est votre fils, Willem.

17.

Willem se leva et s'éloigna. A grands pas il se mit à
marcher dans la prairie, les deux médaillons au creux de
sa main. Dans son esprit troublé, l'image d'Abigail
s'imposait avec insistance : la peur qu'elle semblait
éprouver envers lui chaque fois qu'elle se trouvait en sa
présence, maintenant s'expliquait : elle devait savoir, au
moins se douter !

Ainsi avait-elle tenté de l'abuser. Elle avait essayé de
lui voler la chair de sa chair ; une partie de sa vie ! Pas
étonnant, dans ces conditions, qu'elle eût eu tant de hâte à
le voir déguerpir ! Avec un art consommé de la dissimula-
tion, elle avait tenu le rôle d'une bonne mère, toujours si
soucieuse d'un enfant, qui en fait ne lui appartenait pas !
Elle s'était fait passer pour ce qu'elle n'était pas.

Willem sentait son cœur atrocement déchiré par le poignard de la trahison. Dire qu'il éprouvait un tel respect
pour cette femme ! Qu'il se haïssait maintenant d'avoir
éprouvé pour elle de tendres penchants, alors qu'elle lui
jouait cette comédie indigne !

Effondré, Paxton observait de loin le visage de Willem,
un masque symbolisant tous les malheurs de l'humanité.

Il avait envisagé diverses possibilités à la suite de ses révélations, mais à celle-là, il ne s'était pas du tout attendu. Il eût parié sur des larmes de jubilation, à la rigueur sur une joie plus contenue, mais cette détresse, il n'en comprenait pas l'origine.

Willem revint pour le bombarder de questions.

— Comment tout cela est-il arrivé? Comment est morte Moïra? Quand?

— Peu de temps après vous avoir quitté. Lars travaillait à la construction de l'église quand elle y est entrée pour accoucher. Matthew est venu au monde, elle est morte tout de suite après.

— A-t-elle beaucoup souffert?

— Je ne le pense pas. Je vous l'ai dit, elle est décédée très vite et n'a rien pu révéler à Lars, même pas lui dire son nom. Il a pris le médaillon en espérant que quelqu'un le reconnaîtrait un jour.

Willem était affalé sur le banc depuis ce véritable interrogatoire. Soudain il se releva, et se tourna un peu pour faire face à Paxton : il avait le regard mauvais.

— Depuis quand Abigail a-t-elle mon fils chez elle? Pourquoi?

Il se sentait vide, dépossédé, et rien que pour cela, il en voulait à la jeune femme.

Avec patience, Paxton raconta une fois encore la double naissance et conclut :

— Aussi bizarre soit-elle, cette histoire peut difficilement être mise en doute. Pourquoi ne pas croire Lars, quand il raconte que deux femmes, à quelques minutes d'intervalle, sont entrées dans l'église où il travaillait, pour accoucher? Quel intérêt aurait-il à mentir?

Mais Willem ne voulait pas se laisser convaincre si facilement.

— Ainsi, vous y croyez, vous! s'exclama-t-il sur un ton plein de dérision.

— Oui, affirma Paxton. Le pauvre cher homme porte le poids d'une telle culpabilité qu'il faudrait être bien dur pour l'accuser en plus d'avoir menti.

— Culpabilité ? Pourquoi ?

— Parce que pendant de longues années, il n'a rien osé dire à Abigail.

Impatient, Willem se releva, et cria :

— Qu'est-ce que vous me racontez encore ?

— Abigail a mis au monde un bébé mort-né ; cela, vous le savez. Elle n'a pas vu Moïra, qui se trouvait dans une autre partie de l'église, et morte déjà. Lars a procédé à l'échange des enfants, sans le dire à Abigail, qui s'était évanouie au moment de l'accouchement.

Willem pâlit.

— Paxton, êtes-vous en train de me dire qu'Abigail, en fait, ne sait pas que Matthew n'est pas son véritable enfant ?

— Elle l'a ignoré pendant longtemps. Lars, comprenez-vous, était désemparé, et dans son affolement, il n'a pas trouvé d'autre solution que de confier l'enfant vivant à la mère dont le bébé venait de mourir. Il a gardé ce secret pendant presque six ans, et c'est à la fin de l'année dernière seulement que, bourrelé de remords, il entreprit de tout avouer à Abigail, qui effectivement ne s'était jamais doutée de rien.

— Oh, mon Dieu ! gémit Willem. Cela change tout.

Il revint s'asseoir sur le banc, et, les coudes sur les genoux, cacha son visage dans ses mains.

— Que voulez-vous dire ?

— Que je ne puis faire payer à Abigail le prix de la mésentente survenue entre Moïra et moi. Paxton, il faut que vous me promettiez...

Il se releva, et, solennel, fixa son ami droit dans les yeux.

— Il faut que vous me promettiez que jamais vous ne révélerez à Abigail la vérité à propos de Matthew; que jamais vous ne lui direz qui est le père de ce garçon. Je n'ai pas le droit de défaire l'œuvre du destin.

— Ce n'est pas sérieux! protesta Paxton; après tant d'années de recherche! Vous vous êtes ruiné pour cette enquête, et maintenant que vous avez la possibilité d'en recevoir les fruits, vous abandonnez!

— Je n'abandonne pas, mais je ne veux pas précipiter le mouvement. Comprenez-moi: c'est si soudain, il faut que je réfléchisse.

Willem s'abîma dans ses pensées. Il souhaitait trouver une solution honorable, et il en entrevoyait une, mais elle demandait de sa part une certaine préparation.

— A quoi songez-vous, Willem? demanda Paxton, qui craignait une initiative mal venue.

— Abigail et Matthew: je n'ai pas le droit de m'immiscer dans leur univers pour le détruire. Abigail pourrait en mourir. Elle adore ce garçon, vous le savez bien, et elle n'a rien à se reprocher. Je suis le seul responsable de cette tragédie.

— Moi, je crois Lars quand il me dit qu'Abigail n'a rien su jusqu'à l'année dernière; mais vous, quelle est votre opinion?

— Mon opinion n'a pas grande importance. Abigail et Matthew sont les deux seuls êtres qui comptent. Nous devons tout mettre en œuvre pour les préserver.

— Certes; mais comment avez-vous l'intention d'agir? demanda Paxton, les bras croisés, et le regard fixé sur le visage de Willem.

— Je ne le sais pas encore, mais j'exige pour le moment qu'Abigail ne sache pas que je suis le père de Matthew. C'est important, Paxton: promettez-moi que vous ne direz rien.

216

Willem parlait d'une voix tremblante, mais son regard brillait d'une sombre détermination.

— Je ne vous comprends pas, observa Paxton. Vous retrouvez votre fils, et votre seul souci concerne les conséquences qui pourraient en résulter pour Abigail Cooprel...

Il plissa soudain les paupières : il entrevoyait une explication :

— A-t-elle pour vous tant d'importance ?

— Plus que vous ne le pensez. Donc, j'ai votre promesse. Je refuse d'assurer mon bonheur aux dépens d'Abigail. Laissez-moi du temps, je trouverai une solution acceptable pour tous.

— Bien...

Ce fut au tour de Paxton de se lever, comme s'il avait été projeté vers le haut par un puissant ressort.

— Mon Dieu ! Il est trop tard...

Effondré au moral comme au physique, il se laissa retomber sur le banc.

— Lars est déjà allé tout raconter à Abigail. Le pauvre ! Il n'en pouvait plus d'avoir gardé ce secret si longtemps, et il avait hâte de s'en délivrer.

— Comment Abigail recevra-t-elle ce nouveau coup du sort ? murmura Willem, d'une voix blanche.

D'un geste impatient, Willem rejeta sa couverture et sortit de la tente sous laquelle il avait l'impression de suffoquer. Il avait peu dormi et son cauchemar l'avait importuné comme d'habitude, mais cette fois il était un peu différent ; pire, en fait : il tombait dans le puits sans fond et s'écorchait aux parois rugueuses, mais cette fois, il n'était plus seul, Abigail tombait avec lui.

Le souvenir de ce rêve obsédant le fit frissonner dans

la nuit. Même éveillé, il en revivait les péripéties atroces, et l'angoisse l'étreignait : pris sous des tonnes de rochers, il se savait condamné à une mort lente et torturante, sans même pouvoir atteindre Abigail, qu'il entendait gémir dans le noir, tout près de lui et pourtant si loin.

Pour revenir de plain pied dans la réalité, il se frotta longuement les yeux, comme un enfant. Puis il se promena entre les tentes, à l'intérieur desquelles les hommes ronflaient ou rêvaient de façon plus agréable que lui. A la lisière de la forêt, il aperçut deux yeux brillants et verts, qui l'épiaient. Il s'avança ; les yeux s'éteignirent, une forme furtive fila dans la nuit.

Il revint à son cauchemar, et s'interrogea sur la signification qu'il devait lui donner. Il en comprenait parfaitement la première version, qui l'obligeait à revivre, nuit après nuit, l'accident épouvantable dans lequel il avait vu mourir presque tous ses amis, gagné le sobriquet odieux d'Irlandais Noir, et perdu son épouse ; mais la deuxième version, toute récente, l'avait porté aux confins de la terreur et avait des effets si pernicieux qu'ils agissaient encore dans son état de veille.

— Est-ce une prophétie qui m'est adressée ? se demanda-t-il.

Il marcha vers la clairière en priant qu'il n'en fût pas ainsi.

18.

Immobile sur sa chaise, le visage rouge et gonflé, Abigail tordait dans ses mains tremblantes son mouchoir trempé de larmes. Elle pleurait encore, plus silencieusement maintenant, et l'eau qui sourdait de ses yeux était absorbée par son corsage et sa jupe. Elle ne se souciait plus de rien, et ne ressentait plus rien que l'impression d'un ravage général de son corps, de son cœur et de son âme.

Elle venait d'obtenir la réponse à la question que tant de fois elle s'était posée depuis quelques semaines, elle savait enfin ce que Willem Tremain attendait d'elle, elle comprenait pourquoi elle avait toujours ressenti en face de lui ce malaise diffus et grandissant.

— Vous pouvez dire ce que vous voulez, Lars, murmura-t-elle, mais je suis sûre, moi, qu'il savait avant que vous lui ayez raconté l'histoire ; et qu'il est venu dans un but bien précis : m'arracher mon petit Matthew...

Il détenait un pouvoir exorbitant : celui de détruire sa vie, et il n'hésiterait pas à en user, elle en était sûre.

— Paxton Kane savait aussi, murmura-t-elle. C'est peut-être lui qui est à l'origine de tout. Il a dû avoir des renseignements sur Moïra, sur Matthew... Je ne sais pas comment, mais il n'y a pas d'autre explication possible.

Ensuite, Willem est venu en éclaireur, pour connaître Matthew avant de prendre une décision, je pense. Dire que je croyais que ce M. Kane était si gentil ! Il...

La voix de la jeune femme s'étrangla dans sa gorge.

Elle se leva et marcha jusqu'à la fenêtre ; la pleine lune brillait au-dessus des montagnes telle une grosse pièce d'or, et sur les prés de grandes ombres rapides doublaient les mouvements des quelques nuages qui filaient dans le ciel.

La jeune femme eut l'impression d'être prise au piège dans sa maison qu'elle aimait tant autrefois. Elle éprouva le besoin de sortir, et de courir au hasard pour échapper à la présence de Willem Tremain qui maintenant imprégnait toutes les pièces, présence obsédante dont elle voulait se libérer.

— Lars, dit-elle, j'ai besoin de marcher un peu. Voulez-vous rester ici, au cas où Matthew s'éveillerait ?

Malgré son désarroi elle pensait encore à l'enfant, *son* enfant qui dans une chambre au-dessus d'elle dormait paisiblement sans soupçonner quel drame se déroulait au rez-de-chaussée.

— Oui, répondit Lars, je serai là s'il a besoin de quelque chose. Abbie...

Il s'interrompit et coula en direction de la jeune femme un regard désespéré.

— ... me haïssez-vous ?

Les larmes quelque peu taries depuis un moment jaillirent de nouveau.

— Vous haïr ? s'exclama-t-elle. Par Dieu, non, je ne vous hais point...

Elle marcha vers Lars et lui prit les mains.

— Vous m'avez confié un petit enfant à élever et à aimer comme s'il était le mien. Pourquoi devrais-je vous haïr, alors que vous m'avez fait le plus beau cadeau qui soit ?

220

— J'ai agi sans réfléchir. Vraiment, je ne savais pas.

— Nous reparlerons de tout cela lorsque je rentrerai. Pour le moment, essayez de prendre un peu de repos, et ne vous souciez plus de rien.

Le vieil homme acquiesça d'un hochement de la tête, puis parvint à sourire lorsque les doigts de la jeune femme pressèrent ses mains déformées par sa longue vie de labeur.

Celle-ci enveloppa ses épaules d'un vaste châle de laine et sortit ; l'air froid de la nuit charriait déjà les senteurs épicées, venues de la montagne, qui annonçaient les premiers grands froids. Elle frissonna en songeant que la neige fond toujours au printemps, mais que son cœur glacé d'effroi ne se réchaufferait sans doute plus jamais.

Foulant à pas lents le tapis herbeux, elle s'interrogea à haute voix :

— Que dois-je faire ?

A la lumière de la lune ronde elle trouva son refuge, ce lieu secret où elle s'était cachée bien souvent depuis le jour où Lars lui avait appris que Matthew n'était pas son enfant : une grotte minuscule, une anfractuosité entre deux rochers jetés l'un contre l'autre aux origines du monde. C'était un endroit difficile à trouver, même pour qui savait. Abigail s'assit et sentit immédiatement le froid de la pierre qui la glaçait jusqu'aux moelles, au travers de son trop fin vêtement de calicot, mais de cet inconvénient elle ne se souciait guère. Au vrai, elle ne s'inquiétait plus de rien, excepté de la scandaleuse vérité qui venait de lui être jetée au visage.

Les larmes aux yeux elle se souvint de la joie et du soulagement qu'elle avait ressentis lorsque Lars avait placé le nouveau-né dans ses bras ; Matthew, sa vie, son enfant. Sûr, elle ne l'eût pas aimé davantage s'il avait été de son sang ; mais cela, Willem Tremain serait sans doute incapable de le comprendre.

221

Elle entendit soudain un froissement de brindilles et elle se redressa. Apeurée, elle devina plus qu'elle ne vit une forme animale qui passait très vite devant l'entrée de son refuge. Puis, le calme revenu, elle se détendit et de nouveau essaya de penser. Elle devait trouver un moyen pour éloigner la menace que représentait Willem Tremain.

Quand Lars, quelques mois plus tôt, lui avait révélé les circonstances qui avaient entouré la naissance de Matthew, elle avait cru que plus jamais elle n'éprouverait d'aussi grande douleur, d'aussi terrible incertitude ; et voilà qu'elle devait se demander maintenant qui était la femme présente avec elle dans l'église ce jour-là, cette femme seule, cette femme échouée là sans le mari qu'elle avait promis de suivre partout et toujours : Willem.

Peut-être toutes les rumeurs sur lui étaient-elles fondées, songea-t-elle en serrant frileusement son châle sur ses épaules ; une femme enceinte ne devait pas, sans de bonnes raisons, fuir le mari censé lui assurer confort et protection ; quel mal lui avait-il donc fait ? de quels méfaits était-il encore capable ?

Tandis que dans l'obscurité retentissait le cri de la chouette, Abigail voulut fuir, fuir sans tarder pour soustraire son enfant à un homme dangereux. L'évidence l'avait foudroyée : sans même prendre le temps d'empaqueter quelques effets, elle devait partir avant que Willem ne redescendît de la montagne ; un plan commença à germer dans son esprit enfiévré.

Elle avait de l'argent, beaucoup d'argent ; tant d'années passées à travailler dur en assurant le gîte et le couvert des mineurs, lui avaient donné une certaine aisance matérielle, et la boîte en fer blanc, sur l'étagère de sa cuisine, contenait de quoi financer une nouvelle vie loin de Guston. Elle pourrait, pour commencer, prendre le train — et adieu M. Tremain.

Une part d'elle-même, pourtant, une toute petite part, éprouvait de la compassion pour celui qui serait une nouvelle fois abandonné. Elle savait ce que c'était que de perdre un enfant, et elle ne doutait pas que la douleur ne serait pas moins vive pour Willem ; surtout qu'il connaîtrait, lui, cette expérience pour la deuxième fois.

Le remords, et donc l'hésitation, prirent place dans l'âme de la jeune femme.

Elle ne tarda pas à se représenter un Willem fou de douleur, et dès lors la quitta toute envie de fuir. Quelque légitime que fût son désir de ne pas perdre Matthew, elle n'avait pas le droit de protéger ses intérêts aux dépens de son prochain.

Alors ?

Alors, il devait bien y avoir une solution honorable pour toutes les parties, et elle se jura de la trouver ; une solution qui lui permettrait de garder Matthew avec elle sans pour autant le soustraire à Willem.

Elle se leva et, à pas lents, reprit le chemin de sa maison.

Abigail regarda par la fenêtre de sa chambre ; dans le pré éclairé par les premiers rayons du soleil, Matthew s'occupait à traire la vache.

Etrange, songea-t-elle. Elle ne s'était pas sentie différente depuis que Lars lui avait appris que Matthew n'était pas son fils : toujours, lorsqu'elle l'apercevait, elle avait le cœur qui battait un peu plus vite, et beaucoup plus vite encore lorsqu'il se précipitait dans ses bras. Le front plissé par l'effet d'une réflexion essentielle, elle se demanda si elle changerait — si elle *devait* changer — maintenant qu'elle savait que Willem était le père du garçon.

L'idée qu'elle avait mis au monde une petite fille mort-née l'avait remplie d'une tristesse indicible, mais n'avait en rien entamé l'amour qu'elle éprouvait pour Matthew ; au contraire, son désir s'était accru de lui donner tout ce dont il avait besoin pour grandir et s'épanouir. Maintenant, le sort lui présentait une nouvelle épreuve, la plus terrible de toutes, celle qui risquait d'abolir les fondements sur quoi elle avait voulu bâtir sa vie.

— Je pense que M. Kane et Willem ne tarderont plus, dit-elle en observant la dissolution des dernières ombres de la nuit.

— Je le crois aussi, entendit-elle répondre, d'une voix faible et tremblante, par Lars qu'elle savait prostré sur une chaise derrière elle.

Lentement, elle se retourna pour le regarder, et, le voyant si malheureux, se précipita pour s'agenouiller à côté de lui.

— Lars, murmura-t-elle avec ferveur, écoutez-moi. Vous avez agi pour le mieux, j'en ai la conviction. Je ne vous blâme pas, et jamais je ne vous adresserai le moindre reproche à ce sujet. Aujourd'hui, Matthew est vraiment mon fils, même s'il n'est pas de mon sang, et rien ne peut changer simplement parce que le père de ce garçon apparaît.

— Mais Willem Tremain ? Dans quelles dispositions le trouverez-vous ? demanda le vieillard au regard noyé de larmes.

— Je ne le sais pas encore...

Abigail se leva et à pas lents retourna à son poste de guet près de la fenêtre.

— Il faut me préparer à son retour. Je dois savoir que lui dire lorsqu'il viendra me demander des comptes, et si je trouve les mots justes, il acceptera le compromis que je lui proposerai...

224

Elle revint vers Lars, dont elle tapota la joue, comme elle l'eût fait à un enfant apeuré.

— Ne craignez rien. Vous verrez que tout s'arrangera au mieux.

— Moi aussi, j'ai beaucoup réfléchi, dit Lars en se levant à son tour, pour voir aussi à quoi s'occupait Matthew dans la cour.

— Vraiment ?

Abigail sourit au vieil homme, qu'elle aimait véritablement comme s'il avait été son père.

— Oui, lui dit ce dernier, et je crois même que j'ai trouvé un moyen...

Il baissa la voix :

— ... un moyen qui nous permettrait de ne pas perdre Matthew.

Abigail se rapprocha :

— Un moyen pour empêcher Willem Tremain de nous prendre Matthew, questionna-t-elle, la voix vibrante d'espoir. Dites-moi, Lars !

— C'est un projet un peu téméraire, qui peut-être ne donnera rien de bon, mais avec un peu de chance... Il faut naturellement que vous soyez d'accord.

— De quoi s'agit-il ? demanda la jeune femme, qui se sentait bouillir d'impatience.

— Je vais vous le dire, mais promettez-moi de ne pas m'interrompre tant que je n'ai pas terminé.

— Promis !

Pour preuve de sa bonne volonté, Abigail s'installa sur une chaise, une tasse de café en main.

— Voici, dit Lars. Willem Tremain est seul. Je veux dire : il est veuf. Vous êtes d'accord avec moi, n'est-ce pas ?

Abigail acquiesça d'un battement de paupières. Lars l'observa assez longuement avant de reprendre :

— Il est donc un homme sans maison, sans racines. D'après M. Kane, il n'a plus de famille nulle part, et depuis six ans, il vivait comme un véritable bohémien, courant d'un coin à l'autre de cet Etat pour tenter de retrouver la trace de sa femme et de son enfant.

— Je sais, dit Abigail, pensive.

Elle ne pouvait s'empêcher d'éprouver une profonde pitié pour l'homme qui avait enduré de telles épreuves. Elle avait vu avec quelle joie il s'était installé chez elle, heureux de disposer, pour un temps, d'une vraie maison, avec repas chauds et draps propres à la clé. Dès ce moment, elle avait compris qu'il n'avait pas dû recevoir beaucoup d'amour, et ce qu'elle savait de lui maintenant lui confirmait ses premières impressions.

Elle s'aperçut qu'elle n'écoutait plus Lars depuis un moment.

— Grâce à vous, Matthew bénéficie d'un vrai foyer, Abbie.

— Vous n'y êtes pas pour rien non plus, ce me semble.

— J'ai bâti les murs et placé le toit, mais c'est vous qui avez donné une âme à cette maison. Bon ! Le temps est venu que je vous fasse une autre révélation : Matthew dispose d'un compte à la banque de Silverton, que j'ai ouvert peu de temps après sa naissance, et que j'ai approvisionné peu à peu depuis six ans, en argent et en poudre d'or. Cela fait une jolie somme, dont il pourra disposer en cas de besoin...

Abigail laissa échapper un cri de surprise, et elle ouvrit la bouche pour protester, mais d'un geste, Lars l'interrompit.

— Je n'ai pas envie d'ergoter sur ce point. Abbie, nous avons d'autres sujets plus importants à traiter.

— Vous avez sans doute raison, Lars, soupira la jeune

femme. Si vous finissiez de m'exposer les grandes lignes de votre fameux plan ?

Lars prit une longue inspiration.

— Ce plan est tout simple, en fait. C'est d'ailleurs le seul praticable, à mon sens.

— En quoi consiste-t-il ?

— Il vous suffit d'épouser Willem Tremain, et tout sera réglé.

19.

— Je peux repousser mon départ pour Chicago, si vous préférez que je reste encore un peu.

Paxton tira Willem par la manche pour le soustraire au flot des voyageurs pressés de monter dans le train ; la gare de Silverton était bondée ce matin-là, et sur le quai se bousculaient les émigrants du début de l'hiver, ceux qui quittaient le haut pays avant la première neige.

— Non, répondit Willem. D'autres tâches vous attendent, et je n'ai pas le droit de vous retenir. De toute façon, c'est à moi de débrouiller cette affaire...

Les deux hommes se serrèrent longuement la main.

— Et merci ; merci pour tout.

— Je n'ai pas fait grand-chose ; mais vous savez enfin ce qu'est devenue Moïra, même si la nouvelle n'a vraiment pas de quoi vous rendre heureux...

Paxton fit passer sa valise d'une main à l'autre.

— Quelles sont vos intentions, en ce qui concerne votre fils ?

Willem exprima d'un haussement d'épaules l'indécision qu'il ressentait encore à ce propos, et son regard glissa sur la foule bruyante des grands départs.

— Je ne sais pas encore, avoua-t-il. Mon seul souci, vous vous en doutez, cst que ni Matthew, ni Abigail ne souffrent par ma faute. Le fait de retrouver mon fils après six ans de recherches ne me donne pas tous les droits...

Paxton approuva gravement.

— J'espère que nous resterons en contact. Donnez-moi des nouvelles de temps en temps.

— Je n'y manquerai pas, et j'attends la réciproque de votre part. Après un an passé à la poursuite de votre famille perdue, j'éprouve maintenant un vif intérêt pour ce qu'il adviendra du petit Matthew.

— Je sais, répondit Willem, en souriant. Puis-je vous faire encore une confidence ? Ayant enfin retrouvé mon fils, j'ai l'impression de vivre un rêve...

Paxton monta dans un compartiment ; le train s'ébranlait.

— Quelles dates désirez-vous voir figurer sur la pierre ? demanda le maçon, qui, en humectant de la langue la mine de son crayon, se préparait à noter le renseignement sur un morceau de papier chiffonné tiré de sa poche.

— Les dates ?

Willem semblait avoir à résoudre un problème insurmontable.

— Oui, expliqua le maçon, interloqué ; dates de naissance et de décès. C'est l'usage.

Willem avait oublié de demander quel jour précisément Moïra avait quitté notre monde, et à ce moment-là il prit conscience que cette date fatale marquait aussi la naissance de son fils. Il lui sembla alors qu'il ne fallait pas la reporter sur une pierre tombale.

— Pas de date, dit-il.

Le maçon ne discuta pas.

— Récapitulons, fit-il seulement, en reportant son

regard sur le morceau de papier : « Ci-gît Moïra Tremain, épouse et mère. Qu'elle repose en paix »...

Il fronça les sourcils en regardant Willem.

— Ne voudriez-vous pas plutôt une formule comme « bonne épouse et mère parfaite » ?

— Non...

Willem se trouvait un peu sec, mais il ne voulait pas jouer les hypocrites en manifestant pour la postérité des sentiments qu'il n'éprouvait plus depuis longtemps.

— Cela ira comme cela. Quand la pierre sera-t-elle prête ?

— Eh bien, voyons. J'expédie une commande à Guston, dans deux semaines exactement. Est-ce assez tôt pour vous ?

— Oui, parfait. Après six ans d'attente, nous n'en sommes plus à quelques jours près.

En sortant de l'atelier du maçon, Willem rencontra Snap, qui s'exclama :

— L'Irland... Willem Tremain !

— Jackson ! Que venez-vous faire à Silverton ?

— Je suis en route pour Creede. Il paraît qu'on vient d'y trouver un filon d'or extraordinaire.

Sceptique, Willem n'émit aucun commentaire ; d'un camp à l'autre du Colorado circulaient sans cesse des annonces toutes plus sensationnelles les unes que les autres, qui se dégonflaient très vite sous les pics des mineurs accourus en croyant bâtir une fortune rapide.

— Je croyais que vous aviez une concession au Pic de la Belle Fille, dit-il simplement.

— J'en ai une, mais il est temps de partir, répondit Snap ; elle ne donne rien de bon, et puis, mes rhumatismes me font savoir que la première neige est pour bientôt. Je n'ai pas envie de passer l'hiver à Guston, mon vieux ! Mac et Skipper tentent cette nouvelle aventure avec moi ; Brawley est déjà parti, ce qui fait qu'il ne reste plus grand monde chez Abigail Cooprel.

— C'est vrai, murmura Willem, pensif.

— J'ai... euh... appris que vous aviez retrouvé votre femme, reprit Snap, en désignant, d'un coup de menton, l'échoppe du maçon, pour signifier sans doute qu'il comprenait quel genre de tractations venait de se dérouler là.

— Oui...

— Qu'allez-vous faire, quand tout sera réglé ? Avez-vous l'intention de tenter votre chance sur de nouveaux territoires ?

— Non ; en fait, je n'ai pas de projets.

Snap sourit alors d'un air entendu.

— Tom Cuthbert va épouser la fille de Gustafson. Il a déjà pris une chambre près de la boucherie, pour se rapprocher de sa dulcinée ; encore un de parti ! Il n'y aura donc plus que vous et Lars pour profiter de l'excellente cuisine d'Abigail.

Puis, sur un dernier clin d'œil, il tourna les talons et se perdit dans la foule.

En le regardant s'éloigner, Willem se demanda s'il serait encore à Guston au moment de la première neige.

Willem gravissait la pente menant à la maison d'Abigail et à chaque pas il se sentait moins sûr de soi. Que devrait-il dire ? Quelle ligne de conduite devrait-il se fixer ? S'il avait eu quelque idée sur ces graves sujets, il ne lui en restait plus rien maintenant.

Pour réfléchir encore, il se laissa tomber assis sur le talus. Devant lui passa à vive allure une voiture tirée par un petit cheval nerveux, et il lui sembla vaguement que le conducteur lui adressait un signe d'amitié, mais il n'eut pas le temps de voir de qui il s'agissait. Son esprit s'embrouillait à trop de questions sans réponse. Il avait attendu six ans pour connaître son fils, et maintenant que cette joie lui était donnée, il avait peur de ne pas avoir assez de force pour franchir les derniers pas qui le séparaient de lui.

D'où venait la difficulté ? se demanda-t-il. Il aimait cet enfant, cela ne souffrait aucun doute. Il avait même commencé à l'aimer du premier jour, alors qu'il ne soupçonnait même pas que le hasard avait si bien guidé ses pas. Alors, qu'est-ce qui le retenait de courir à la pension et d'ouvrir la porte en criant : « Matthew, je suis ton père ! »

— Abigail, murmura-t-il.

Le moment était venu d'affronter la vérité : il se faisait beaucoup de souci pour la jeune femme, et ne cessait de se demander comment elle ressentirait son intrusion dans le monde qu'elle s'était construit. Si une partie de lui-même désirait proclamer ses droits de père, une autre partie le retenait à l'idée de heurter celle qui ne méritait pas tant d'injustice.

Il était tombé sous le charme d'Abigail. S'agissait-il d'amour ? Il n'eût su le dire, étant si peu familier avec ce sentiment dont il avait longtemps pensé qu'il n'était pas fait pour lui. Une chose était sûre, en tout cas : il eût préféré se couper le petit doigt plutôt que de faire souffrir Abigail. Il se languissait d'elle, il avait envie de la prendre dans ses bras en lui disant qu'elle n'avait rien à craindre de lui, et que, mieux, il la protégerait des embûches que le monde réserve aux innocents ; mais ce tableau idyllique n'avait aucune chance de se réaliser, puisque Matthew étant son fils, c'était à lui maintenant de subvenir aux besoins de ce garçon, et qu'en affirmant ses droits de père il ne pouvait que briser le cœur d'Abigail.

Cette idée le remplit d'une tristesse si profonde qu'il se mit à pleurer sur le bord du chemin.

Epuisé et malheureux, il se força néanmoins à se remettre debout pour terminer son chemin. De loin, ses narines captèrent les effluves de gâteaux à la cannelle : c'était en effet le jour de la boulangerie et de la pâtisserie. Il s'abîma alors dans une prière fervente, pour qu'Abigail n'en vînt pas à le haïr quand il lui aurait tout dit.

Il entra dans la maison.

— Willem !

Matthew l'avait aperçu depuis la cuisine et aussitôt s'était précipité vers lui. A simplement entendre la petite voix qui frémissait de joie il sentit son cœur battre plus vite, et il lui fallut résister à la tentation qu'il avait de prendre le garçon dans ses bras, pour le serrer très fort contre soi en lui disant tout l'amour qu'il éprouvait. Il se demanda si Lars, ou peut-être même Abigail, lui avaient parlé ; sans doute pas, car ils n'y avaient aucun intérêt.

Il s'absorba dans la contemplation de Matthew et s'étonna de n'avoir pas noté plus tôt certaines ressemblances entre eux, pourtant frappantes : les épaules déjà si larges, et les jambes, déjà si longues, toutes caractéristiques inusitées chez un enfant de six ans, mais plus encore les yeux si bleus, ne pouvaient être hérités que de lui, Willem Tremain.

— Matthew, comment vas-tu, mon garçon ? demanda-t-il.

— Bien, mais vous m'avez manqué. Vous êtes parti très longtemps, cette fois.

Le garçon sourit, et Willem sentit son cœur fondre d'amour.

— Pas si longtemps que cela, répondit-il.

234

Une flèche fauve passa entre ses jambes, et un aboiement sonore annonça que Brillant reprenait possession du terrain.

— Nous avez-vous rapporté quelque chose ? demanda Matthew.

— Eh bien, oui.

Willem chercha dans la poche de sa chemise, et en tira un petit paquet enveloppé de papier brun, qu'il tendit, et que Matthew s'empressa de déchirer en riant.

— Un couteau ! s'exclama-t-il. Un couteau pour moi !

Il brandit l'objet à la ronde, puis le pressa contre sa poitrine comme s'il s'agissait du joyau le plus précieux du monde.

Malgré son émotion, Willem restait sensible aux bonnes odeurs qui venaient de la cuisine, et il n'eut pas à se retourner pour savoir qu'Abigail, immobile et silencieuse derrière lui, l'observait depuis un certain temps déjà.

— Regarde, maman ! dit Matthew en montrant son précieux cadeau.

Lentement, Willem se retourna. Au regard qu'elle lui jeta, impénétrable, il comprit qu'il n'était pas le bienvenu. Il soutint ce regard, pour exiger, pour quémander une explication, une justification, mais il n'obtint rien ; impossible de savoir ce que pensait Abigail, qui en fait n'avait d'yeux que pour Matthew, et de temps en temps tournait la tête vers lui, comme pour s'assurer, comme pour s'étonner qu'il fût encore là.

— Hello, Abigail, s'obligea-t-il à lancer d'une voix faussement joviale, lorsque le silence lui fut devenu trop pénible.

Matthew demanda :

— Puis-je aller montrer mon couteau à Lars, maman ?

— Oui, mon petit, c'est une bonne idée. Va vite...

La jeune femme s'adressa ensuite à Willem. Son regard bleu-vert était indéchiffrable.

— Nous devons parler, monsieur Tremain.

Willem retint sa respiration. Ainsi, il était redevenu M. Tremain ! L'indice n'était pas de mince importance. Tremblant à la perspective de ce que la jeune femme se préparait à lui dire, il la suivit dans le salon.

20

— Je vous en prie, monsieur Tremain. Entrez.

D'une politesse parfaite mais glaciale, Abigail évita le regard de Willem tandis qu'elle lui indiquait un siège.

A la voir si raide et si fuyante, Willem eut la conviction qu'il avait affaire à une femme décidée à le combattre, et il se demanda si, après tout, il n'avait pas eu raison lorsqu'il avait imaginé que, sachant bien avant lui qu'il était le père de Matthew, elle avait tâché de lui cacher ce fait dans l'attente de son éloignement qu'elle espérait sans retour.

Et pourtant, non.

Il ne pouvait se résoudre à croire cela d'elle. Il lui était impossible d'imaginer Abigail sous les traits d'une rouée, d'une perfide gardant pour elle l'enfant comme un trésor dont elle eût voulu être la seule à profiter. Il prit donc une profonde inspiration, tâcha de calmer ses émois intempestifs, et s'apprêta à écouter.

En la regardant, qui ne se décidait pas à lui parler, il fut encore troublé, et cette fois par le désir qu'il avait d'elle, désir jamais éteint, et plus puissant maintenant que l'ombre de Moïra ne se dressait plus pour lui faire la leçon ; mais Abigail elle-même semblait le juger, avec sur le visage un air sévère qui le dissuadait de risquer la moindre confidence.

Abigail observait Willem Tremain qui, avec lenteur, passait devant elle pour prendre place sur le siège qu'elle lui avait indiqué. Elle nota qu'il avait le visage pâle, et indéchiffrable, mais qu'il baissait la tête, à dessein sans doute, pour l'empêcher de lui voir les yeux. Elle eût aimé pouvoir lire dans ce regard, afin de savoir par avance ce qu'elle devait redouter pour Matthew. Déçue, elle reporta son attention sur les cheveux plus noirs que jamais dans la pénombre, et lissés en arrière, puis aperçut soudain, dans la faible lumière dispensée par la lampe à pétrole, le médaillon d'or qui brillait sur la poitrine, dans l'échancrure de la grosse chemise à carreaux.

C'était à cause du double de ce médaillon que Lars avait appris qui était Willem, et elle en voulait terriblement au vieillard de ne l'avoir pas laissé au cou de la pauvre morte ; cependant, elle se disait aussi qu'il n'avait peut-être fait qu'accomplir la volonté de Dieu, et c'est pourquoi à ce moment elle murmura, d'une voix rageuse :

— Ce qui ne nous abat pas nous rend plus forts.

— Abigail ?

La voix de Willem, plus sensuelle que jamais par l'émoi contenu qu'elle exprimait, affola son cœur, et dans ses oreilles le pouls battit si vite qu'elle devina, plus qu'elle ne les entendit, les tintements de l'horloge qui sonnait l'heure.

— Je...

Sa voix se brisa sur ce premier mot. Elle se tordit les mains et essaya encore.

— Lars m'a appris que vous étiez le père de Matthew. Je ne le savais pas, je vous le jure.

238

Mais pourquoi éprouvait-elle, après tant d'heures passées à raisonner, pourquoi éprouvait-elle le besoin de se disculper ?

Willem lui répondit :

— Je n'en doute pas...

Il se leva, s'avança vers elle :

— Je suis désolé, pour votre petite fille.

— Je vous remercie...

Elle battit des paupières, sans pouvoir retenir les larmes amères qui montaient de son cœur brisé ; mais le temps n'était pas aux lamentations.

— J'ai préparé du café. En voulez-vous ?

Elle montra les deux tasses préparées sur la table et prit place sur le sofa, sans cesser de dévisager l'homme qui l'effrayait et l'attirait en même temps.

— Oui, lui dit-il, j'en ai grand besoin.

Elle le vit qui prenait une tasse, qui s'approchait comme pour s'asseoir à côté d'elle sur le sofa, qui hésitait. Elle dit :

— Je vous en prie, asseyez-vous...

Il acquiesça d'un hochement de tête, et lentement se posa sur le bord du siège, où il demeura immobile et crispé.

— Nous devons parler de... Matthew.

Elle avait failli dire : « de notre fils ».

— C'est exact, murmura-t-il, les doigts serrés sur la tasse. Nous devons agir au mieux dans l'intérêt de ce petit.

— Lars n'avait aucune intention malveillante quand il a procédé à l'échange des bébés, crut bon d'expliquer la jeune femme. Ce fut, dans l'affolement consécutif aux deux naissances, la seule solution qu'il trouva. Il faut savoir en effet que peu de femmes vivaient à l'époque dans ce coin de montagne, et il n'était pas sûr que l'une d'entre elles eût accepté d'élever un petit orphelin.

Elle bégayait, et trouvait avec difficulté ses mots.

— Je suis reconnaissant à Lars de ce qu'il a fait pour venir en aide à Moïra, répondit Willem. Ma gratitude n'est pas moins grande envers vous, qui avez si bien élevé Matthew...

Abigail ne put retenir un petit geste de surprise.

— C'est aussi un grand réconfort pour moi de savoir que mon épouse n'était pas seule lorsqu'elle a quitté notre monde. J'ai commandé au maçon de Silverton une pierre pour marquer sa tombe, et je serais heureux de rendre les mêmes devoirs à votre petite fille.

A l'évocation de son bébé mort-né, Abigail donna libre cours à ses larmes, sous le regard attristé de Willem, puis elle soupira :

— J'ai beaucoup réfléchi depuis que Lars m'a tout dit à propos de votre paternité, et...

Elle tira de sa poche un mouchoir et se tamponna les yeux.

— ... je crois que j'ai trouvé une solution.

Elle renifla sans trop d'élégance ; Willem se pencha en avant.

— Vraiment ?

— Oui. Je vous prie d'y réfléchir un instant. Vous serez d'accord avec moi, je n'en doute pas, pour reconnaître qu'il est inutile d'avouer dès maintenant la vérité à Matthew : cela ne servirait en effet qu'à le troubler inutilement...

Par-dessous ses sourcils baissés, elle guetta la réaction de son interlocuteur : appuyé au dossier du canapé, les bras croisés, et le regard attentif, il n'avait rien de la brute épaisse dont elle s'était à l'envi tracé le portrait, et vraiment, il fallait une bonne dose de malveillance pour le croire capable de rudoyer Matthew, dans le seul but de satisfaire la satisfaction d'accaparer un fils.

240

— Puisque vous vivez sous ce toit depuis quelques mois, il est inutile de bouleverser un arrangement qui vous convient autant qu'à moi. Il va sans dire que, dès à présent, je vous dispense de payer un loyer, monsieur Tremain...

A ce moment, elle observa que Willem fronçait les sourcils. Alarmée, elle se tordit les mains cachées dans les replis de sa robe, et pria le ciel de lui donner une grande force de conviction.

— Vous êtes un homme libre, monsieur Tremain, puisque votre malheureuse épouse est décédée. Moi-même ne suis retenue par aucune attache. C'est pourquoi, ayant tout bien considéré, je suis en mesure de vous présenter une proposition qui, je l'espère, vous agréera.

— Une proposition, madame Cooprel ?

— Oui ; un arrangement, en quelque sorte. Vous pourriez bénéficier chez nous de tous les agréments qu'on trouve d'ordinaire dans une famille : repas chauds midi et soir, vêtements propres chaque semaine, et — je n'aurais garde d'oublier le plus important pour vous — la compagnie de votre fils. De mon côté, je continuerai d'assumer mon rôle de mère, jusqu'à ce qu'il soit en âge de comprendre la situation. Jamais vous n'aurez à vous plaindre de moi, sous quelque rapport que ce soit, et personne d'autre que vous et moi, je puis vous le promettre, ne saura jamais que nous ne constituons pas une famille... au sens vrai de ce terme.

— Abigail, est-ce une proposition de mariage, que vous me faites là ?

— Eh bien, oui... Je veux dire : non ; pas vraiment...

Confuse, la jeune femme ferma les yeux un bref instant et d'une longue inspiration chercha à remettre de l'ordre dans ses pensées.

— Je crains de ne pas m'exprimer très clairement.

C'est si compliqué. En fait, il s'agirait bien d'un mariage, mais d'un mariage *de convenance*, si vous voyez ce que je veux dire, une union conclue pour assurer le bonheur de notre petit Matthew. Nous ne sommes pas assez fous, monsieur Tremain, pour nous imaginer que nous éprouvons l'un pour l'autre de tendres sentiments, mais les circonstances nous y obligeant, nous pourrions apprendre à vivre en harmonie, et toujours en nous témoignant le respect mutuel qui convient à des personnes civilisées. Nous ne serions donc qu'un couple d'apparence, constitué pour... le bonheur de Matthew... ainsi que je vous le disais...

Elle se rendit compte que son raisonnement commençait à tourner en rond, et elle s'interrompit.

Willem la regardait drôlement, et elle eut l'impression qu'il s'apprêtait à s'abattre sur elle avec des intentions peu honnêtes, peut-être même pour consommer, sur ce canapé, le mariage qu'avec une grande insouciance elle venait de lui proposer. Evidemment, il fallait s'y attendre, et mieux valait à ce sujet prendre les devants.

— Il va de soi, monsieur Tremain, que je n'ai pas l'intention de vous rendre la vie difficile. Je... je serai très docile.

Elle jeta tous ces mots très vite, et rougit.

— Vraiment? répondit Willem, d'une voix chargée d'une lourde ironie; qu'entendez-vous par là, madame Cooprel?

Abigail, qui chiffonnait les plis de sa robe, répondit d'une toute petite voix :

— Je suis disposée à jouer auprès de vous le rôle d'une bonne épouse, avec toutes les obligations que cela comporte.

Les yeux fermés, les poings serrés, Willem semblait respirer avec difficulté; que se passait-il dans sa tête?

242

— Je vois que vous avez pensé à tout ! finit-il par lancer, assez méchamment.

— Ce serait la solution parfaite : un mariage de convenance, conclu dans l'intérêt de Matthew.

Bouche bée, Willem regardait Abigail ; un arrangement ! elle venait de lui proposer *un arrangement* ! Il n'osait parler, par crainte de ne pouvoir retenir les mots définitifs qui montaient du plus profond de lui-même pour exprimer la déception, et, dans une certaine mesure, le dégoût que lui inspirait cet *arrangement*. Il ne rejetait pas Abigail, bien au contraire ; mais il ne voulait pas d'elle comme gouvernante, ni même comme mère très aimante pour Matthew. Il la désirait, comme tout homme normal pouvait désirer une femme, mais cela encore ne lui suffisait pas, car s'il rêvait de l'accueillir dans son lit, ce n'était pas contrainte et forcée. Il l'aimait, et voulait être aimé d'elle.

Indécis et malheureux, il inspira longuement et à son grand chagrin découvrit qu'il inhalait les fragrances capiteuses émanant du corps de la jeune femme. Son trouble s'en accrut, et il se tourna vers elle, en se demandant s'il pourrait supporter de vivre plus longtemps près d'elle sans avoir le droit de la toucher, sans pouvoir partager avec elle les délices dont il s'était remis à rêver depuis qu'il l'avait rencontrée.

La pensée que, ne l'aimant pas, elle envisageait de se donner à lui, juste pour ne pas perdre Matthew, le remplit d'un amer désespoir.

— Il faut que je réfléchisse, dit-il en se levant.

Très vite, sans se retourner, il sortit dans la nuit. Il espérait que le froid venu des montagnes apaiserait son désir et sa peine.

Sous le choc, Abigail fixait la porte fermée. Elle avait envie de courir derrière Willem pour le rappeler ; le faire rentrer au chaud, dans sa maison ; lui expliquer encore, et mieux. Mais il l'avait plantée là si abruptement qu'elle n'osait plus bouger.

Il n'avait pas refusé sa proposition, mais dans tout ce qu'il avait dit, elle ne pouvait trouver le moindre mot où raccrocher son espoir. Paralysée par l'angoisse, elle attendait de le voir rouvrir la porte pour prononcer sa condamnation en annonçant qu'il emmenait Matthew.

— Non ! lança-t-elle à haute voix.

Elle tentait ainsi de se persuader que Willem, tout implacable qu'il fût, n'était pas l'homme cruel qu'elle avait craint, et qu'elle redoutait plus encore maintenant qu'il avait le pouvoir de briser sa vie. Combien de preuves n'avait-elle pas recueillies à ce sujet ? Fébrile, elle se remémora comment il lui avait proposé une participation pour l'entretien du chien ; à la lumière de ce que lui avait appris Paxton Kane quant aux ressources dont il disposait, il s'agissait là d'un véritable acte d'héroïsme.

Non, Willem ne pouvait pas lui enlever Matthew ; elle sentit son cœur s'alléger un peu de l'angoisse qui l'étreignait.

Puis, en se mordillant la lèvre, elle s'interrogea sur le silence de Willem, quant à son indécente proposition : il ne l'avait pas refusée ; cela signifiait-il qu'il avait l'intention de l'accepter ? Elle eût préféré que non, et se fût même accommodée des moqueries qu'il eût pu proférer en lui représentant à quel point elle était ridicule en s'offrant à lui de cette façon. Elle eût aimé le voir réagir comme un homme bien élevé.

En soupirant, Abigail admit que Willem n'était pas si

bien élevé que cela, et qu'il envisageait de profiter d'elle, comme d'une gouvernante, comme d'une épouse...

Une part secrète de son être, pourtant, se réjouissait obscurément à cette perspective. Elle avait envie de le voir perdre la tête à cause d'elle. Elle désirait percer la carapace de froideur et d'indifférence dont il semblait ne jamais se débarrasser.

Elle voulait exercer sur lui ses pouvoirs de femme.

« Mais il ne me considère pas comme une femme, songea-t-elle, au désespoir. Pour lui, je ne suis qu'une tenancière de pension, et le fait que j'aime son fils comme le mien ne change rien. Il serait d'ailleurs bien sot de ne pas user des privilèges que je lui ai proposés : locataire sans loyer, mari sans responsabilités, qui refuserait de tels avantages ? »

Elle aussi trouvait son avantage dans cet arrangement : outre qu'elle ne perdrait pas Matthew, elle bénéficierait de la sécurité du mariage. Tout irait bien tant qu'elle ne donnerait pas son cœur, et si par la suite il prenait envie à Willem Tremain de s'agréger à quelque nouvelle ruée vers l'or, elle resterait à Guston, avec *son fils* ; c'était tout ce qui comptait.

Willem Tremain n'avait aucun sentiment pour elle ; elle en était tellement persuadée qu'elle ne voulait pas exiger de lui plus que les apparences d'un mariage honnête, dans le seul intérêt de Matthew. Oui, mais un mariage conclu dans de telles conditions pouvait-il encore être qualifié d'*honnête* ? Grimace aux lèvres, elle préféra ne pas approfondir le sujet.

Elle se leva en se disant qu'il lui importait avant tout de ne pas se montrer vulnérable, afin de préserver son bonheur et celui de Matthew ; mais juste à ce moment, son regard tomba sur les deux tasses de café abandonnées sur la table, et aussitôt, elle sentit un nouvel afflux de larmes lui brûler les paupières. Pourquoi, mais pourquoi perdait-elle toujours ses moyens lorsqu'elle pensait à Willem Tremain ?

En reniflant bruyamment, elle débarrassa la table et porta les tasses dans la cuisine ; l'horloge sonnait neuf coups.

Avant de gagner son lit glacé de femme solitaire, elle éprouva le besoin d'aller contempler Matthew qui dormait.

Fantôme noir dans les rues presque désertes, Willem marchait à grands pas. De temps en temps, il croisait un mineur qui le reconnaissait et lui adressait un salut jovial, à quoi il répondait par un regard si terrible que le malheureux s'empressait de disparaître dans la nuit, en se demandant quelle nouvelle folie avait frappé l'Irlandais Noir.

Sans fin, il grinçait des dents, son ressentiment ne s'apaisait pas, et de lancinantes pensées, toujours les mêmes, tourbillonnaient dans sa tête enfiévrée. *Pour qui me prend-elle ? Que cherche-t-elle, au juste ?*

Il s'arrêta soudain dans sa course insensée, s'adossa à un réverbère, et leva le regard vers les étoiles.

Il n'était pas un homme qu'on pouvait qualifier d'éloquent, et il avait toujours beaucoup de mal à trouver les mots nécessaires pour exprimer ses pensées. Moins maladroit, il eût peut-être pu expliquer à Abigail ce qu'il ressentait pour elle, et quels espoirs il nourrissait depuis leur première rencontre. Maintenant qu'il avait exorcisé ses remords quant à Moïra, il éprouvait le désir légitime de mener une vie normale, aussi heureuse que possible. Il avait passé trop d'années solitaires, en compagnie de ses seuls démons ; Abigail et Matthew avaient pour lui les séductions de la Terre Promise.

Il les voulait tous les deux.

Nerveux, il se passa la main dans les cheveux, puis reprit sa marche erratique, qui pouvait le faire passer pour un homme ivre.

Il restait profondément choqué qu'Abigail le crût capable d'accepter l'arrangement qu'elle lui proposait, cette comédie de mariage. Pour lui, l'union d'un homme et d'une femme était une affaire sérieuse, un contrat que seule la mort pouvait déchirer ; même une intention aussi honorable que le bonheur d'un enfant ne justifiait pas qu'on en prît à son aise avec cette institution sacrée. Il résuma son opinion par cette formule lapidaire, lancée à la nuit :

— Un mariage est un mariage !

Après bien des déambulations, il s'aperçut qu'une nouvelle fois ses pas l'avaient ramené, à son insu, devant la pension. Il fit glisser son regard le long de la façade, et vit une lumière briller à une fenêtre du troisième étage : Abigail ne dormait pas.

— Si seulement vous pouviez comprendre ce que j'éprouve pour vous, murmura-t-il. Je préférerais me transpercer le cœur plutôt que de vivre selon les règles que vous me proposez.

Il resta encore longtemps à rêver dans la bise froide, dont il ne ressentait pas les effets ; mais son indignation, peu à peu, se dissipa, et à la fin, il se surprit même à sourire.

— C'est quand même une drôle de femme ! s'écria-t-il.

Il ne parvenait pas à détacher son regard de la fenêtre illuminée, et soudain il éprouva une émotion intense à voir l'ombre d'Abigail se découper sur le rectangle jaune. Retenant sa respiration, il la vit qui levait les deux mains, et l'instant d'après la lourde masse des cheveux dégringolait, presque aussi palpable pour lui que s'il s'était trouvé dans la chambre.

Quand il vit la robe passer par-dessus la tête ébouriffée, son émotion ne connut plus de bornes, et il cria dans la nuit son désir inassouvi, son amour insoupçonné.

Fébrile, il se reprit à penser : vraiment, non vraiment, il ne pouvait se résoudre à épouser Abigail selon les termes qu'elle lui proposait.

La jeune femme retira tous ses vêtements, passa une chemise de nuit.

Willem prit alors une décision : il accepterait l'arrangement proposé, mais seulement pour ménager l'avenir, et avant le printemps, il s'en fit la promesse, Abigail partagerait son lit, non pour honorer les dispositions d'un contrat, mais par amour.

Au troisième étage, la gracile silhouette se pencha sur la lampe, et la fenêtre s'obscurcit.

— Je vous épouserai, Abigail, mais au nom de tout ce que j'ai de plus cher au monde, je jure que vous en viendrez à m'aimer comme je vous aime.

Le petit matin trouva Willem bien éveillé et impatient d'avoir avec Abigail la conversation à laquelle il avait réfléchi une grande partie de la nuit. Il avait médité de nombreux stratagèmes, tous plus astucieux les uns que les autres. Très content de lui, il bâilla à s'en décrocher la mâchoire et s'adonna à une toilette soignée.

Tout sourires, il s'observa dans le miroir, et se trouvant l'œil brillant, il se mit à rire ; Abigail ne se doutait pas de ce qui l'attendait !

Il descendit l'escalier en sifflotant, mais se tut dès qu'il arriva sur les dernières marches, et à pas de loup il fit ses premiers pas sur le tapis du vestibule : dans la cuisine,

Abigail chantonnait. Il l'écouta, et une joie immense l'envahit à la pensée que cette femme serait bientôt son épouse. Chaque matin, il s'éveillerait près d'elle. Ses nuits seraient aussi belles que ses jours ; grâce à elle.

Il reprit sa progression et entra dans la cuisine ; Abigail se retourna vivement pour le regarder venir, avec des yeux écarquillés ; elle attendait sa réponse, c'était évident !

Il lança :

— D'accord, Abigail. Nous nous marierons, pour l'amour de Matthew. Indiquez-moi quel jour vous préférez pour la cérémonie, à l'église.

21.

— A l'église ? balbutia Abigail. Vous voulez vous marier à l'église !

Elle tortura le torchon qu'elle tenait entre ses mains tremblantes.

— Evidemment ! répondit Willem, fort à l'aise. Qu'aviez-vous imaginé ?

Il s'appuya d'une main sur la table du petit déjeuner, où désormais ne figuraient plus que quatre assiettes, et il sourit de toutes ses dents en regardant Abigail, qui se mordait cruellement la lèvre inférieure.

— Je... je n'avais pensé à rien de précis, réussit-elle à énoncer. En fait, si : je m'étais dit qu'il nous suffirait d'aller devant le juge de Silverton pour faire entériner notre mariage ; quelque chose comme cela, quoi !

L'air un peu sévère, Willem secoua la tête :

— Oui, bien sûr, c'est une solution, mais avez-vous songé aux médisances dont vous pourriez être la victime ? Pour vous-même, mais pour Matthew aussi, vous devez vous marier dans les formes, aux yeux de toute la communauté, au cours d'une cérémonie digne de ce nom.

Satisfait de sa démonstration, il scruta le visage de son interlocutrice, pour en deviner les effets.

— Pour Matthew, fit-elle à mi-voix. Oui, je vois bien

ce que vous voulez dire. C'est un fait que les ragots n'auront pas lieu d'être si nous avons aussi un mariage religieux.

— C'est exactement mon avis. J'ai même l'intention de vous acheter une alliance, et d'annoncer notre union dans le journal.

Willem se retint de sourire en voyant les yeux bleu-vert s'écarquiller de surprise. Il les trouva par ailleurs plus verts que d'ordinaire — de vraies émeraudes —, et il se fit la réflexion que jamais auparavant il n'avait remarqué combien ils changeaient de couleur selon l'humeur de la jeune femme.

— Une alliance, murmura celle-ci ; une annonce dans le journal...

Elle s'adossa à la pompe et se passa la main sur le front où perlaient de légères gouttes de sueur.

— Je n'imaginais pas... Je pensais... Tout cela me semble tellement... officiel.

Les premiers rayons du soleil matinal s'infiltrèrent à ce moment par la fenêtre et vinrent frapper ses longs cils qui battaient avec frénésie.

Willem la trouva si belle, si émouvante, qu'il eut envie de lui dire que ce mariage, au contraire, ne lui semblait pas encore assez officiel. Il se sentait capable, lui, de grimper au sommet du clocher pour crier son bonheur à la face du monde, et déclarer aussi, solennellement, qu'il ne se mariait pas par convenance, mais bien par amour.

Cependant, ce genre d'aveu étant prématuré, il s'en abstint, préférant reprendre la discussion sur les bases fixées la veille au soir par Abigail.

— Je n'ignore pas que mon projet est plus contraignant que... — comment disiez-vous ? — qu'un simple *arrangement*. Mais nous devons faire cela, pour Matthew ; surtout depuis que les autres mineurs se sont égaillés aux quatre coins du pays.

252

— Pourquoi ? Je ne vois pas le rapport.

Willem prit le temps de s'asseoir et de se servir une tasse de café. Le déroulement de l'entretien lui plaisait de plus en plus.

— J'ai rencontré Snap, à Silverton. Il sait tout de mon histoire, et je lui fais confiance pour répandre la nouvelle autour de lui...

Il reposa sa tasse, et son regard se fit grave pour demander :

— Voulez-vous tout dire à Matthew, ou préférez-vous me laisser ce soin ?

Il vit Abigail sursauter.

— Lui dire ? répéta-t-elle, hébétée ; mais lui dire *quoi* ? De nouveau, elle se mordit la lèvre.

La passion enflamma Willem, qui regretta à cet instant de ne pas être un poète, pour dire, en mots choisis, toutes les jolies choses que renfermait son cœur.

— Matthew doit être le premier à apprendre notre mariage, dit-il, plus prosaïquement.

Abigail, qui jusque-là n'avait pas du tout pensé à cela, murmura :

— Vous avez raison... Je lui parlerai après le petit déjeuner ; à moins, bien sûr, que vous n'insistiez pour accomplir cette mission.

Willem jeta une crêpe dans son assiette.

— Non, répondit-il tranquillement, je vous laisse ce soin.

Sur ses crêpes, il répandit le sirop d'érable et commença à déjeuner. Entre deux bouchées, il jetait un coup d'œil furtif en direction de la jeune femme, qui, la main sur la pompe comme si elle cherchait dans ce solide objet un tuteur, le regardait avec curiosité et encore un peu d'effroi ; sans doute se demandait-elle si elle n'était pas en train de tomber dans son propre piège. Plus il la regardait, plus il la trouvait belle, et plus il avait hâte de pouvoir la proclamer son épouse.

Le temps, cependant, n'était pas encore venu des épousailles. Il termina son petit déjeuner, et prit le chemin du chantier, où l'attendait un gros travail. Il courut, non parce qu'il était en retard, mais parce que la joie le transportait ; il courut si vite que ses pieds touchaient à peine le sol.

Matthew souriait ! Abigail en conçut naturellement un profond soulagement, mais elle ne put cependant s'empêcher de demander :

— Es-tu bien sûr d'avoir compris, mon chéri ? Je te le répète : je vais épouser Willem Tremain.

Dire qu'elle s'était échinée pendant plus d'une heure sur les travaux ménagers les plus rudes, afin d'évacuer un peu de l'angoisse qui l'étreignait à l'idée de communiquer la grande nouvelle !

— Je suis bien content, lui confirma Matthew. J'aime beaucoup Willem...

Il se pencha pour gratter la tête de Brillant et rit en voyant la patte arrière de cet animal se mouvoir comme la bielle d'une locomotive.

— Faudra-t-il que je l'appelle *papa* ou *Willem* ? demanda-t-il.

Une boule se forma dans la gorge d'Abigail ; elle crispa ses paupières sans pouvoir retenir les larmes qui affluaient pour brouiller sa vision ; devant ses yeux embués flotta l'image de Willem, héros émouvant qui tant d'années avait erré à la recherche d'un enfant perdu, et sur qui elle exerçait une sorte de chantage en l'obligeant à l'épouser pour ne pas perdre le bénéfice de sa longue quête enfin terminée.

254

— Le mieux, c'est que tu lui demandes ce qu'il préfère, finit-elle par murmurer.

— D'accord, mais j'aimerais bien qu'il me permette de l'appeler *papa*.

Sur ce, Matthew décampa pour courir dans la prairie, le chien sur ses talons.

La jeune femme les observa un long moment depuis la porte, puis elle appela :

— Matthew ?

Le garçon interrompit une longue série de culbutes pour la regarder, ouvrant sur elle deux grands yeux très bleus, et d'une forme très particulière ; elle se demanda pourquoi elle n'avait pas plus tôt observé cette ressemblance frappante avec Willem.

— Oui, maman ?

Matthew approchait, le chien sur les talons.

— Voudrais-tu être mon garçon d'honneur, à l'église ?

Elle retint sa respiration pendant que le garçon fronçait les sourcils pour mieux réfléchir à sa proposition. De nouveau, la troublante similitude des expressions entre le père et le fils la frappa.

— En quoi cela consisterait-il, exactement ? s'enquit Matthew, prudent.

— Porter mon alliance et la donner à Willem quand sera venu pour lui le moment de la passer à mon doigt.

— D'accord, maman !

— Très bien. Nous t'achèterons un nouveau costume pour la cérémonie.

Abigail enleva des cheveux de son fils quelques brins d'herbe sèche qui s'y étaient fixés au cours des jeux, puis, pensive, elle reporta son regard sur la prairie ; les arbres perdaient déjà leurs feuilles, et dans la bise matinale claquaient les draps qu'elle venait de pendre.

— Un nouveau costume ? s'exclama Matthew. Si

j'avais su qu'il fallait des vêtements neufs pour ton mariage, je t'aurais trouvé un mari depuis longtemps !

Ce trait d'esprit enfantin déclencha l'hilarité d'Abigail, qui se pencha pour ramasser son panier vide et rentra à l'intérieur de la maison.

Peut-être le mariage avec Willem n'était-il pas une si mauvaise idée que cela, se dit-elle ensuite en vaquant à de menues tâches ; il serait agréable d'avoir quelqu'un avec qui converser au cours des longues soirées d'hiver, pendant que Matthew dormirait. La perspective de cette intimité ne laissait pas pourtant de l'intimider ; rougissante, elle tenta de se rassurer en se disant que tout irait bien tant qu'elle ne se donnerait pas corps et âme à l'homme appelé à partager sa vie. Elle pourrait très bien vivre avec lui dans les parages, et survivrait aisément lorsqu'il partirait, ce qui ne tarderait sans doute pas. La règle, au fond, était simple : entre eux, il ne devait jamais être question d'amour.

« Il risquerait de me briser le cœur, si je m'avisais de le lui donner, songea-t-elle. A moi d'être prudente, donc, et tout se passera bien. »

Willem baissa vivement la tête au moment de l'explosion ; s'abattit sur lui un épais nuage de poussière, qui le couvrit des pieds à la tête d'une fine poussière blanche, tandis que les éclats de roche tombaient autour de lui comme la grêle. La tourmente passée, il sortit de son abri — un simple toit constitué par une roche en surplomb — et regarda vers le sommet de la montagne. Puis il vit Otto qui, pour venir à lui, gravissait la pente aussi vite que le lui permettaient ses petites jambes.

— Bonjour, Otto, dit-il en tendant la main, et partit d'un franc éclat de rire en voyant la mine furieuse de son patron qui n'aimait pas être dérangé au milieu d'une journée de travail.

— Qu'est-ce qu'il y a? demanda ce dernier, en ôtant sa casquette pour la frapper sur sa jambe avant de la remettre en place.

— J'ai besoin de quelques jours de congé.

— Comment? Mais c'est impossible! Nous avons déjà un retard monstrueux. J'ai besoin de toi, Willem. D'abord, ce congé, ce serait pour quoi faire?

— Pour me marier.

Un sourire s'ébaucha alors sur les lèvres minces d'Otto, s'agrandit, et sembla illuminer tout son visage. Puis il souleva sa casquette, et l'envoya tournoyer très haut dans le ciel, tandis qu'il s'écriait :

— Ah, ça, c'est une bonne nouvelle. Prends une semaine, et même plus en cas de besoin; mais à une condition : lorsque tu reviendras, tu travailleras deux fois plus que d'habitude. La neige ne tardera plus à tomber, en effet, et j'aimerais avoir ta promesse que les travaux soient finis au printemps prochain.

— C'est juré! s'écria Willem, ravi.

Les deux hommes se serrèrent la main, qu'ils avaient l'un et l'autre tout aussi calleuse.

— Marié, répété Otto, pensif. Vraiment, je suis bien content...

Il redescendit la colline, non sans cesser de murmurer les réflexions que lui inspirait cette très étonnante nouvelle.

— Qui eût cru qu'une femme oserait unir sa destinée à celle de l'Irlandais Noir?

Willem, qui le regardait rebondir parmi les rochers, riait encore. Il se sentait heureux, plus heureux que jamais auparavant. Tout ce qu'il lui restait à faire, maintenant, c'était de trouver le moyen de prouver sa sincérité à Abigail, et d'amener tout doucement celle-ci à l'aimer.

— Je vais à Silverton. J'ai plusieurs achats à effectuer en prévision du mariage.

Après un long moment de silence, ils avaient pris la parole en même temps, pour prononcer exactement les mêmes mots. Willem sourit de ce prodige, Abigail rougit.

— Parlez le premier, murmura celle-ci, en lissant les dentelles de son corsage.

Elle prit conscience qu'elle avait parlé les yeux baissés, comme si elle se sentait encore intimidée en présence de son futur mari, et s'agaça de sa gaucherie. Elle se força donc à le regarder en face, mais rougit de plus belle.

— Non, Abigail, vous d'abord. Que désirez-vous faire à Silverton ?

Confortablement adossé au canapé, Willem savourait le café pour lui préparé par Abigail, et il trouvait très agréable cet entretien tranquille, dans un salon confortable et si bien entretenu ; dire qu'il en irait de même tous les soirs, au cours du prochain hiver, puis pendant tous les autres ensuite. Vraiment, il avait hâte d'être marié.

— Parlez le premier, reprit Abigail.

Elle n'était certes pas si détendue que lui, et manipulait nerveusement l'anse de sa tasse, au risque de la briser.

— Je me demandais, dit Willem, si vous et Matthew aimeriez m'accompagner à Silverton. J'ai besoin de vêtements neufs, vous vous en doutez ; et puis, je tiens à vous offrir une alliance qui vous convienne.

Abigail rougit derechef et piqua du nez au-dessus de sa tasse comme si elle venait d'y apercevoir une mouche.

— Il ne faut pas, dit-elle.

— Si, il faut ! Je veux faire bien les choses. Nous profiterons de notre passage à Silverton pour passer l'annonce de notre mariage dans le journal ; et si nous avons quelques loisirs, je ferai visiter la ville à Matthew.

— Ce serait agréable, je n'en doute pas. Il faut que j'achète un costume pour Matthew...

Abigail sourit.

— Savez-vous qu'il accepte d'être mon garçon d'honneur?

Willem s'émerveilla des détours que sa vie avait pris pour lui réserver cet immense bonheur : son fils, témoin de son mariage. C'était miraculeux...

Puis aussitôt revint le visiter son cauchemar familier. Il sentit le poing qui lui déchirait la poitrine et se refermait sur son cœur. Maintenant qu'il pouvait envisager une vie heureuse et sereine, il avait peur qu'un événement imprévu ne vînt tout gâcher et le rejeter sur les routes de la solitude. Chassant ces pensées affreuses, il se jura que rien, jamais, ne viendrait s'interposer entre lui et Abigail.

Il se pencha pour poser sa tasse sur la table au moment où Abigail esquissait le même mouvement; leurs doigts s'effleurèrent. A ce contact, il sentit ses chairs s'embraser.

Lentement, ils se tournèrent l'un vers l'autre, et se regardèrent comme s'ils se voyaient pour la première fois.

— Abigail...

Willem se pencha pour esquisser une caresse sur la joue de la jeune femme; elles étaient douces et lisses comme le marbre, et presque aussi froides sous ses doigts.

Il devait l'embrasser; ce n'était pas un plaisir qu'il désirait s'offrir, mais une démarche essentielle qu'il devait accomplir maintenant. Avec une lenteur due autant à sa propre timidité qu'au nécessaire tact dont il devait faire preuve en ce moment délicat, il se pencha sur les lèvres d'Abigail.

Il la sentit sursauter, mais elle ne se déroba pas. Il lui

donna un baiser passionné mais pourtant plein de réserve ; elle entrouvrit les lèvres, et il s'aventura plus avant ; elle gémit, mais il ne savait pas si c'était de plaisir ou de gêne. Quant à lui, il se sentait pris d'un tel désir qu'il tremblait de tous ses membres.

Soudain, elle s'arracha à lui et glissa à l'extrémité du canapé.

— Willem... je... nous..., bégaya-t-elle.

Du bout des doigts elle toucha ses lèvres, comme pour en vérifier l'intégrité après un acte si audacieux, puis elle reporta sur lui son regard brouillé, mais brillant de passion. Cette vision le combla d'aise.

— Je me suis oublié, murmura-t-il en guise d'excuse.

Il se leva pour arpenter le salon, pour s'éloigner surtout, car sa tentation était forte de se précipiter sur la jeune femme pour lui soulever les jupes et la prendre sans autre forme de procès. N'était-il pas un homme sortant d'un long célibat, et cela ne lui donnait-il pas certains droits sur la femme qu'il devait épouser ?

Pourtant, l'homme de cœur vainquit le prédateur, et ce fut d'une voix calme qu'il déclara, sur le seuil du salon qu'il s'apprêtait à quitter :

— Je vous verrai demain au lever du soleil. Dormez bien, Abigail.

Au moment où il se retournait pour prendre la direction de l'escalier, il entendit :

— Bonne nuit, monsieur Tremain.

Il pivota de nouveau :

— N'étions-nous pas convenus de nous appeler par nos prénoms ? Cela me semble encore plus nécessaire, maintenant que nous sommes fiancés.

— Bonne nuit, Willem, reprit Abigail, comme une écolière s'efforçant de bien répéter sa leçon.

260

22.

Matthew avait l'air bien triste en abandonnant son ami, et Willem s'agenouilla devant lui pour le consoler et le rassurer :

— Lars prendra bien soin de Brillant pendant que nous serons partis.

Il posa sa main sur l'épaule du garçon, et ressentit une grande émotion quand celui-ci tourna vers lui de grands yeux bleus à l'éclat terni par la peine.

— Je sais bien, dit le garçon ; j'espère qu'il ne se sentira pas trop seul, sans moi.

Bravement, il essaya de sourire.

« Dieu que j'aime cet enfant ! » se dit Willem, qui avait grand-peine à retenir ses larmes.

— Bien sûr qu'il se sentira seul, répondit-il. Toi aussi tu te demanderas souvent ce qu'il est en train de faire, alors que tu seras si loin de lui ; mais notre absence ne durera pas trop longtemps, je te le promets.

Il attira Matthew contre lui et le serra très fort.

— Où est ta maman ? demanda-t-il encore.

— Dans la cuisine ; elle finit de préparer les repas de Lars, répondit Matthew, en levant les yeux au ciel, comme si cet excès de précaution l'excédait.

Willem se mit à rire et proposa :

— Va jouer encore un peu avec Brillant, pendant que je vais voir où ils en sont, tous les deux.

Il se releva et rentra. Accueilli par une chanson douce chantée par une voix féminine, ainsi que par la bonne odeur des mets accommodés, il se dirigea vers la cuisine, en se disant que cette maison lui réservait plus d'amour et de bonheur qu'il ne l'imaginait ; comme chaque fois qu'il pensait à Abigail, son cœur se mit à battre plus vite.

Abigail... Bientôt, elle ne serait plus, ni Mme veuve Cooprel, ni son hôtesse, ni la mère de Matthew. Elle serait, simplement, pour toujours, sa femme.

Il ne se lassait pas de se le répéter, et c'était pour lui un bonheur si intense qu'il dut s'arrêter et s'appuyer au comptoir, le temps de se ressaisir. Il avait craint de s'écrouler au milieu du vestibule !

Ingambe de nouveau, il marcha jusqu'à la cuisine.

Sa respiration se bloqua dans sa poitrine lorsqu'il aperçut Abigail ; très élégante avec un grand chapeau à larges bords, et coiffée, semblait-il, avec un soin tout particulier en prévision du voyage vers la grande ville, même si une mèche, malgré tout, avait réussi à s'échapper et battait joliment sur sa joue au même rythme que la grande plume bleue fichée dans le ruban du chapeau.

Abigail s'arrêta de chantonner et se retourna pour fixer son regard sur Willem arrêté sur le seuil, tandis qu'elle-même hésitait à esquisser le moindre mouvement depuis qu'elle le savait là. A chacune de leur rencontre, cette gêne les prenait, et pendant un moment, désemparés, ils ne savaient plus que dire ni que faire.

Willem finit par balbutier :

— Matthew m'a appris que vous étiez ici...

Il la trouvait belle, très belle, et comme souvent se demandait par quelle aberration il avait pu la juger ordinaire. N'avait-il pas besoin de lunettes, comme Paxton

Kane ? A moins, bien sûr, que ses facultés mentales n'eussent été pendant quelque temps amoindries, auquel cas l'opticien de Silverton ne pouvait lui être d'aucune utilité.

— Etes-vous prête, Abigail ?

— Oui. Je m'assurais seulement que Lars aura assez de repas à réchauffer pendant notre absence. Tout me semble en ordre. Nous pouvons y aller.

La main de la jeune femme tremblait légèrement lorsqu'elle prit son réticule abandonné sur la table de la cuisine, pour en passer le cordon autour de son poignet. Elle portait une robe écossaise aux motifs bleus, jaunes et rouges, ornée sur le devant d'un plastron en dentelle bien amidonné.

— Matthew fait ses adieux à son chien...

Willem ne pouvait détacher son regard de la gracieuse silhouette, et il soupira :

— Abigail, jamais je ne vous ai vue si... gracieuse... Je...

Il bégayait comme un écolier n'ayant pas appris sa leçon, ce qui ne l'empêcha pas de constater le léger sourire que provoquait son compliment, sourire accompagnant la plus charmante des rougeurs.

— Merci, lui dit Abigail. Je vais encore saluer Lars avant notre départ.

Elle glissa devant Willem, qui la suivit dans le vestibule, afin de ne pas se priver du délicieux spectacle d'une jeune femme escaladant les marches de l'escalier, spectacle d'autant plus intéressant qu'il lui permettait de dérober l'image d'une, voire parfois deux, chevilles. Il se tordit le cou pour la voir aussi loin que possible, soupira à fendre l'âme lorsqu'il la vit disparaître dans le couloir du premier étage, et se dit avec une petite grimace satisfaite qu'il était bel et bien amoureux.

✲✲

Le front collé à la vitre de l'étroite lucarne ménagée dans la portière de la diligence, Abigail admirait les flancs des montagnes vêtus d'or et de pourpre. Tout en inspirant à pleins poumons l'air froid de l'automne aussi grisant qu'un alcool fort, elle procédait au bilan des derniers mois : à cette période, normalement, tous les mineurs quittaient sa maison pour s'en aller chercher fortune ailleurs ; cette année, il en était resté un, en compagnie de qui elle se préparait à changer de vie. Comme chaque fois qu'elle pensait à Willem Tremain, elle ne put réprimer un léger tremblement de ses mains et de ses lèvres.

— Avez-vous froid ? lui demanda aussitôt Willem, assis en face d'elle.

— Non, répondit-elle. Pourquoi me posez-vous cette question ?

— C'est qu'il m'a semblé vous voir trembler.

Willem avait le sourcil froncé, tandis que, penché vers elle, il l'examinait avec attention comme s'il essayait de formuler un diagnostic médical. Avait-il la moindre idée des tourments qui agitaient son cœur ? Sans doute pas...

A se trouver dans cette diligence en sa compagnie, elle éprouvait une angoisse comparable à celle connue autrefois, alors que toute jeune fille elle s'était aventurée sur la glace trop fragile d'un lac, au début de l'hiver. Impatiente de goûter aux joies du patinage, elle s'était élancée jusqu'au milieu de la vaste surface, et en s'arrêtant elle avait perçu les premiers craquements, sinistres. D'abord, elle n'avait pas osé bouger, puis, le bruit s'amplifiant, elle avait repris la direction de la rive, à tout petits pas, en tâchant de se faire aussi légère que possible, craignant à chaque instant de se voir engloutie par les eaux glaciales.

La voix de Matthew la tira de ses souvenirs.

— Où habiterons-nous, à Silverton ?

— Au Grand Hôtel, répondit Willem. J'ai entendu dire que c'était le meilleur.

— Le Grand Hôtel ? s'exclama Abigail.

— Oui ; en auriez-vous préféré un autre ?

— Non... non. Non ; j'avais pensé... en fait, je ne sais pas.

Sur cette suite de mots sans signification, et si laborieusement prononcés, Abigail préféra s'interrompre.

— Nous aurons des chambres séparées, affirma Willem. Croyez-moi, vous ne regretterez pas votre séjour...

Il se tourna vers Matthew.

— Et toi, aimerais-tu avoir une chambre aussi ?

— Une chambre pour moi tout seul ?

Abigail crut nécessaire de tempérer l'enthousiasme du garçon.

— Je crois que ce ne serait pas raisonnable ; trop cher. Je suis sûre que tu seras très bien dans ma chambre.

— Ecoutez, Abigail, intervint Willem. Je serai ravi de consacrer au bonheur de Matthew une petite partie des sommes économisées depuis que je n'ai plus à payer l'agence Pinkerton. Ne croyez pas que je sois totalement indigent !

Abigail trouva frappante, et assez inquiétante, la façon très rapide avec laquelle Willem était passé de la plus extrême gentillesse à une véhémence qui laissait mal augurer des futures colères qui pourraient le prendre lorsqu'ils seraient mariés. Les sourcils encore froncés, et le regard bleu très assombri, il jeta sur elle un long regard chargé d'un ressentiment injustifié — après tout, elle n'avait eu d'autre but que de lui être agréable —, puis d'un mouvement brusque de la tête, se détourna vers la fenêtre. Le surnom d'Irlandais Noir, songea-t-elle avec anxiété, n'était peut-être pas aussi immérité qu'il voulait bien le proclamer.

— Vous ferez ce que bon vous semblera, murmura-t-elle, désireuse de clore l'incident au plus vite.

Elle se rencogna dans l'ombre de la diligence, et soupira en se disant que son mariage risquait d'être houleux.

Evidemment, Abigail était de nouveau fâchée contre lui. Willem s'arracha à la contemplation du paysage, et s'adossa au bois de la banquette. Les bras croisés et la bouche encore un peu pincée, il se fit la réflexion qu'il lui faudrait sans doute beaucoup de temps pour deviner ce qui plaisait ou déplaisait à Mme Cooprel.

Il avait cru lui plaire en lui offrant de séjourner dans le meilleur hôtel de Silverton et en permettant à Matthew de disposer d'une chambre. Eh bien, il s'était encore trompé! Il soupira de tristesse. La perspective de ce voyage à Silverton l'avait beaucoup réjoui par avance, mais si Abigail avait l'intention de lui infliger une rebuffade à chacune de ses attentions, l'expérience risquait d'être très pénible pour tous.

Il ferma les yeux et fit semblant de dormir pour réfléchir plus à son aise ; mais la proximité d'Abigail lui brouillait les idées. Plusieurs fois, il s'agita sur la banquette inconfortable, pliant ou étendant les jambes dans l'espoir de trouver la position idéale, mais c'était pour lui une véritable torture que de se sentir comprimé dans un espace aussi étroit, en compagnie de la jeune femme. Chaque fois qu'il l'effleurait, chaque fois même que le frôlait la robe écossaise, il sentait remonter de quelques degrés un désir qui ne le quittait plus depuis quelque temps, un désir qui tournait à l'obsession.

Il souleva les paupières pendant une fraction de

266

seconde pour regarder Abigail ; elle cherchait à se cacher de lui, et les larges rebords du chapeau lui dérobaient de surcroît une grande partie du visage. Il pouvait malgré tout admirer la bouche pleine et sensuelle, ainsi que, par moments, les battements des cils.

Intéressé, il changea encore une fois de position pour trouver celle qui lui permettrait de s'adonner le plus facilement à son exercice d'observation. C'est ainsi qu'il lui sembla déceler un sourire, tout juste indiqué par un étirement des commissures ; un sourire néanmoins. Il s'interrogea sur l'origine de ce sourire — en était-il la cause ? — puis nota de nouveau la présence de la longue mèche qui barrait la joue.

A ce moment la diligence sursauta sur un cassis et tous les voyageurs furent soulevés avec une grande violence. Matthew éclata de rire, tandis qu'Abigail était précipitée contre Willem.

— Mon Dieu ! s'écria-t-elle, en essayant de retrouver son équilibre.

Elle n'y parvint pas, et sans les mains de Willem solidement ancrées à ses épaules, elle se fût étalée de tout son long sur le plancher de la diligence.

— Pas trop de mal ? demanda-t-il.

— Je ne pense pas, non.

— Parfait.

Il sourit en songeant qu'il lui eût été facile de proposer un nouveau baiser, là, maintenant que leurs visages se trouvaient à quelques pouces l'un de l'autre, baiser d'autant plus facile à donner que la jeune femme se trouvait dans l'impossibilité de s'y soustraire.

— Willem, je...

Incapable de résister davantage, il lui donna le baiser tant rêvé. Vu les circonstances — Matthew se trouvait là —, ce fut juste un effleurement des lèvres, pendant une fraction de seconde seulement, mais cela suffit pour que Willem ressentît dans sa poitrine un choc comparable à une explosion.

— Prochain arrêt : Silverton !

La voix du cocher leur parvint comme au travers d'un brouillard épais. Vite, ils reprirent leur place, comme s'ils craignaient d'être pris en faute.

Willem portait les valises jusqu'au troisième étage du Grand Hôtel ; loin devant, en éclaireur, courait Matthew, qui s'extasiait à toutes les merveilles qu'il découvrait, mais il avait beaucoup de peine à écouter ce qu'il lui disait, toute son attention étant requise par les mouvements de la gracieuse silhouette écossaise qui marchait juste devant lui.

— Nous y sommes, dit-elle.

Elle s'arrêta brusquement, et Willem, surpris, la heurta. Il toussota et, gêné, regarda autour de lui comme s'il se demandait où il était.

Abigail introduisit la clé dans la serrure et ouvrit la porte. Elle entra, le chapeau joliment posé de guingois sur sa tête, et avec toujours sa longue mèche qui lui barrait la joue.

Béat, Willem souriait.

— Vous pouvez poser les valises, maintenant, déclara Abigail.

Il obtempéra en se demandant depuis combien de temps il se tenait sur le seuil, immobile, ses bagages à la main.

Matthew avait déjà tout vu dans la chambre. Posté à la fenêtre, il commentait maintenant le spectacle de la rue.

— Si nous voyions ta chambre, maintenant ? lui dit Abigail.

Elle se dirigea vers une porte, dont elle tira le verrou. A peine avait-elle ouvert, que Matthew se précipitait dans l'autre pièce, pour aussitôt pousser de nouveaux cris de ravissement.

La joie de l'enfant réjouissait le cœur de Willem. Il se sentait non seulement heureux, mais accompli : sa vie avait enfin un sens.

— J'ai pris mes dispositions pour que nous puissions dîner dans la salle à manger, annonça-t-il.

Abigail revint de la chambre de Matthew et passa la tête dans l'entrebâillement de la porte. Comme dans la diligence, elle avait ce regard sévère si déconcertant ; mais Willem décida qu'il ne lui donnerait pas le temps d'exprimer la moindre réserve ; c'était son bonheur qu'il défendait.

Il enjamba les valises. En trois pas, il franchit la distance qui les séparait. Il la prit par les épaules. Il l'entendit gémir doucement, ce qui accrut sa détermination.

— Abigail, je...

Il se pencha sur elle et lui baisa les lèvres ; pas comme dans la diligence. Il délivra cette fois un baiser presque brutal, et sans vergogne il força le barrage des dents. Ravi, il entendit un nouveau soupir, mais Abigail ne se déroba pas. Certes, elle ne rendit pas le baiser, ainsi qu'il l'avait espéré, mais au moins ne rejetait-elle pas le sien.

Quand il mit fin à sa tendre agression, Abigail garda encore les yeux fermés. Il sourit en lui voyant les joues plus rouges, tandis qu'elle respirait avec difficulté. Elle souleva les paupières, et battit des cils comme si elle sortait d'un long sommeil.

— Je passerai vous prendre à 18 heures, dit-il.

Il déposa encore un baiser, sur le front cette fois, et sortit très vite de la chambre.

Dans le couloir, il ne put résister au désir d'un entre-

269

chat, et il souriait encore lorsqu'il parvint au rez-de-chaussée, où se trouvait sa chambre.

— Abigail, murmura-t-il en ouvrant sa porte, ce mariage ne sera pas une union d'opérette, croyez-moi !

23.

En entrant, Abigail jeta un coup d'œil circulaire sur la grande salle à manger ; beaucoup de clients s'y trouvaient déjà attablés, dans la lumière jaune dispensée par une immense suspension aux pendeloques de cristal ; le joyeux brouhaha, mélange de conversations à peine chuchotées et de vaisselle cliquetante, lui frappa agréablement les oreilles. Elle admira comme il convenait la pièce maîtresse de l'endroit : un bar capable d'accueillir plus de cinquante clients, véritable monument de bois sculpté, derrière quoi un miroir reflétait toute l'agitation, et en quelque sorte la faisait paraître plus importante encore.

Plusieurs mineurs entrèrent derrière elle et avec de grands éclats de rire s'immergèrent dans la foule. Il semblait que la majeure partie de la population locale fût rassemblée là, dans cet hôtel qui constituait une petite ville à lui tout seul : non seulement plusieurs boutiques y étaient installées, mais l'administration y louait plusieurs pièces, et le tribunal y tenait ses sessions.

— Est-ce que nous t'avons manqué ?

La petite voix, derrière elle, arracha Abigail à son exercice d'observation. Elle se retourna, pour accueillir Matthew, dont le visage épanoui se fendait d'un large sourire, d'une oreille à l'autre.

— Bien sûr que vous m'avez manqué, répondit-elle. Où étiez-vous, tous les deux ?

Elle jeta un bref coup d'œil en direction de Willem, très élégant dans des vêtements qu'elle ne lui avait jamais vus, et les cheveux soigneusement lissés ; lui aussi souriait, mais de manière plus retenue, comme s'il méditait une bonne farce.

Très mystérieux, Matthew chuchota :

— Nous avions un achat important à effectuer...

Il se tourna vers Willem, et lui secoua la main.

— ... N'est-ce pas ?

— Oui, confirma celui-ci, qui ramena alors devant lui la main qu'il avait gardée derrière son dos depuis son arrivée, et produisit un gros bouquet de fleurs, qu'il déposa sur la table, devant Abigail.

— Pour moi ? demanda-t-elle.

Elle se trouva soudain mal assise et chercha une position plus confortable ; plusieurs convives, aux tables voisines, observaient son manège, et elle n'aimait pas cela du tout, même si plusieurs femmes, lui semblait-il, la considéraient avec un brin d'envie, n'ayant pas la chance de recevoir, elles, de jolis présents offerts par les messieurs assez sinistres assis en face d'elles.

— C'est Willem qui a eu l'idée, s'empressa d'expliquer Matthew. Il a pensé qu'elles te plairaient. Profites-en bien, car l'hiver sera bientôt là, et tu n'en verras plus jusqu'au printemps...

Il réfléchit quelques secondes avant d'admettre :

— En plus, elles sont beaucoup plus jolies que celles que je cueille dans le pré.

— Mon chéri ! s'exclama la jeune femme ; tu me rapportes toujours des bouquets magnifiques...

Elle prit le bouquet, enleva délicatement le papier qui les entourait, et les porta à son visage pour en respirer les suaves effluves.

272

— Celles-ci sont très belles aussi, et elles sentent bon ; merci, à tous les deux.

Un moment de gêne s'installa ensuite, pendant que Willem et Matthew prenaient place à table. Ils se regardèrent sans mot dire, affectèrent d'observer l'agitation autour d'eux, méditèrent sans doute de proférer quelque banalité sur l'agitation ambiante, mais s'en abstinrent. Heureusement, un serveur accourut à leur secours.

— Voudriez-vous consulter la carte ?

— Oui, oui, bien sûr, s'empressa de répondre Willem.

Il se leva encore pour installer mieux Matthew, le rapprocher de la table et lui déposer la serviette sur les genoux.

Pendant ce temps, Abigail parcourait avec application le grand feuillet déposé entre ses mains par le serveur, mais, fait curieux, elle ne comprenait pas un traître mot de tout ce qu'elle lisait.

— Avez-vous faim, Abigail ?

— Oui, bien sûr, dit-elle, en abaissant un tout petit peu le fragile rempart de papier.

Elle trouvait la chaleur bien accablante dans cette salle bondée, alors qu'au moment d'entrer elle avait été au contraire saisie par la fraîcheur du lieu. Si seulement elle n'avait pas eu la malencontreuse idée de porter cette robe de serge bleue, au col montant jusqu'à son menton !

— Vous êtes particulièrement séduisante, ce soir.

Insensible à son trouble, Willem se lançait dans les compliments, et comme si cela ne suffisait pas, il se penchait par-dessus la table pour effleurer sa main ; impossible de la retirer, bien sûr, surtout sous le regard de cette dame âgée, sur la droite, qui semblait n'être venue là que pour la surveiller.

— Merci, balbutia-t-elle. Vous êtes très bien aussi.

Elle quêta un peu de réconfort dans le regard de Matthew, naïf et émerveillé ; ce petit nageait littéralement dans le bonheur, et le mariage projeté ne lui causait aucun souci, bien au contraire.

— Etes-vous prêts à commander ?

Le serveur avait brusquement surgi sur sa gauche, et elle s'aperçut alors qu'elle était incapable de lancer, au hasard, le nom d'un plat qui eût retenu son attention ; son menu rédigé en chinois, elle n'eût pas été plus désorientée.

— Oui ? lui dit Willem, attentif.

— Commandez pour moi, je vous en prie.

Willem sourit : la suggestion semblait lui plaire ; auprès du serveur, il s'enquit de la qualité du rosbif, et sur l'assurance que celui-ci « était exceptionnel », il en commanda trois parts.

Inconséquente, Abigail regretta de s'en être remise à lui, car elle ne voulait pas lui donner l'impression — désastreuse — qu'il pouvait décider de tout pour eux deux, sans la consulter. Elle résolut de se surveiller dorénavant, et de toujours faire valoir son point de vue, même si elle n'en avait pas.

— Willem et moi, nous avons une surprise pour toi, demain, lui dit Matthew, qui s'agitait sur sa chaise comme s'il était assis sur des charbons ardents.

Elle sourit et se pencha vers lui.

— Ah, oui ? de quoi s'agit-il ?

— Oh, je n'ai pas le droit de te le dire, puisque c'est une surprise ; une très jolie surprise.

Comme le garçon adressait un clin d'œil de connivence à son complice muet mais ravi, elle frissonna d'angoisse : la dernière fois qu'ils avaient comploté, tous les deux, elle s'était retrouvée prise au piège du pique-nique. Elle scruta le visage de Matthew pour y déceler une indication, manège qui par ailleurs avait l'avantage de la soustraire au regard de Willem : lui aussi semblait avide de capter son attention ; dans quelle intention ? L'estomac noué, elle éprouva la tentation de fuir pour trouver refuge dans sa chambre ; le repas n'avait même pas commencé !

— En sortant de chez le fleuriste, lui dit Willem, j'ai rencontré un prospecteur, un vieil ami perdu de vue depuis quelque temps.

— Ah oui ? c'est très intéressant, murmura-t-elle en chiffonnant sa serviette.

— Il m'a appris que la première tempête de neige s'était abattue sur les hauteurs, pas plus tard que la nuit dernière.

Alarmée, Abigail se redressa.

— Mon Dieu ! Combien de temps faudra-t-il pour que l'hiver nous atteigne ?

Si la neige, en effet, recouvrait le pays, le retour vers Guston, sur l'autre versant de la montagne, deviendrait une expédition risquée ; il faudrait munir de chaînes les roues de la diligence, afin de ne pas verser dans les précipices, mais ces précautions n'empêchaient pas les nombreux accidents qui endeuillaient la piste à la mauvaise saison.

— Dans deux jours, pas avant, lui affirma Willem.

Il observait toujours son visage avec la plus grande attention : décidément, il avait quelque chose d'important à lui communiquer, mais il hésitait.

— Cela signifie-t-il que nous serons obligés d'écourter notre séjour ? demanda-t-elle, sans trop savoir si elle devait se réjouir de cet imprévu, ou s'en affliger.

De toute façon, Willem ne devait plus la quitter d'une semelle, et donc l'avoir auprès d'elle à Guston plutôt qu'à Silverton ne changeait rien à l'affaire. Elle frissonna.

— Vous avez froid ? lui demanda-t-il.

Il l'épiait donc sans cesse !

— Non, répondit-elle. Je pensais.

De nouveau, le serveur arriva fort à propos, avec un large plateau qu'il déposa sur une petite table adjacente. Devant la jeune femme, il plaça une assiette chargée de mets savoureux — dont une énorme tranche de rosbif agrémentée de légumes —, avant de se déplacer pour rendre le même service à Willem, puis à Matthew.

— Cela sent très bon, déclara ce dernier en se penchant sur son repas.

— Oui, lui répondit Willem, mais cela ne vaut sans doute pas les préparations de ta maman.

A ce compliment, Abigail ressentit une joie simple et vraie. Il lui plaisait de savoir, même si elle restait consciente de sa vanité, que Willem appréciait ses talents de cuisinière.

— Merci, dit-elle simplement.

La fourchette en main, Willem lui rendit son sourire ; très beau, et toujours un peu inquiétant, il avait tout à fait l'air d'un tentateur surgi des ténèbres pour l'éprouver ; avec son charme, indéniable, il serait difficile de lui résister.

Les yeux baissés sur son assiette, dont elle hésitait à attaquer le contenu à cause de la grosse boule qui lui obstruait la gorge, elle allait se marier quoi qu'il advienne mais, se jura-t-elle, elle resterait toujours sur ses gardes, ne céderait pas à Willem plus qu'il ne serait nécessaire, et surtout, surtout ! ne lui donnerait jamais son cœur.

Ouvrant la fenêtre pour jeter dans la rue encore grise son premier regard du matin, Abigail sut, dès la première goulée d'air inspirée, que l'hiver s'installait pour de bon. Elle s'était levée très tôt, afin d'être prête quand Matthew se réveillerait : elle avait l'intention de l'emmener dans la meilleure boutique de Silverton, afin de lui choisir un joli costume pour la cérémonie du mariage.

Au coup discret frappé à sa porte, elle fronça les sourcils, et alla ouvrir en se demandant qui se permettait de la déranger si tôt.

Débarbouillés et équipés de pied en cap, Matthew et Willem la saluèrent d'un sourire, sans mot dire.

— Bonjour, leur dit-elle, interloquée.

— Nous sommes prêts, maman !

— Prêts ? Pour quoi faire ?

Elle trouvait étrange cette conversation sur le pas de sa porte, avec son propre fils, comme si elle avait affaire à un étranger qu'elle hésitait à laisser entrer.

— Tu sais bien que Willem et moi t'avons préparé une surprise. Je te l'ai dit hier soir.

Le petit garçon se glissa sous son bras qui tenait la porte entrouverte, et il traversa la chambre pour courir à la fenêtre.

Assez renfrognée, Abigail se tourna vers Willem pour recevoir de lui quelque explication ; ces manigances dans lesquelles il entraînait son fils lui déplaisaient de plus en plus. Comme il ne répondait pas, elle lança acidement :

— Que se passe-t-il encore ?

— Matthew et moi avons été très occupés, hier soir, lui répondit-il d'un air dégagé. Nous ne nous sommes pas contentés d'acheter des fleurs.

— Vraiment ? Et que nous avez-vous concocté, cette fois ?

Willem toussota pour ménager son effet :

— J'ai eu un entretien avec le juge. Toutes les dispositions sont prises.

— Les dispositions...

Abigail dut se cramponner au chambranle. Elle hésitait à comprendre.

— Quelles dispositions ?

— Eh bien, pour le mariage ! Il nous attend.

— Mais qui nous attend, à la fin ?

Elle s'exaspérait de plus en plus à ces mystères qui n'en finissaient pas ; pourquoi ne révélait-il pas, une bonne fois pour toutes, ce qu'il avait en tête ?

La réponse lui vint de Matthew.

— Le juge, maman !

Il accourut vers elle pour lui prendre la main, et la tirer vers la sortie.

Elle résista et s'exclama :

— Enfin, Matthew, à quoi joues-tu ?

— Je t'emmène chez le juge, maman. Willem vient de te dire qu'il nous attendait.

Willem reprit la parole :

— Abigail, j'ai pris en effet toutes dispositions pour que nous soyons mariés ici, à Silverton. Pourquoi attendre d'être revenus à Guston, en effet ? Puisque nous sommes décidés l'un et l'autre...

— Comment ? Je...

Elle ne savait plus où elle en était, et multiplia les questions rituelles :

— Pourquoi ? Quand ?

— Je vous l'ai dit : tout de suite.

— Oui, mais...

Matthew la tirait toujours, et d'un regard sévère, elle lui ordonna de cesser.

— Voyons, nous ne sommes pas prêts !

— Détrompez-vous, lui répondit Willem. Matthew et moi nous sommes occupés de tout, hier soir...

Il la regarda avec plus d'intensité, et sa voix faiblit quelque peu :

— Vous n'avez pas changé d'avis quant à notre *arrangement*, au moins ?

278

Il échangea un regard inquiet avec Matthew, lui-même fort déconcerté depuis qu'il s'était fait rabrouer.

— Bien sûr que non : je n'ai pas changé d'avis, jeta Abigail.

Comment eût-elle pu : l'idée venait d'elle !

— C'est bien ce que je disais, reprit Willem dans un regain d'entrain. Nous n'avons aucune raison de tergiverser. D'abord, pourquoi restons-nous là à discuter, au lieu de prendre le chemin du tribunal ?

A contrecœur, Abigail ferma sa porte, et le petit groupe — la petite famille ? — s'engagea dans le couloir.

— Je croyais que vous vouliez un mariage religieux, s'étonna la jeune femme.

— C'est vrai, mais les circonstances nous pressent : ainsi que je vous l'ai dit hier soir, la neige ne tardera pas à rendre les communications très difficiles. D'autre part, je tiens à couper court à toutes les rumeurs malveillantes qui pourraient courir à propos de notre escapade ici.

— Je suppose que vous avez raison, murmura Abigail, vaincue. Allons nous marier, puisqu'il le faut.

— Oui.

Abigail sentit ses genoux se dérober sous elle, tandis que Willem lui tenait fermement la main, pour passer à son doigt l'alliance symbolisant leur union. Instinctivement, elle se tourna vers lui ; penché plus que nécessaire, concentré sur la tâche à accomplir, il avait une expression indéfinissable.

— Eh bien, voilà ! Jeunes gens, vous êtes désormais unis pour le meilleur et pour le pire...

Le juge, petit homme chauve à la grosse moustache, se permit un clin d'œil aux limites de l'égrillard :

— Le marié doit maintenant embrasser la mariée.

Ce baiser de pure forme, décida Abigail, ne lui ferait aucn effet, puisque le mariage n'était qu'un *arrangement* imaginé pour elle par Lars, afin d'assurer ses droits sur Matthew ; ce baiser, au fond, ne signifiait rien.

Elle reconnut la fausseté de son pieux mensonge à l'instant même où Willem se pencha sur elle pour se conformer aux indications du juge ; les impressions qu'elle retira du baiser l'étonnèrent par leur intensité. Confuse, vulnérable, mais aussi déçue de ne pas recevoir plus, elle se laissa enlacer, et s'adonna sans retenue à un exercice qui la ravissait et l'effrayait à la fois.

Willem lui rendit sa liberté et recula d'un pas en la regardant avec adoration, comme si elle était pour lui la personne la plus précieuse au monde, comme si vraiment il prenait au sérieux les serments qu'ils venaient d'échanger. Il semblait étonné lui aussi, un peu gauche, et assez émouvant. Voilà qu'il se tordait les doigts, geste de détresse qu'elle connaissait bien pour le pratiquer souvent, surtout depuis quelque temps.

Il n'en fallait pas plus pour faire fondre en elle toutes ses préventions.

— Madame Tremain, lui demanda-t-il, pouvons-nous aller maintenant fêter nos épousailles comme il convient ?

A cette annonce, Matthew bondit de joie et poussa quelques cris peu convenables dans l'enceinte austère du tribunal. Il s'attira aussitôt un regard sévère d'Abigail, qui se tourna ensuite vers Willem :

— Fêter ? balbutia-t-elle. Pourquoi fêter ?

La tête lui tournait ; tant d'événements s'étaient produits en si peu de temps qu'elle ne s'y retrouvait plus. Faisant tourner autour de son doigt l'alliance dont le poids lui semblait si lourd, elle avait du mal à se persuader que de Mme *veuve* Cooprel elle était devenue Mme Tremain tout court. D'autre part, le goût du baiser

280

échangé à l'instant avec Willem — son *mari*, donc — continuait de la perturber.

— Oui, lui apprit Willem. Un repas nous attend dans la salle à manger de l'hôtel.

Il semblait si timide en lui rapportant ce nouveau témoignage des largesses dont il était capable, qu'enfin elle consentit à sourire ; après tout, la vie avec un homme comme celui-là ne serait peut-être pas aussi dure qu'elle avait bien voulu le croire. Peut-être s'y ferait-elle même très bien.

Matthew, qui après la réprimande de sa mère avait pendant quelques secondes rongé son frein, n'y put tenir plus longtemps. Sur un nouveau cri, et fort aigu, il se précipita dans les bras de Willem, qui le saisit sous les bras et le fit tournoyer.

Pourquoi ne parvenait-elle pas à partager cette joie ?

— Allons donc fêter ce grand jour, dit-elle, en se forçant à sourire.

Elle tendit la main à Matthew et retint un instant sa respiration quand Willem lui passa un bras derrière le dos pour enserrer sa taille.

Décidément, le cœur n'y était pas. Que lui manquait-il pour être tout à fait heureuse ?

Main dans la main, ils consacrèrent tout leur après-midi à une longue promenade dans Silverton et les environs. Willem eut à cœur de montrer à Matthew une portion de route, particulièrement difficile, qu'il avait aidé à ouvrir dans la montagne, à grand renfort d'explosifs. A la fin de la journée, le garçon était si fatigué qu'il gagna son lit sans élever la moindre protestation, et comme Abigail hésitait à le laisser seul dans la chambre du troisième étage, Willem engagea une jeune servante de l'hôtel pour veiller sur lui.

Abigail sourit et ouvrit les dents sur le morceau de gâteau au rhum que Willem voulait introduire dans sa bouche. La petite voix de sa raison lui représenta qu'elle se livrait à des jeux qui eussent mieux convenu à une écolière, mais pour une fois elle la fit taire, et afin de bien lui montrer que ce soir elle avait décidé de n'en faire qu'à sa tête, elle se pencha vers Willem, qui, de l'autre côté de la table, lui montrait d'un air engageant la nouvelle douceur dont il prétendait la gratifier. La tête lui tournait un peu : elle ingurgitait de la pâtisserie fortement alcoolisée depuis une bonne demi-heure; c'était un régime auquel son organisme n'était pas habitué.

— Quelle est votre impression sur votre première journée d'épouse? lui demanda Willem.

Sa question pouvait paraître anodine, mais ses yeux brillants, et son regard intense prouvaient qu'il n'avait pas jeté ces mots au hasard. La petite boucle indisciplinée, comme toujours, lui barrait le front et lui donnait ce soir-là un air particulièrement juvénile.

Abigail eut soudain envie de remettre cette mèche en place. Instinctivement, elle avança la main. Voyant le regard à la fois étonné et ravi de Willem, elle prit conscience de la portée de son geste.

— Alors? insista-t-il.

Dans sa grosse main calleuse, si rassurante à certains égards, il retint les doigts de la jeune femme pour les attirer jusqu'à ses lèvres.

— Je dois dire..., murmura-t-elle, troublée; je dois dire que cette journée fut merveilleuse à tous points de vue; et tellement différente de ce que j'en attendais.

Elle disait la vérité, très agréable pour Willem, et s'attendait à en être remerciée par une manifestation de contentement, mais elle ne reçut au contraire qu'un sourire timide, presque embarrassé.

Ses paroles avaient-elles donc tant d'importance pour lui ? Une fois encore sa raison intervint pour lui rappeler qu'elle avait intérêt à rester sur ses gardes : il ne s'agissait pas d'un vrai mariage ! Willem Tremain avait beau n'être qu'un mari de paille, la menace qu'il faisait peser sur son bonheur, donc sur sa vie, n'en demeurait pas moins réelle.

Elle se cramponna à cette pensée jusqu'à ce que Willem lui introduisît dans la bouche une nouvelle portion de gâteau au rhum. Alors, elle oublia tout, pour n'être plus attentive qu'aux sensations suscitées en elle par une situation troublante à plus d'un titre.

Une nouvelle fois, l'alcool lui brûlait la langue et la gorge. Elle se sentait mieux, vraiment mieux, et tout alanguie ; plus chaude aussi. Son cœur, si bien cuirassé de préventions, commençait à fondre, et déjà elle ne voyait plus Willem Tremain tout à fait sous le même jour : avec des traits moins accusés, il paraissait moins intimidant, et décidément, cette petite mèche rebelle lui donnait un charme fou.

Comme dans un brouillard, elle le vit qui se levait soudain pour rapprocher sa chaise ; le dîner se terminait, les autres convives s'étaient éclipsés, et les quelques serveurs restants témoignaient d'une discrétion de bon aloi, en réorganisant, pour le lendemain, les tables les plus lointaines possibles.

Willem remplit de vin de Bordeaux le verre d'Abigail et le lui mit en mains, avant de prendre le sien pour l'élever à la hauteur de son visage :

— Je voudrais que nous portions un toast...

Attentive, Abigail sourit ; le verre tremblait très légèrement entre ses doigts.

— Jurons que nous nous efforcerons toujours de nous rendre mutuellement heureux, et ce jusqu'à la fin des temps.

La jeune femme tressaillit. Jamais elle n'eût cru que dans le grand corps rude du mineur, pût se cacher l'âme délicate d'un poète ; cette révélation lui fit venir aux yeux de grosses larmes qu'elle laissa avec bonheur couler sur ses joues enfiévrées. Quelle charmante intention, se dit-elle, même si ce n'était qu'un beau semblant. Elle eut envie, soudain, de s'impliquer dans ce qui lui apparaissait comme un jeu grave, et de se conduire, ce soir, rien que ce soir, comme si elle inaugurait avec Willem sa vie de couple.

Leurs verres s'entrechoquèrent, leurs regards se cherchèrent. Abigail, d'un imperceptible hochement, donna son agrément à l'intention proposée par Willem, parce qu'elle avait, à ce moment, envie de lui complaire en feignant de croire, comme lui, qu'ils fêtaient leur vrai mariage.

— Jusqu'à la fin des temps, répéta-t-elle, avant de porter le verre à ses lèvres.

Cette nuit, pour la première fois depuis six ans, elle dormirait dans le lit d'un homme.

Willem ouvrit la porte et s'effaça pour laisser passer Abigail. La lampe à pétrole allumée sur la table de nuit projetait sa douce lumière ambrée sur la courtepointe de satin soigneusement repliée au pied du lit.

— Où sommes-nous ? demanda Abigail, en étouffant un hoquet.

Elle se sentait un peu soûle, et sa langue pâteuse éprouvait quelque difficulté à former les mots.

— Dans ma chambre, lui répondit Willem ; ou plutôt : dans notre chambre.

Il ferma la porte et d'un geste brusque enlaça la jeune femme.

— Oh! s'exclama-t-elle.

Elle se laissa néanmoins aller contre lui et rit, sans savoir pourquoi.

— Laissez-moi vous aider à vous déshabiller et à vous mettre au lit, proposa Willem.

Il ne comprenait pas pourquoi Abigail riait ainsi; mais qu'il aimait l'avoir ainsi dans ses bras, si belle et si légère. D'un seul mouvement, il la souleva, et en deux enjambées gagna le lit, sur lequel il la déposa; les bras le long du corps, elle ferma les yeux, sans doute pour lui indiquer qu'elle s'en remettait à lui. Pour vérifier son hypothèse, il entreprit de défaire les boutons du corsage, d'abord avec retenue, car il craignait encore une réaction de refus, puis il s'enhardit, mais n'alla pas plus vite pour autant, parce que c'était une tâche difficile pour lui qui ne s'y était plus adonné depuis six ans; et puis, il avait de trop gros doigts, mieux faits pour manipuler les bâtons de dynamite que les fanfreluches des dames.

— Etes-vous en train de me dévêtir, Willem? demanda soudain Abigail, à demi redressée sur les coudes.

— C'est exactement cela, répondit-il avec la tranquillité de l'homme sûr de son bon droit.

— Oh...

Elle se laissa retomber sur l'oreiller:

— Il m'avait bien semblé, en effet.

Willem vint à bout du dernier bouton, et il ouvrit le corsage. Lentement, avec des gestes d'infinie tendresse, il fit glisser le vêtement sur les épaules d'Abigail, puis il la souleva pour l'cn débarrasser; pleins et fermes, les seins lui apparurent, tentants comme de beaux fruits, et il résista au désir de se précipiter pour les dévorer de baisers ; pas tout de suite...

— Willem ?

Abigail s'était de nouveau redressée sur la couche, et le scrutait avec le plus grand sérieux.

— Oui, Abigail ?

— J'espère que vous ne me décevrez pas.

Telle n'était pas son intention.

— Oh ! dit-elle pour la troisième fois alors qu'il se dévêtait devant elle.

Nu, il s'abattit sur le lit. En soupirant d'aise et d'angoisse, il enlaça sa compagne et entreprit de la débarrasser des vêtements qu'elle portait encore, la jupe, puis les jupons et le corset, et enfin le dernier rempart de la pudeur, ce long pantalon de dentelle devant quoi il lui était arrivé de rêver quelquefois, en le voyant sécher derrière la maison, les jours de grande lessive.

Dans sa hâte et son émoi, il avait oublié d'éteindre la lampe. Aussi put-il admirer tout à son aise le corps de la femme à lui offerte, et ce fut sur un ton d'adoration qu'il soupira, en la serrant plus fort contre lui :

— Abigail, que vous êtes belle !

— Vous me plaisez, lui répondit la jeune femme.

Il trouva émouvant qu'elle pût le regarder, lui, l'homme tendu de désir, avec tant de simplicité et d'innocence. Avec précaution, il la fit basculer sur le lit et se pencha sur elle pour lui voler un long baiser, non sans se frotter contre elle avec un plaisir inouï. Déjà il voyait venir le moment où il ne se contrôlerait plus ; chaude et sensuelle, Abigail se mouvait sous lui avec une audace inimaginable chez une femme d'apparence si réservée dans le quotidien, et ce fut elle qui s'ouvrit à lui et l'incita à accomplir son devoir d'homme, lorsqu'elle comprit, après tant de baisers et de caresses, que sans encouragement décisif, il repousserait à l'infini le moment suprême...

— Dis-moi ce que je dois faire, murmura-t-il, éperdu de reconnaissance.

Pour toute réponse, il perçut un long gémissement, et la douleur fulgurante causée par dix ongles plantés dans la chair de son dos. Alors, il oublia ses bonnes résolutions et son désir de bien faire, il oublia tout, excepté qu'il aimait Abigail — et que c'était très bien ainsi.

Un rire tonitruant attira soudain l'attention d'Abigail sur le groupe d'hommes rassemblés devant le bar : des mineurs, très reconnaissables à leurs barbes broussailleuses et à leurs grossiers vêtements de toile d'où s'échappaient parfois de petits nuages de poussière blanche. Toutes les classes de la société se trouvaient représentées dans la salle à manger. Les dames en robes de soie côtoyaient sans se formaliser les rudes habitants des villes poussées comme des champignons au hasard des ruées vers l'or qui enfiévraient le pays.

La jeune femme s'agita sur sa chaise et se retourna plusieurs fois vers la porte en se demandant pourquoi Willem et Matthew tardaient tant.

En arrivant dans la salle à manger, elle s'était aperçue qu'elle avait oublié son châle. Ses deux hommes avaient insisté pour le lui quérir séance tenante, avec des mines de chevaliers prêts à se sacrifier pour leur gente dame.

— Je vous dis que c'était l'Irlandais Noir !

La voix particulièrement rocailleuse, mais plus encore les propos tenus incitèrent Abigail à s'intéresser de nouveau à ce qui se passait devant le bar.

— Curly le tient de Snap, reprit un autre mineur. Figurez-vous que le gaillard s'est offert une pierre tombale.

— Oh ?

— Snap l'a vu, de ses yeux vu, vous dis-je !

Le coude sur la table, Abigail se pencha de côté et posa son menton dans sa main, pour entendre mieux. Sa conscience se révoltait bien un peu contre cet exercice d'espionnage, mais le surnom de Willem capté au hasard était un appât à quoi elle ne pouvait résister.

— Alors, si je comprends bien, la pauvre Moïra s'est suicidée !

Abigail tressaillit en recevant sur les épaules la chape glacée des mauvais pressentiments. Le regard fixé sur l'alliance qui brillait à son doigt, elle écouta plus attentivement encore.

— Qui sait ? En tout cas, suicide ou pas, tout le monde sait qui est responsable de sa mort.

L'auteur de cette sentence vida d'un trait sa chope de bière et l'abattit avec force sur le comptoir.

— J'étais à Leadville quand c'est arrivé, reprit un autre.

Un murmure intéressé sanctionna cette intéressante déclaration.

— Qu'y a-t-il de vrai dans cette histoire ? demanda un colosse à barbe grise.

Abigail jeta un regard inquiet en direction de la porte : pourvu que Willem ne surgisse pas maintenant ! Elle avait maintenant grande envie d'entendre la suite de la conversation.

— Pour autant que je sache, reprit l'homme qui était à Leadville, il n'y a qu'un homme pour dire ce qui s'est passé réellement : Sennen Mulgrew. Le problème, c'est qu'il a disparu.

— Je ne parlais pas de l'effondrement, souligna le géant ; mais de la façon dont il a traité sa femme, après qu'on l'eut évacué. Faut-il croire tout ce qu'on raconte ?

— A ton avis ? Crois-tu qu'une femme, enceinte jusqu'aux yeux, quitterait son mari sans de bonnes raisons ? Elle avait peur, c'est évident ! Enfin ! Vous savez tous dans quel état il se trouvait lorsqu'on l'a tiré de la mine en compagnie de Sennen.

Tous les mineurs opinèrent gravement.

Pétrifiée, Abigail se rendait compte que jamais, jusqu'alors, elle ne s'était posé cette question essentielle : pour quelle raison Moïra était-elle partie, pour accoucher et mourir dans une église lointaine ?

— Maman !

La voix de Matthew la tira de ses pensées. Elle se retourna et frémit en voyant Willem, immobile et le regard terrible : à coup sûr il avait capté quelques bribes de l'indiscrète conversation.

— Je suis heureuse que vous ayez trouvé mon châle, dit-elle avec une gaieté contrainte. Merci beaucoup.

Willem s'assit avec des gestes d'automate. Plusieurs fois, et comme à son corps défendant, il se tourna vers les mineurs ; l'un de ceux-ci capta son regard, et sans se gêner, lui adressa un insolent petit signe de reconnaissance. Il y avait aussi Abigail, qui l'observait avec curiosité et appréhension : qu'avait-elle pu entendre de ces hommes médisants ?

— Nous sommes restés ici assez longtemps, dit-il tout à coup. Nous rentrerons à la maison demain matin.

Il avait parlé avec trop de violence, ne réussissant qu'à effrayer davantage Abigail. Une fois encore, il affronta du regard les mineurs, en méditant d'aller leur demander des explications, des excuses ; mais ç'eût été succomber une fois encore à la violence.

Ces hommes, il les connaissait : deux d'entre eux

avaient fait partie du groupe des sauveteurs qui l'avaient tiré de la mine, avec Sennen, après l'accident. Pourquoi le destin les avait-il fait surgir devant lui, après tant d'années, dans cet hôtel où il réapprenait le bonheur ?

Ses cauchemars s'étaient raréfiés ces derniers temps, et il en avait conclu, un peu trop vite peut-être, que son passé était bel et bien oublié. Or, les mineurs n'avaient rien oublié, qui sans se gêner continuaient de murmurer derrière son dos, rapportant avec des mines gourmandes la geste terrible de l'Irlandais Noir ; combien de temps faudrait-il à Abigail pour tout apprendre, de ceux-ci ou d'autres ? Combien de temps lui faudrait-il pour le regarder avec horreur ?

Il ne voulait pas la perdre. Il ne voulait pas perdre Matthew. Alors, pour se protéger, pour les protéger, il rentrerait à Guston, où personne ne le connaissait. Il devait agir vite, et fuir avant que l'un de ces hommes bien intentionnés n'eût l'idée d'aller trouver sa femme pour l'engager à s'éloigner de lui, sans espoir de retour.

Willem marchait de long en large dans la chambre trop étroite pour lui. Il suffoquait. Il se sentait pris au piège. Convulsivement, il serrait les poings et grinçait des dents. Chaque fois qu'il passait devant le lit, il jetait un regard en direction d'Abigail : elle dormait paisiblement, les deux mains jointes sous la joue, comme un petit enfant.

Quel fou il avait été !

Il avait espéré — il avait même cru — que son mariage marquerait d'une pierre blanche son nouveau départ dans la vie ; mais dans la noirceur d'une nuit solitaire, il devait affronter l'horrible vérité : Abigail n'était pas pour lui ; elle pouvait partager son lit, et même faire l'amour avec lui, mais le jour revenu, elle n'avait plus pour lui que les regards effarouchés qu'on lance aux êtres inquiétants. Au cours du repas, avec les mineurs ricanant derrière son dos, il était redevenu le monstre dont on narrait les exploits, le soir, autour des feux de camp. La légende de l'Irlandais Noir l'avait rattrapé.

Il se laissa tomber sur une chaise, et, le visage dans les mains, il pleura ; pourquoi avait-il amené Abigail et Matthew à Silverton ?

Lorsqu'il releva la tête, il aperçut, glissant le long de la fenêtre, un flocon de neige malmené par le blizzard. Il se leva pour aller coller son front à la vitre glacée. Peu lui importait le temps qu'il ferait le lendemain : neige ou pas, il remmènerait sa famille à Guston.

Puis il retourna lentement vers le lit et contempla celle qui avait accepté de devenir son épouse ; elle était belle, et douce, et bonne ; pourrait-elle l'aimer ? Ou au moins lui garder un peu d'affection ? Il n'en espérait pas plus.

Le cocher chargeait dans le coffre de la diligence les chaînes dont il aurait grand besoin si la piste devenait dangereuse à cause de la neige.

Abigail sursauta quand Willem lui prit le coude pour l'aider à monter dans le véhicule ; il n'avait pas desserré les dents de toute la matinée, et il la regardait maintenant avec un air renfrogné, voire mauvais, qui ne lui disait rien de bon.

Fort joyeux, Matthew pénétra à son tour dans l'habitacle. Ce voyage de retour était encore une fête pour lui, et lui ne semblait pas avoir remarqué les changements qui affectaient la mine et le comportement de Willem.

— N'est-ce pas que c'est beau, maman ? dit-il en montrant la neige qui tombait de plus en plus serrée.

— Mmm ; viens t'asseoir près de moi. Nous aurons la même couverture.

Sur ses jambes et celles de son fils, elle installa le grand rectangle de feutre destiné à les protéger du froid. Elle avait pris soin de se placer dans un angle de l'habitacle ; une place la séparait de l'Irlandais Noir, qu'elle s'agaçait de savoir là, tout près d'elle, trop près de Matthew. L'Irlandais Noir : c'était en ces termes qu'elle pensait à lui, de plus en plus souvent, depuis la veille.

— Maman, je n'ai pas besoin de couverture ! Il ne fait pas si froid que cela. D'ailleurs, je suis sûr que Willem n'utilisera pas la sienne.

De l'autre côté, Willem regardait. Dans la pénombre, il semblait plus sinistre que jamais.

— Matthew, dit Abigail, très mal à l'aise, je ne veux pas que tu aies froid. Garde cette couverture sur tes genoux.

— Matthew, tu dois obéir à ta mère.

Les mots de Willem avaient frappé avec une dureté inusitée ; confus, Matthew baissa la tête et ne pipa plus mot.

Abigail enragea : l'Irlandais Noir pouvait se conduire avec toute la brutalité qu'il voulait, mais elle ne lui reconnaissait pas le droit de maltraiter son fils. Pour marquer son déplaisir, elle se pencha et montra ses sourcils froncés, ses lèvres pincées ; cela suffisait-il ? Avait-il compris ? Sans doute, puisqu'il lui répondait d'un regard furibond, sans oser toutefois élever la moindre protestation. Satisfaite de cette petite victoire, elle se rencogna et tira plus haut la couverture sur elle et sur Matthew. Elle délimitait ainsi un petit domaine où nul étranger n'était admis.

A ce moment entra, dans la diligence, un des mineurs qu'elle avait aperçus la veille dans la salle à manger.

— Madame...

Il porta l'index à la bordure de son chapeau et se laissa tomber sur la banquette, en face d'Abigail.

292

— Le voyage ne va pas être de tout repos.

Il jeta, en direction de Willem, un regard entendu.

Au moment où la diligence s'ébranlait, Abigail remarqua avec consternation que les genoux du mineur se frottaient aux siens. Elle changea donc de position, recula le plus possible sur sa banquette; en vain; Willem, à qui rien n'avait échappé, ne daigna pas venir à son secours, et, après s'être bruyamment agité, il tourna le dos pour s'absorber dans la contemplation du spectacle extérieur.

La jeune femme soupira en se demandant s'il n'allait pas lui être donné sous peu d'assister à une des colères de l'Irlandais Noir, dont on lui avait tant vanté les effets désastreux. Plus elle l'observait, plus elle en venait à se convaincre que toutes les rumeurs, hélas, recelaient une bonne part de vérité.

Silencieux, malheureux, Willem regardait tomber la neige. Le regard glacial reçu d'Abigail, quand il avait réprimandé Matthew, l'avait bouleversé. Comble de malchance, Grady Dawson avait pénétré dans l'habitacle avant qu'il eût eu le temps de présenter ses excuses pour s'être emporté à mauvais escient; et le bougre adressait la parole à Abigail comme s'il la connaissait depuis toujours! il se permettait de la tourmenter à coups de genoux! si ce rustre croyait qu'il n'avait rien vu, il se trompait.

Avec angoisse, Willem se demandait ce que savait de lui Abigail. Connaissant la réputation de Grady Dawson — la plus mauvaise langue du Colorado, et frénétique coureur de jupons —, il était raisonnable de penser que ce dernier se ferait un devoir de tout raconter afin de se rendre intéressant.

La peur au ventre, Willem se déplaça imperceptiblement pour essayer d'apercevoir Abigail. Il ne voulait pas la perdre, parce qu'il l'aimait à en perdre la raison. Si seulement il pouvait s'exprimer et dire ce qu'il ressentait pour elle ! Il n'avait osé qu'une fois, en portant cette santé un peu ridicule, le soir de leur mariage ; mais il n'avait jamais été bon dans le maniement des mots. Peut-être réussissait-il mieux à se montrer tel qu'il était réellement dans les gestes de l'amour, si pleins de douceur et de délicatesse ; il n'était pas la brute qu'on disait.

— Alors, ça fait bien longtemps, l'Irlandais...

La voix rocailleuse de Grady Dawson le fit sursauter. Il se retourna pour guetter la réaction de Matthew, et se rassura en le voyant endormi contre l'épaule d'Abigail. Il chercha le regard de celle-ci, qui aussitôt baissa les paupières.

— Six ans, si je ne m'abuse. Est-ce exact, l'Irlandais ?

— A peu près, fit Willem, conscient d'être écouté par Abigail.

— J'ai cru comprendre qu'il y avait des félicitations dans l'air.

Du menton, Grady Dawson désigna la jeune femme.

— Comment sais-tu cela ?

— Facile ! tout le personnel de l'hôtel ne parlait que du petit couple en lune de miel...

Grady eut un sourire glacial.

— Naturellement, l'Irlandais, je sais aussi, pour Moïra.

Willem eut l'impression de recevoir un violent coup de poing en plein cœur ; là-bas, les sourcils d'Abigail se soulevaient, pour guetter sa réaction. Il eut envie de prendre la jeune femme dans ses bras, en lui expliquant que tout allait bien et qu'elle ne devait pas s'inquiéter ; mais pouvait-il dire cela, quand il avait tant de mal lui-même à le croire ?

— Je pense que ça te fait plaisir de savoir cette partie de ta vie enterrée... si on peut dire.

Willem eut envie de marteler à grands coups de poing le sourire méchant de Grady Dawson. Il se contint, puis reporta son regard sur Abigail. Il sut qu'elle le condamnait d'avance ; en succombant à la violence, il confirmerait les rumeurs dont elle avait eu vent. Alors, il mit les poings dans ses poches et retourna à la morose contemplation des flocons de neige.

Une main de fer broyait les entrailles d'Abigail. Elle avait vu la haine qui luisait dans le regard de Willem ; les poings serrés de celui-ci ne lui avaient pas échappé. Elle craignait une confrontation brutale avec le mineur à la langue trop bien pendue.

Matthew s'étira ; elle l'attira contre elle et serra davantage sur lui la couverture. Elle jeta un coup d'œil par la fenêtre ; la diligence cahotait, mais aucun incident ne s'était produit, le cocher ayant réussi à surmonter les premières difficultés offertes par la piste enneigée.

Il lui sembla reconnaître alors le paysage, d'où elle conclut qu'en continuant à cette allure, on serait rendu à Guston dans une heure ou deux ; voilà qui était rassurant. A Guston, dans sa maison, avec Lars, elle se sentirait plus en sûreté ; même si Willem s'installait...

Elle espéra qu'il s'agrégerait à la nouvelle ruée vers l'or, celle qui dirigeait vers Creede des troupeaux immenses de mineurs prêts à tout pour arracher à la terre le métal jaune dont la rumeur prétendait qu'il se trouvait en quantités surabondantes dans cette partie du Colorado. Puis ses pensées la ramenèrent à sa nuit de noces, et tout son corps s'alanguit ; le toast si émouvant porté par Willem, juste avant, l'avait beaucoup touchée ; mais quand elle le regardait, maintenant, elle avait du mal à croire qu'il pût s'agir du même homme.

La diligence atteignit Guston en fin d'après-midi ; Matthew dormait toujours. En descendant, Abigail inspira profondément l'air des montagnes, si froid qu'il semblait chargé d'aiguilles de glace ; cette médecine lui rendit un peu de sérénité et de bonheur. Du regard, elle chercha Willem, toujours aussi sombre et renfermé.

Elle le vit qui empoignait Grady Dawson par les revers de la veste pour l'attirer derrière la diligence. Sans doute n'avait-elle aucun droit à savoir ce qui se tramait là, mais comme dans la salle de restaurant, elle ne put résister à la tentation. Le pied posé sur le moyeu d'une roue, elle relaça soigneusement une bottine et ne perdit pas un mot de ce que les deux hommes avaient à se dire :

— Un conseil, Dawson : ne t'approche plus jamais de ma femme.

— Pourquoi ? Aurais-tu peur, par hasard, qu'elle apprenne la vérité ?

— La vérité, à propos de quoi ?

— Sur les hommes que tu as tués ; sur ta première femme, qui a préféré filer avant de subir le même sort.

Un craquement se fit entendre, suivi d'un cri de douleur et de rage ; titubant comme un homme ivre, Grady Dawson apparut, le visage crispé, et le sang coulant abondamment de son nez cassé.

— Et rappelle-toi, Dawson, lança Willem, que la jeune femme ne voyait toujours pas. Tiens-toi à l'écart de ma femme, sinon je jure que je...

— Que tu *quoi* ? Que tu me tueras ? comme les autres ?

Grady Dawson jeta à son adversaire un regard de défi, mais se garda bien de l'attaquer. Il vida dans la neige sa bouche pleine de sang et, la main sur le nez, il partit en direction de la rue Blaine, sans se retourner, marquant son passage par un pointillé rouge que les flocons effaçaient derrière lui.

Immobile et muette, stupéfiée par la violence dont pouvait faire preuve Willem, Abigail le regarda se fondre dans le paysage.

Willem apparut, les bagages à la main. Il ne semblait pas très fier de lui, et ce fut d'une voix presque inaudible qu'il dit :

— Il faudrait réveiller Matthew.

Il partit en avant, la tête basse.

Tenant par la main Matthew qui marchait comme un somnambule, attentive au bruit de la neige qui crissait sous ses pas, Abigail gravissait lentement la pente au bout de laquelle se trouvait sa maison, son refuge. Elle se mordait la lèvre et retenait à grand-peine ses larmes, car les paroles du mineur contre Willem l'avaient choquée au-delà de l'indicible. Témoin de la rage aveugle dont ce dernier avait fait preuve, ensuite, au lieu de réfuter les accusations contre lui portées, elle craignait de plus en plus d'avoir épousé un véritable meurtrier, un fou furieux.

A chaque pas, Willem sentait son cœur se déchirer : Abigail avait entendu parler Grady Dawson ; elle savait tout, ou presque tout, de son passé ; elle avait peur de lui.

Une épaisse fumée montait de la pension et se mêlait aux flocons tombant du ciel ; au lieu de réconforter Willem, ce symbole de la paix domestique augmenta sa détresse. Jamais il n'avait été aussi malheureux depuis son arrivée à Guston. Pendant six ans, il n'avait plus pensé à rien d'autre qu'à sa recherche de Moïra et de son enfant; le bonheur était devenu pour lui une île inaccessible, une terre interdite.

Abigail et Matthew avaient changé sa vie.

Il avait repris goût au bonheur et à l'amour. Il s'y était réhabitué, et maintenant en avait autant besoin que de l'air ou de l'eau; le sentiment que ces bienfaits allaient lui être retirés le jetait dans un insondable désespoir; simple et tranquille, cet épisode en compagnie d'Abigail et de Matthew n'avait-il été qu'une oasis dans le désert de sa vie? La punition lui semblait trop horrible; quels que fussent ses torts, il ne méritait pas pareille opprobre.

— Comment était Silverton ?

Lars et Brillant accueillaient Abigail et Matthew dans le vestibule. Le garçon et le chien se précipitèrent l'un sur l'autre pour rouler sur le tapis, dans un grand concours de caresses et de coups de langue, de rires et d'aboiements.

— Il fait bon, nota la jeune femme, en secouant, devant le fourneau, sa robe pleine de neige.

Elle n'avait pas envie d'évoquer le séjour à Silverton ; pas encore ; surtout avec Willem qui revenait de la cuisine où il avait déposé les bagages. Elle se confierait à Lars dans l'intimité, et lui demanderait conseil pour se sortir du guêpier où elle était tombée.

— Il fait vraiment bon, dit-elle encore.

Elle retira son chapeau et le tint un instant au-dessus du fourneau pour le faire sécher ; ses mains tremblaient.

— Nous nous sommes mariés, dit Willem ; devant le juge.

Il se pencha pour donner sa main à Brillant qui avait envie de le lécher un peu aussi.

— Mariés ? s'étonna Lars, qui ouvrait de grands yeux.

— Oui, intervint Abigail. Willem a décidé...

Le regard de Willem l'interrompit ; elle corrigea :

— ... C'est-à-dire : *nous* avons pensé qu'il nous serait

préjudiciable d'attendre. Alors, *nous* avons organisé une petite cérémonie sans prétention, à Silverton.

Elle avait l'impression de se livrer à un exercice de corde raide, sous le regard froid et fixe de Willem, qui la jaugeait et la mettait mal à l'aise ; quant à Lars, il était évident qu'il percevait la tension existant entre eux : il n'était que de voir son regard dubitatif, son front plissé.

— Il faut fêter l'événement ! déclara-t-il pourtant. Pour commencer...

Puis il s'avança vers Willem, la main tendue :

— Toutes mes félicitations.

Willem ne put retenir une grimace et il jeta un coup d'œil sur les doigts noueux, d'apparence si frêle, qui pour lors lui broyaient la main.

— Merci, dit-il en se libérant.

Dans le regard si bleu du vieil homme qui lui souriait de façon assez formelle, il lut de la compassion et aussi, lui sembla-t-il, une profonde tristesse. Il frémit d'angoisse à l'idée que celui-ci pourrait bien avoir connaissance un jour de la légende de l'Irlandais Noir.

— Je pense qu'Otto Mears sera bien content de vous voir revenir.

En lui parlant, Lars ne cessait d'observer Abigail, qui se mordait la lèvre et s'agitait : à n'en pas douter, il avait perçu le malaise.

— A ce propos, demanda-t-il, quoi de neuf au chantier ?

Lui aussi couvait du regard Abigail, et il souffrait de la voir malheureuse. Il s'en affligeait d'autant plus qu'il se savait responsable.

— Une équipe supplémentaire a été engagée, lui apprit Lars. Otto espère ainsi ouvrir la route avant les grosses chutes de neige, et n'avoir plus qu'à la terminer, le printemps revenu.

— Comment a-t-il pu trouver les hommes dont il a besoin ? s'étonna Willem, qui n'ignorait pas que les ouvriers préféraient en général creuser la terre pour y trouver de l'or, au lieu d'en aplanir la surface pour y tracer des routes ou des voies de chemin de fer ; la nouvelle ruée vers Creede devait rendre plus difficile encore le recrutement.

— Il en a trouvé quelques-uns, dit Lars, mais pas encore autant qu'il aurait voulu. Les premiers sont arrivés le lendemain de votre départ pour Silverton, et il continue de s'en présenter tous les jours. Otto paie bien, ce qui explique sans doute son relatif succès.

Willem songea alors à Dawson. Il venait peut-être d'apprendre pourquoi celui-ci arrivait à Guston au début de l'hiver. Non sans angoisse, il se demanda combien d'autres témoins de son passé viendraient hanter la région.

Il jeta un coup d'œil en direction d'Abigail, qui l'observait avec circonspection ; pire : avec méfiance. Songeant qu'il ne parviendrait jamais à se faire admettre d'elle ; se rappelant d'autre part qu'elle l'avait épousé, non pour lui, mais pour garder Matthew, il jeta d'un ton brusque :

— Il faut que j'aille préparer mes bagages.

— Vous partez !

Il ne lui échappa point que cette exclamation d'Abigail frémissait d'espérance plus que de regret, et sa peine s'en accrut. Il n'avait donc vraiment plus rien à attendre dans cette maison.

— Oui, je pars, dit-il en se dirigeant vers la cuisine.

Il y reprit sa valise et revint dans le vestibule, où le regardaient Lars, Abigail, Matthew, et même Brillant, tous silencieux et graves. Pendant quelques secondes, il eut vraiment la tentation de mettre sa menace à exécution, et de quitter cette maison pour toujours : puisque de toute façon Abigail ne l'aimerait jamais comme il l'aimait, à quoi bon s'attarder davantage ? Mais il reporta son regard sur la jeune femme, qu'il trouva si belle que l'amour surmonta sa douleur. Il l'aimait et ne voulait pas la perdre, pas s'éloigner d'elle, même si chaque jour il devait connaître la souffrance de vivre près d'un être dont il ne pourrait jamais toucher le cœur.

— Eh bien, oui, expliqua-t-il ; je m'installe dans votre chambre, Abigail. Puisque nous sommes mari et femme, je ne vois aucune raison de garder plus longtemps la chambre numéro 12.

Il causa ainsi, il le vérifia dans le regard d'Abigail, une grande déception qui lui fit mal ; ce n'était qu'un début ! Tête basse, il tourna les talons et commença l'ascension de l'escalier, conscient de ce que quatre paires d'yeux s'attachaient à lui.

— Que se passe-t-il, Abbie ? demanda Lars aussitôt qu'il eut entendu claquer la porte de la chambre.

La jeune femme murmura :

— Oh, Lars, je crois que j'ai commis une terrible erreur...

Elle jeta un coup d'œil inquiet en direction de Matthew ; celui-ci jouait tranquillement avec Brillant, sans se douter du drame qui se nouait.

— Matthew, tu devrais promener ton chien.

— Oui ! s'exclama l'enfant. Je suis sûr qu'il aimera la neige...

Il courut jusqu'à la porte et revint en annonçant :

— Je prends mon traîneau.

302

— Il n'y a peut-être pas encore assez de neige, fit remarquer Lars.

— Je ne sais pas. J'essaie quand même.

Quand la porte eut claqué sur le tourbillon de flocons un instant entrevu, Lars se tourna vers Abigail :

— Si nous allions dans la cuisine, pour nous verser une tasse de café...

Paternel, il enlaça les épaules de la jeune femme :

— ... et vous me raconterez ce qui vous chagrine.

— Au fond de vous-même, croyez-vous vraiment que Willem Tremain soit un meurtrier ?

Pendant toute la conversation, Lars avait gardé dans sa main celle d'Abigail, si froide malgré la bonne chaleur qui régnait dans la cuisine.

— Il n'a même pas nié ! s'exclama-t-elle. Cet homme l'a accusé d'avoir tué. Il...

Elle rassembla ses souvenirs, afin de reproduire aussi exactement que possible les mots terribles qu'elle avait entendus :

— Il a dit que Moïra s'était enfuie pour ne pas subir le même sort que *les autres*. Si encore il n'y avait que cela...

Elle frissonna :

— J'ai assisté à une démonstration de la violence dont Willem pouvait être capable. C'était effrayant.

Pensif, Lars lui répondit :

— Je dois admettre que je me suis toujours demandé pourquoi cette femme courait la campagne alors qu'elle se trouvait si près d'accoucher.

— Lars, que devons-nous faire ?

— Je ne sais pas, mais à nous deux, nous trouverons bien une solution. De toute façon, je reste ici pour vous protéger.

— Le plus terrible, pour moi, c'est que je commençais à réviser mon jugement sur Willem. J'avais envie de lui faire confiance, et je me disais qu'il n'était pas si dangereux que j'avais voulu le croire. Puis cet homme — Grady Dawson — est arrivé, et tout a basculé. Il...

Les mots s'étouffèrent dans la gorge d'Abigail ; Lars lui pressa gentiment la main :

— Racontez-moi, Abbie.

— Ce n'était plus le même homme. Gentil et plein d'attentions pour moi, je ne le reconnaissais pas. Le début de notre séjour à Silverton fut enchanteur, et à cause de tout cela je commençais à me persuader qu'il n'était pas si mauvais que je l'avais cru au début...

Abigail parlait avec difficulté. Elle devait littéralement accoucher de chaque mot, dans la douleur et dans l'angoisse.

— Et puis ces hommes sont arrivés à l'hôtel. J'ai compris alors pourquoi ils l'appelaient l'Irlandais Noir.

— Voulez-vous que je mène une enquête autour de moi, afin d'en découvrir plus à son sujet ?

— Je vous en prie, oui. Il nous faut tout savoir, afin de préserver Matthew, si nécessaire.

Le grincement d'une porte, puis un bruit de pas firent sursauter la jeune femme, qui tourna un regard inquiet vers le vestibule où Willem ne tarderait pas à apparaître. Une sueur froide lui coula le long du dos lorsqu'elle le vit s'avancer vers elle, sinistre, menaçant, implacable ; en un mot : inhumain.

Willem observa la réaction effrayée d'Abigail, et s'il ne s'en étonna pas, il en souffrit, car il ne s'y habituait pas. Désolé, il la vit qui se raidissait et reculait à son approche, comme si réellement il s'apprêtait à la molester; si elle savait... Il n'avait envie de lui infliger, en fait de supplice, qu'un baiser dans le cou. Il voulait l'entendre gémir, oui, mais de plaisir. Il devait lui dire, mais il ne savait pas. Il n'osait plus.

— Abigail...

Ce simple appel, lancé d'une voix douce, suffit à la faire sursauter encore.

— Je voudrais vous parler.

Et voilà : elle avait la respiration coupée, les lèvres tremblantes déjà.

— Il faudrait que je finisse mon rangement à la cave, déclara Lars en se levant.

Il emporta sa tasse avec lui. Au moment de refermer derrière lui la porte de la cave, il adressa à Abigail un signe pour lui signifier que s'il s'éloignait, par délicatesse, il restait à proximité, prêt à intervenir en cas de besoin.

Willem s'approcha de la table.

— Abigail...

Il se demanda s'il saurait trouver les mots. Il pria pour que la jeune femme le comprît.

A ce moment, la porte d'entrée s'ouvrit, et un Matthew affolé fit irruption dans la cuisine en criant :

— Maman ! Viens vite ! Brillant vient de se faire asperger par un sconse ! Il sent horriblement mauvais !

Willem arpentait le vestibule désert et tâchait d'apaiser la rage qui mettait son cœur à ébullition.

Toute la journée, il avait rôdé autour d'Abigail, essayant de l'avoir un instant pour lui tout seul, afin de s'expliquer, mais chaque fois elle s'était dérobée à ses avances, elle avait trouvé une excuse pour lui échapper ; le dîner à peine terminé, elle avait prétexté une forte migraine et était montée se coucher, sans dire bonsoir à personne, pour ne pas avoir à le saluer. Depuis, il tournait comme un lion en cage et s'interrogeait sur la conduite à tenir.

Il s'arrêta au pied de l'escalier, et du regard parcourut toutes les marches. Il savait bien ce qu'il avait envie de faire ; mais il n'osait pas.

Il avait envie d'entrer dans la chambre d'Abigail, pour la prendre dans ses bras, la rassurer, lui murmurer les mots apaisants, les mots rassurants dont elle avait tant besoin, qu'elle attendait peut-être, mais qu'il savait ne pas pouvoir trouver dans son cœur brûlé par trop de souffrance. Il avait envie de lui faire l'amour, afin de lui montrer qui il était vraiment : un homme simple et sincère, parfois excessif à force d'avoir trop souffert, mais certainement pas le rustre brutal dont on répandait l'image.

Mais il n'osait pas, parce qu'il ne pouvait plus ; Abigail n'osait plus, ne pouvait plus lui accorder la moindre confiance.

Il était trop tard.

A pas lents, il revint vers la fenêtre ; la neige tombait toujours ; l'hiver s'installait.

Le printemps reviendrait dans le Colorado ; mais tout laissait à craindre que le cœur d'Abigail resterait gelé...

306

25.

— Lars, soyez gentil : occupez-vous de Matthew lorsqu'il se réveillera. J'ai besoin d'une petite promenade.

Abigail s'enroula dans son châle le plus chaud et sortit. Elle avait en effet grand besoin d'air frais et pur, ayant passé les trois derniers jours renfermée dans sa chambre, ne descendant dans la cuisine que le temps des repas ; le prétexte de la migraine durait, grâce à quoi elle avait pu constamment éviter Willem, qui continuait à chercher une occasion de lui parler. De cet entretien elle ne voulait pas, et elle refusait même de croiser le regard d'un homme avec qui elle estimait n'avoir plus rien de commun. A table, elle baissait la tête, chipotait dans son assiette, et remontait aussi vite que possible.

Ce matin, lorsque, au petit déjeuner, Willem avait mentionné les rumeurs persistantes sur le mirifique filon d'or de Creede, elle avait senti s'accélérer les battements de son cœur : bientôt, il partirait, elle en avait la conviction ; raison de plus pour ne pas lui accorder la faveur qu'il quémandait.

— Il fait froid, ma petite Abbie, lui dit Lars. Est-il bien sage de sortir, surtout avec cette migraine ?

Lars se désolait de voir Abigail dans cette situation critique, à l'origine de laquelle il se trouvait, pour s'être, une fois de plus, mêlé de ce qui ne le regardait pas : pourquoi lui avait-il conseillé ce mariage avec Willem ? Quand saurait-il tenir sa langue ?

— Il faut que je sorte, lui dit-elle ; pour réfléchir. Où est Willem ?

— Dans son ancienne chambre. Il dort encore, je suppose.

Chaque nuit, il l'entendait indéfiniment tourner dans le vestibule, pour ne monter se coucher qu'à l'aube. Il n'osait plus descendre pour partager avec lui ses insomnies.

— Je vois, dit Abigail.

— Je m'occupe de Matthew. Prenez tout votre temps...

Lars tapota la main de la jeune femme et l'accompagna jusqu'à la porte ; le chien surgit alors de la cuisine, et poussa un jappement plaintif.

— On dirait qu'il a envie de se promener aussi.

Abigail sourit.

— Je l'emmène. Je serai de retour bien avant midi, pour m'occuper du repas.

Lars referma doucement derrière elle. Il espérait qu'elle viendrait à bout de cette épreuve, et une nouvelle fois, il se creusa la tête pour savoir comment il pourrait lui venir en aide, sans commettre de nouvelle erreur.

Abigail s'engagea d'un bon pas dans l'allée enneigée, le chien survolté bondissant autour d'elle, dans de grands jaillissements de poussière blanche et froide. Elle avait appris à aimer cet animal fantasque, et joua avec lui

volontiers, lui donnant toutes les caresses qu'il demandait. Puis, serrant sur elle son grand châle, elle reprit le
cours de ses méditations un moment interrompues.

Pour commencer, elle revécut, par la pensée, son
séjour à Silverton. La gentillesse et la générosité de Willem l'avaient durablement marquée, et depuis elle ne
pouvait s'empêcher de goûter souvent, par le souvenir,
l'émotion d'un moment unique ; Willem lui présentant le
bouquet de fleurs ; le regard qu'il avait eu pour elle...

Abigail soupira. Elle s'adossa à un tremble et ferma les
yeux. Encore maintenant, elle pouvait sentir fondre sur sa
langue les petits morceaux de gâteau au rhum ; un frisson
la parcourut ; les baisers de Willem possédaient un pouvoir bien plus évocateur encore ; et puis...

Elle rouvrit les yeux, les écarquilla. Elle venait de se
rendre compte que si elle dormait mal depuis plusieurs
jours, ce n'était pas à cause de ses angoisses, mais parce
que Willem lui manquait, dans son lit : elle avait besoin
de lui ; envie de lui.

— Et puis quoi, encore ? lança-t-elle aux forêts de
sapins impassibles.

Le chien réapparut en aboyant avec entrain. Sans doute
avait-il cru qu'elle l'appelait.

Sous le ciel d'un bleu éblouissant, ils reprirent leur
marche ; la neige gelée s'enfonçait sous les pas d'Abigail
avec un petit bruit de verre brisé.

Un craquement plus fort les fit s'arrêter. Après quelques secondes de silence, Brillant émit un aboiement
strident.

— Ce n'était rien, lui dit la jeune femme ; juste une
branche qui s'est brisée.

Elle décida de gagner son refuge secret entre les
rochers ; mais, la neige ayant modifié le paysage, elle ne
retrouva pas ses marques. Même pas certaine de se trou-

ver encore sur le chemin, elle ne voulut pas cependant retourner, et marcha au hasard, certaine que son sens de l'orientation lui viendrait en aide.

Lorsqu'elle arriva en vue d'un gros bouquet de sapins qu'elle était sûre de n'avoir jamais vus, elle s'arrêta, et dit à Brillant :

— Cette fois, nous sommes perdus...

Elle tourna sur elle-même pour repérer sa position d'après les hauts sommets.

— C'est à croire qu'il y a eu un glissement de terrain. Je n'y comprends plus rien.

Elle courut jusqu'à un énorme amas de rochers, qu'elle escalada pour se jucher à grand-peine sur le plus gros. De là, elle observa les alentours, et si, pas plus que précédemment, elle ne put définir sa position par rapport à la maison, elle ne s'affola pas. Elle finirait bien par se retrouver, elle avait tout son temps, elle pouvait se permettre de réfléchir encore un peu.

Immobile et recueillie, elle admira le splendide paysage, avec cet espoir naïf que tant de blancheur et d'innocence ne pouvait qu'influer sur elle et l'aider à finalement trouver la solution à son dilemme.

Un bruit sur sa gauche la força à tourner la tête : enfoncé plus qu'à moitié dans ce qui devait être un terrier, Brillant creusait avec entrain, ses pattes projetant derrière lui un épais nuage de terre et de neige mêlées.

— Arrête ! cria-t-elle. Tu risques de réveiller un pauvre animal en hibernation...

Comme le chien n'obtempérait pas, elle redescendit de son observatoire et courut vers lui, l'attrapa par les pattes de derrière et le tira vers elle.

— Viens. Il est temps de rentrer à la maison.

Brillant lui décocha un regard outragé, avant de se remettre à la tâche.

310

Tout aussi obstinée, Abigail se pencha sur lui afin de le saisir, et l'obliger à la suivre.

Ce fut alors qu'elle perçut un sourd grondement, juste sous elle.

Etonnée, elle se redressa pour écouter, mais lorsqu'elle eut compris de quoi il s'agissait, il était déjà trop tard : le sol se dérobait sous elle, elle s'enfonçait. Déjà prisonnière jusqu'aux genoux, elle tenta de se rattraper à un quelconque tuteur, mais ses doigts fébriles ne saisirent que des poignées de neige ; lentement, elle poursuivit sa descente vers les profondeurs de la terre.

— Mon Dieu ! gémit-elle.

Par hasard, elle attrapa la branche d'un minuscule sapin entièrement couvert de neige ; sauvée ? non, car la branche cassa aussitôt. Elle poussa un cri de déception et chercha encore au même endroit, dans l'espoir que le pied de l'arbre l'aiderait à se sortir du piège, mais elle ne trouva plus rien.

Horrifiée, elle se sentait aspirée, sans aucune possibilité de lutter ; un gros paquet de neige disparut soudain sous elle, lui révélant un enchevêtrement de poutres et de planches. Elle comprit alors que Brillant l'avait entraînée sur l'ouverture d'un puits de mine abandonnée.

Cramponnée à une grosse poutre pourrie, elle dit au chien :

— Je t'en prie : rentre à la maison ; va chercher du secours ; vite !

Un nouveau craquement se produisit ; le bois de charpente descendit d'un seul coup, avant de s'arrêter sur une aspérité ; pour combien de temps ?

Etreignant convulsivement la poutre qui risquait de l'entraîner à sa perte, et déjà dans l'obscurité, Abigail songea avec désespoir qu'elle avait peu de chances d'en réchapper.

— A quelle heure dites-vous qu'Abigail est sortie ?

Planté devant la fenêtre, Willem observait avec inquiétude les gros nuages violets qui accouraient de l'horizon ; une nouvelle tempête de neige se préparait.

— Très tôt ce matin, lui répondit Lars. Elle est partie se promener avec le chien.

Il lui en coûtait de l'admettre, mais lui aussi commençait à sérieusement s'inquiéter de ce retard prolongé. Il se rapprocha de la fenêtre, jeta un coup d'œil sur le ciel menaçant, fit une grimace à laquelle Willem acquiesça d'un air pénétré, avant de murmurer :

— Il est encore trop tôt pour craindre le pire. Gardons-nous, d'autre part, d'alarmer Matthew.

Il se rapprocha de la table, où le garçon buvait un grand bol de lait, et se servit une nouvelle tasse de café.

Il avait peu dormi — comme chaque nuit depuis le retour de Silverton — et avait les idées plutôt embrouillées. Etait-ce à cause de cela qu'il avait senti éclore en lui un sombre pressentiment, aussitôt que Lars lui avait appris la promenade d'Abigail ? Il réussit à se convaincre que son imagination enfiévrée par l'insomnie lui jouait un tour, mais plus le temps passait, plus il s'impatientait devant la fenêtre.

— A quelle heure a-t-elle dit qu'elle rentrerait, Lars ?
— Avant midi.

Incapable de tenir en place, il retourna à son poste d'observation, la tasse à la main ; les ombres annonciatrices du soir s'étiraient d'ouest en est.

— Vous m'avez bien dit qu'elle était partie avec le chien ?

De la forêt, il voyait accourir une tache fauve, bien visible sur le blanc de la neige.

— Oui, lui dit Lars ; pourquoi cette question ?

Du menton, il désigna la forme animale qui se rapprochait à vive allure.

— C'est Brillant ! s'exclama le vieillard.

Willem courait déjà vers l'entrée pour ouvrir la porte.

— Est-ce que maman est de retour ? demanda Matthew.

— Je ne sais pas, répondit Willem, qui se penchait pour accueillir la bête haletante.

— Regardez donc ! fit Lars. On dirait qu'il a creusé. Ses pattes sont pleines de boue...

Il se pencha à son tour, et à l'oreille de Brillant recueillit un petit morceau de bois, qu'il examina longuement.

— Et ceci, savez-vous ce que c'est ? Un morceau de bois d'étayage ; pourri.

Le cœur de Willem battait à tout rompre. Il avait d'ores et déjà la conviction qu'un événement grave s'était produit.

— Où est maman ? demanda Matthew.

Willem se releva et posa ses deux mains sur les épaules de l'enfant :

— Je ne sais pas, mon petit, mais je te promets de la retrouver très vite pour la ramener ici.

Il passa hâtivement sa grosse veste restée au portemanteau et défit sa ceinture, qu'il passa au cou du chien, en guise de collier, en disant :

— Lars, vous restez ici avec Matthew.

— Qu'avez-vous l'intention de faire ?

— Une tempête de neige se prépare. Il faut que j'essaie de retrouver Abigail avant que les empreintes de ses pas soient effacées. Avec l'aide de Brillant, je devrais y arriver.

Willem reporta son regard sur le visage inquiet de Matthew, et essaya de sourire avec assurance.

313

Lars approuva :

— C'est une bonne idée...

Il posa sa main sur l'épaule de l'enfant :

— Viens avec moi chercher du bois dans le bûcher. Nous n'en avons presque plus, et il faut que ta maman ait bien chaud lorsqu'elle rentrera.

Sur un dernier clin d'œil de connivence échangé avec le vieillard, Willem ouvrit la porte :

— Viens, Brillant. Cherche, mon chien.

Willem franchissait la barrière du jardin quand les premiers flocons duveteux tombèrent sur ses épaules. Il soupira ; l'épaisse couche de neige cédait sous lui et ne lui permettait pas d'aller aussi vite qu'il l'eût voulu ; avec la tempête s'aggravant très vite, il n'y voyait plus qu'à quelques pas.

Le chien tira sur sa laisse improvisée et émit un long aboiement plaintif.

Frissonnant de froid et d'angoisse, redoutant pour Abigail un mauvais sort dont il ne pourrait manquer de s'accuser, Willem formula cette prière :

— Mon Dieu, faites qu'il ne lui arrive rien. Si elle est sauvée, je partirai, je la laisserai en paix. J'en fais le serment.

Le blizzard emporta ses mots ; de nouveau, le chien gémit et chercha à l'entraîner.

— Oui, mon chien, lui dit-il. Emmène-moi vers Abigail.

Il avait beaucoup de mal à suivre l'animal bondissant dans la neige, et après une grande heure de cet exercice difficile, il était exténué. Les dents serrées, il essayait de trouver des repères, dans un paysage qu'il ne connaissait absolument pas. Par exemple ces gros rochers arrondis,

314

vers quoi Brillant l'entraînait, il ne les avait jamais vus ; était-ce le but de leur odyssée ? Etait-ce là que se trouvait Abigail. Encouragé par cette perspective, il essaya de courir. Deux fois, il glissa et s'étala de tout son long, mais par bonheur, il ne lâcha pas la laisse, sur laquelle le chien tirait de plus en plus fort.

Il fallut contourner les rochers, de l'autre côté desquels s'étendait une dépression, sorte de vaste cuvette aux parois assez accusées, à la surface de laquelle des traces nombreuses se laissaient encore voir malgré les flocons qui les recouvraient rapidement.

De plus en plus fébrile, le chien ne cessait d'aboyer. Il entraîna Willem jusqu'au fond de la cuvette, et là, changeant brusquement de manège, il commença à gratter le sol.

— Que se passe-t-il ici, mon chien ? demanda Willem, enfoncé jusqu'aux genoux dans la neige.

Brillant projetait derrière lui un nuage blanc qui peu à peu se transformait en boue ; Willem s'approcha et remarqua les poutres pourries qui s'amoncelaient là, quelques planches aussi : du bois d'étayage ; un puits de mine abandonné ?

— Abigail est-elle ici ? demanda-t-il encore, comme si le chien était en mesure de lui répondre.

Il lâcha la laisse qui maintenant ne lui servait plus à rien, et à genoux, se mit lui aussi à déblayer l'orifice. Il retira plusieurs gros morceaux de bois, qu'il jeta derrière lui, sans se soucier des esquilles qui lui écorchaient les mains ; sans prendre garde à la puanteur montant des entrailles de la terre ; sans ressentir le froid qui traversait ses vêtements insuffisants ; sans remarquer qu'il se trouvait, non sur la terre ferme, mais sur l'amas jeté hâtivement pour obstruer l'orifice, fragile bouchon qui, imperceptiblement, cédait sous son poids et commençait à s'enfoncer.

Le chien disparut soudain, dans l'effondrement des poutres et des planches. L'ouverture du puits apparut, noire et ronde.

D'un bond en arrière, Willem trouva refuge sur la terre ferme. Puis, le cœur battant, il se pencha au-dessus du puits de mine, plus effrayante pour lui que l'entrée de l'enfer.

Dans cet enfer il devrait descendre s'il voulait sauver Abigail ; sa femme.

Abigail rouvrit les yeux dans l'obscurité. Il lui sembla qu'elle s'était évanouie. Etrangement, elle n'avait plus peur. Elle essaya de se redresser, mais se trouva bloquée. Elle tâtonna autour d'elle, et reconnut qu'elle avait été arrêtée dans sa chute par un assez gros rocher en saillie, et qu'une énorme poutre, en travers de son corps, lui interdisait tout mouvement.

— Mon Dieu ! murmura-t-elle.

Un liquide chaud et gluant lui coulait dans les yeux ; elle y porta deux doigts, qu'elle approcha ensuite de son nez ; l'odeur fade du sang augmenta son effroi. Elle avait très mal aussi à la jambe droite, et ne pouvait la déplacer. Elle craignit de l'avoir brisée dans sa chute.

Sa position était délicate, mais elle essaya de trouver des motifs de ne pas désespérer.

— On va s'inquiéter de mon absence à la maison, dit-elle tout haut. Lars viendra me chercher, et il me trouvera.

Sa voix résonna étrangement dans le boyau vertical. Elle reporta le regard vers le haut, mais la très faible clarté qu'elle avait perçue au moment de sa chute s'amenuisait très vite ; la nuit tombait.

Elle essaya une fois encore de se dégager ; un caillou se

détacha alors de la paroi. Elle l'écouta ricocher le long des parois, puis s'écraser en bas, après plusieurs secondes de chute. Elle frémit : en équilibre instable au-dessus d'un gouffre très profond, elle risquait de s'écraser, sans possibilité de survie.

— Je suis perdue, murmura-t-elle. Je vais mourir.

Elle reçut soudain sur le visage une pluie de neige et de terre mélangées ; était-ce l'annonce de la chute finale ? Elle retint sa respiration ; rien ne se produisit ; une planche craqua, puis le silence revint.

Elle pensa avoir obtenu un sursis, mais se dit que de toute façon elle était condamnée, comme Carl, mort si jeune, en poursuivant des chimères ; mort en la laissant seule, avec l'enfant pour lequel il voulait devenir riche. Quelle coïncidence, songea-t-elle : elle aussi disparaîtrait sans pouvoir élever l'enfant à qui elle avait consacré sa vie.

Pauvre petit Matthew, qui connaîtrait le sort amer des orphelins, sans maison, sans personne pour s'occuper de lui...

Non ! Ce n'était pas vrai ! Elle divaguait !

Willem s'occuperait de Matthew ; aussi bien qu'elle. Elle ne devait pas douter qu'il serait aussi bon père qu'elle avait essayé d'être bonne mère.

De quelle injustice n'avait-elle pas fait preuve envers lui !

Sur quoi avait-elle fondé son jugement ?

Sur des rumeurs malveillantes, probablement infon- dées ; sur un simple surnom.

Abigail frissonna. Ses entrailles se nouèrent doulou- reusement. Elle avait dans la bouche un goût amer, celui de la culpabilité. Elle pleura sur elle-même.

Pour la première fois ; ici, dans ce puits noir, sa tombe probablement, Willem lui apparaissait en vérité, et non comme les autres lui avaient dit qu'il était; non comme elle voulait qu'il fût, pour son confort intellectuel ou sentimental.

Willem était un homme marqué par la tragédie; un homme qui avait survécu malgré le poids de la fatalité sur ses épaules; refusant de s'avouer vaincu, il avait cherché sa famille, et le destin pour une fois clément lui avait permis de la retrouver.

Un homme admirable; un homme qu'elle eût dû chérir.

Son mari!

Abigail pleura sur son sort. Elle ne voulait plus mourir, parce qu'elle refusait de disparaître en laissant d'elle l'image d'une femme sotte et bornée; c'était trop injuste! Elle rouvrit les yeux et cria au ciel:

— Dieu, je vous en prie, donnez-moi une autre chance.

Willem tira de toutes ses forces sur la poutre, longtemps, puis, essoufflé, il se laissa aller en arrière et s'écroula de tout son long dans la neige. Dans cette position, les bras en croix, il consulta le ciel: dans peu de temps, la nuit s'installerait; les flocons papillonnaient.

Il se redressa et se passa la main dans les cheveux, tout en expliquant au chien:

— Je n'y arriverai jamais comme cela. Il me faut de la lumière, des cordes...

Les bras croisés et les mains coincées sous les aisselles pour les réchauffer un tant soit peu, il reprit le cours de ses réflexions. Sans équipement, il avait effectivement peu de chance d'obtenir un résultat; à moins d'un miracle. Concentré, il reporta son regard sur le ciel.

— Seigneur, implora-t-il, je vous en prie, ne me l'enlevez pas. Aidez-moi!

Brillant émit un jappement bref et joyeux. La queue frétillante, il regardait du côté des gros rochers.

Fou d'espoir, Willem regarda de ce côté. Il lui sembla déceler une silhouette estompée par les tourbillons de neige. Craignant d'être le jouet d'une hallucination, il ferma les yeux. Lorsqu'il les rouvrit, il aperçut Lars, bien visible, très reconnaissable, réel. Sans préambule, il lui dit :

— Abigail est tombée dans un puits de mine.

— L'avez-vous entendue ?

— Non, mais elle est là, j'en suis sûr. Je le sens.

Le vieil homme se déchargea du lourd fardeau qu'il portait, et examina l'ouverture du puits, avant de déclarer :

— J'ai apporté une pelle et de la corde, mais cela ne suffira pas. Il nous faut de l'aide.

— Pourriez-vous retourner au village ? Je préfère rester ici, pour veiller, et agir en cas d'urgence.

— Vous avez raison. Attendez-moi, je reviens le plus vite possible, avec les volontaires que je réussirai à amener.

— Où est Matthew ?

— Chez Hans Gustafson ; le pauvre petit est très inquiet. J'espère que nous pourrons lui rendre sa mère.

— Lars...

Willem s'interrompit. Jamais encore il n'avait osé parler de Moïra avec le vieil homme, mais il lui semblait maintenant urgent d'avoir cette conversation. Très vite, il dit :

— Je voudrais vous remercier pour avoir assisté mon épouse aux derniers moments de sa vie, pour avoir sauvé mon fils en le confiant à une femme admirable.

Les yeux de Lars s'embuèrent :

— Merci. Cela fait des années que j'espérais entendre cela. Bon ! Il faut que je me hâte, maintenant.

319

Il disparut très vite au regard de Willem, qui se pencha sur Brillant :

— Va avec lui, mon chien...

L'animal le regarda en gémissant.

— Va, insista Willem.

Après encore une brève hésitation, Brillant s'élança dans la tempête.

Sans perdre de temps, Willem se saisit de la pelle et se rapprocha du puits. Il était bien décidé à sauver Abigail.

Les yeux fermés, Abigail essayait de trouver un peu de repos. Elle ne savait plus depuis combien de temps elle se trouvait dans cette position difficile. De temps en temps, elle portait la main sur la grosse bosse de son front, qui la faisait tant souffrir ; l'écoulement de sang s'était arrêté. Résolue à ne plus céder à la panique, elle s'appliquait à respirer calmement, et cherchait des pensées réconfortantes.

L'image de Willem se forma dans son esprit ; les remords l'assaillirent de nouveau, mais elle ne voulut pas pleurer comme tout à l'heure ; cela ne servait à rien. Elle voulait être forte, mais plus elle pensait à Willem Tremain — l'Irlandais Noir ! — plus elle se haïssait pour la façon indigne dont elle l'avait traité.

Une larme perla à sa paupière et roula le long de sa joue.

Elle devait être honnête, enfin, même si cela lui faisait mal. Dans l'obscurité où elle s'enfonçait, elle tâcha de se rappeler tous les souvenirs qu'elle avait de Willem Tremain, depuis ce jour où elle l'avait vu apparaître dans le vestibule de la pension ; comme alors il lui avait paru solitaire et sombre !

Evidemment, il paraissait inquiétant, mais c'était très

compréhensible, depuis six ans qu'il cherchait la femme et l'enfant perdus dans des circonstances dramatiques. Il n'était pas pour autant une brute insensible ; la preuve : tout de suite, il avait été attiré par Matthew, et avec lui avait noué des liens très forts.

— Je n'ai pas su voir. Je n'ai rien voulu comprendre.

Un petit caillou tomba sur l'épaule de la jeune femme et ricocha sur la paroi avant de se précipiter vers le vide ; elle retint sa respiration, et compta jusqu'à dix avant d'entendre le bruit du choc final, au fond.

Sa position précaire, sur ce mince rocher qui la retenait — pour combien de temps encore ? — avant la chute fatale, symbolisait assez bien, ce qu'avait été sa vie depuis l'arrivée de Willem : tétanisée par la peur de souffrir, prise dans un enchevêtrement d'idées fausses et de croyances soutirées à la pire source qui fût — la rumeur publique — elle avait choisi de ne plus bouger, d'attendre... et d'espérer.

26.

Quand Willem entendit le gémissement, il retint sa respiration et une nouvelle fois se pencha au-dessus de l'insondable cavité. Aussitôt, la peur lui tordit les entrailles ; la nausée le prit ; mais il ignora ces manifestations trop prévisibles. Grinçant des dents, il tendit l'oreille pour entendre encore un faible bruit lui confirmant qu'il n'espérait pas en vain.

Le sol céda sous lui ; plusieurs cailloux s'engouffrèrent dans l'abîme.

Il recula vivement, et regarda autour de soi, afin de trouver un point d'ancrage pour la corde qui lui permettrait de s'introduire dans le puits sans courir un trop grand danger ; sur les rochers, il ne devait pas compter, et la forêt se trouvait trop loin. Il avisa pourtant un jeune arbre assez proche, qui, bien que frêle, lui semblait convenir ; c'était de toute façon la seule possibilité. Il se ceignit et s'attacha au tronc, souple mais résistant. Cela fait, il revint au bord du puits et s'obligea à affronter l'angoisse des profondeurs.

— Je dois le faire, se dit-il. Je dois le faire, pour Abigail.

Il commença à descendre.

Dès qu'il vit disparaître l'orée du puits au-dessus de sa

tête, l'horreur le reprit, et il ne tarda pas à se sentir complètement paralysé. Cramponné à la paroi, parmi les débris de bois puant de moisissure, il revécut la scène terrible qui le hantait depuis des années...

Au bâton de dynamite crépitait la mèche qu'il venait d'allumer. Sennen et les autres travaillaient tout près de lui, dans la galerie étroite, si mal éclairée. Puis il y avait eu l'explosion, les rochers qui tombaient, comme si la terre se refermait sur eux ; et la poussière âcre, la fumée dense. Enfin, le silence était revenu. Il avait vu autour de lui les corps déchiquetés et écrasés, dans une grande confusion de bois répandu.

— Je les ai tués ! cria-t-il. Ils sont morts à cause de moi.

Abigail entendit un cri, puis, lui sembla-t-il, des sanglots ; sans doute divaguait-elle. Elle s'obligea pourtant à écouter mieux, cherchant à trouer du regard l'obscurité épaisse qui l'enveloppait.

Le silence la convainquit de son erreur.

Puis elle perçut de nouveau des bruits plus précis, et cette fois, elle sut qu'elle entendait bien quelqu'un pleurer sans retenue.

— Y a-t-il quelqu'un ? demanda-t-elle, sans trop espérer de réponse.

Elle n'en obtint d'ailleurs pas ; mais peut-être n'avait-elle pas parlé assez fort, et son murmure avait toutes les chances de ne pas être entendu. Alors, elle cria :

— Y a-t-il quelqu'un ?

Une pluie de petits cailloux s'abattit sur elle, et une voix reconnaissable entre toutes lui dit :

— Abigail ? Est-ce vous ? Etes-vous blessée ?

— Willem ? demanda-t-elle, car elle hésitait encore à croire au miracle.

— Dieu merci ! Vous êtes là !

Un caillou plus gros que les autres passa tout près d'elle, elle en sentit le vent sur sa joue, et elle cria :

— Faites attention, je crois que tout va s'écrouler.

— Pouvez-vous bouger ?

— Non ; j'ai sur moi une grosse poutre qui m'en empêche.

— Ne craignez rien, je vais vous tirer de là. Donnez-moi seulement le temps de descendre jusqu'à vous.

La jeune femme suivit par l'oreille, puis bientôt avec les yeux la progression de Willem parmi les débris de bois. Les cailloux et la terre s'abattaient dru sur elle, et elle craignait que tout l'enchevêtrement ne cédât d'un coup, l'emportant vers les entrailles de la terre ; mais elle ne souffla mot de sa peur.

Enfin elle put voir Willem, qui se faufila entre les derniers obstacles et lui tendit la main en lui disant :

— Ma chérie ! J'ai eu si peur de ne jamais vous revoir.

Il examina la situation : Abigail reposait sur une aspérité de rocher si étroite qu'il se demandait comment elle n'avait pas déjà été précipitée dans le vide. Elle avait sur elle cette poutre qui ne facilitait pas la tâche.

— Avez-vous confiance en moi ? demanda-t-il.

— Bien sûr, que j'ai confiance en vous, répondit-elle, avec tant de bonne humeur qu'il eut l'impression de la voir sourire dans l'obscurité.

— Bon ! Alors, écoutez-moi bien : je vais me laisser tomber d'un seul coup près de vous. Attrapez la main que je vous tendrai, et surtout, ne la lâchez pas.

— J'ai compris !

Willem prit une longue inspiration, tout en calculant avec précision la distance qui le séparait encore d'Abigail, et en déroulant la longueur de corde qui lui serait nécessaire pour l'atteindre. Cela fait, il prit appui sur la paroi, et d'un seul coup se lança dans le vide.

— Maintenant ! cria-t-il.

Il retomba sur le rocher en surplomb retenant la jeune femme, rocher qui, sous le choc, se détacha de la paroi et commença de tomber, entraînant avec lui les débris de bois. Dans le même temps, il saisit la main tendue d'Abigail.

Ainsi tous deux se trouvèrent-ils attachés l'un à l'autre, oscillant dans le vide, écoutant le tonnerre assourdissant des matériaux qui achevaient leur course au fond du puits.

L'étroitesse du puits leur facilita leur remontée. Le dos à la paroi, les jambes à l'équerre, Willem, dans un premier temps, fit remonter à sa hauteur, par la seule force de son bras, Abigail éperdue de reconnaissance, qui se blottit contre lui en passant les deux bras autour de son cou.

— Oh, Willem, murmura-t-elle.

Ils s'étreignirent longuement, puis Willem s'enhardit et déposa un baiser sur la joue d'Abigail. Ses lèvres effleurèrent un filet de sang.

— Etes-vous blessée ? demanda-t-il.

— Pas gravement ; j'ai une grosse bosse à la tête, qui a un peu saigné, mais ce n'est pas grave. J'ai cru un moment avoir la jambe cassée, mais je m'aperçois maintenant qu'elle n'était qu'ankylosée. En fait, j'ai surtout froid.

— Alors, ne nous attardons pas ici. Accrochez-vous bien à moi, ma chérie : nous avons encore un gros effort à fournir.

Assuré que la jeune femme, solidement accrochée à son cou, ne risquait pas de tomber, il commença sa lente ascension, tirant des deux bras sur la corde, et s'aidant des pieds contre la paroi.

— J'ai l'impression qu'il fait plus froid, dit Abigail au bout d'un moment.

— C'est que nous approchons de la sortie. Je vous préviens que la nuit est tombée, et qu'au surplus la tempête de neige fait rage...

Willem s'arrêta un moment pour souffler un peu.

— J'ai eu si grand-peur de ne pas vous retrouver, murmura-t-il.

— Willem, il y a quelque chose que je voudrais vous dire.

— Plus tard, voulez-vous ? A la maison, devant un bon café, par exemple.

— Non, cela ne peut pas attendre...

Abigail rassembla tout son courage pour les difficiles aveux qu'elle estimait devoir faire.

— Je vous ai obligé à m'épouser ; c'était un inqualifiable chantage.

Willem, qui avait le regard fixé vers le haut pour calculer la distance qui lui restait à parcourir, essaya de scruter dans l'obscurité le visage de la jeune femme.

— Un chantage ? Je ne comprends pas.

— C'est pourtant simple. Je ne voulais pas perdre Matthew, votre fils, et je pensais ne pouvoir mieux assurer ma place auprès de lui qu'en vous obligeant à m'épouser. Je n'aurais pas dû faire cela.

— Ecoutez-moi, Abigail. Ecoutez-moi bien : je vous ai épousée de mon plein gré, en ne pensant qu'à mon confort. C'est moi qui ai mal agi.

— Vraiment ? Ne vous moquez pas de moi.

— C'est la vérité : je voulais vous garder tous les deux, Matthew et vous. J'étais plus que ravi d'accepter la proposition que vous me faisiez, proposition qui comblait mes vœux les plus chers.

— Willem, quelle sotte j'ai été, pourtant. J'avais peur de vous.

— Pourquoi ?

Willem connaissait la réponse à cette question : son passé, les rumeurs malveillantes à son sujet, telles étaient les raisons qui avaient poussé Abigail à douter de lui.

— Je...

Abigail ne poursuivit pas, car elle se sentait soudain redescendre vers les profondeurs, malgré les efforts désespérés de Willem qui s'écorchait à la paroi pour ralentir leur chute.

— Mon Dieu, murmura-t-il.

Il songea que le petit arbre auquel s'attachait la corde ne pouvait supporter plus longtemps ces deux personnes accrochées à son maigre tronc. Il l'imagina, déjà à demi arraché, et dans peu de temps les dernières racines céderaient, scellant ainsi sa chute ainsi que celle d'Abigail.

— La corde est-elle cassée ? demanda celle-ci, serrée contre lui.

— Non, c'est le support qui ne résiste pas.

— Qu'allons-nous faire ?

— C'est simple : sortir avant qu'il soit trop tard.

— Comment ?

— Par la seule force de mes pieds.

En effet, Willem repartit vers le haut, comme précédemment, mais sans plus tirer sur la corde en quoi il avait perdu confiance. A la seule force de ses jambes, et s'écorchant gravement le dos à la paroi, il remonta, à toutes petites étapes, soulevant Abigail qui faisait de son mieux pour l'aider en se retenant elle aussi aux aspérités. Chaque fois qu'ils entendaient un caillou se détacher et tomber, ils s'arrêtaient un instant et retenaient leur souffle, pour écouter l'écho de la chute terrible, et ils ne pouvaient s'empêcher de sursauter lorsqu'ils entendaient le choc final. Alors, ils reprenaient leur ascension, plus fébriles à cause de l'angoisse, plus lents à cause de la fatigue.

Combien de temps consacrèrent-ils à cet effort insensé ? des heures, leur semblait-il ; quand ils parvinrent tout près de l'orifice, la force leur manqua pour se hisser sur la neige, et de nouveau ils s'arrêtèrent, haletants, insensibles au vent glacé qui leur fouettait le visage.

Il sembla à Willem qu'il entendait des voix, mais il refusa de croire à ce qui ne devait être qu'une hallucination due à sa trop grande fatigue.

— Regardez ! Ils sont sortis ! Je les aperçois !

Le cri, cette fois, était trop précis pour ressortir aux facéties d'un organisme épuisé ; lentement, Willem tourna la tête, et il aperçut plusieurs silhouettes portant des lanternes, au premier rang de laquelle se trouvait Lars.

Chose étonnante, il y avait aussi Brawley.

Les sauveteurs se précipitèrent vers l'entrée du cratère. Brawley cria :

— Attention, tout s'effondre !

Effectivement, Willem et Abigail se sentaient redescendre une fois encore, et ils n'avaient plus aucune force pour se retenir, même plus assez de ressort pour s'inquiéter de ce qui leur arrivait.

— Il faut les tirer de là ! hurla le vieillard.

— N'approchez pas tous en même temps !

— Il faut qu'un seul y aille pour les aider à sortir.

— Allons couper une branche, qu'on leur tendra.

— Pas le temps, dit Brawley. J'y vais !

Joignant le geste à la parole, il se jeta à plat ventre dans la cuvette, et glissa sur le ventre jusqu'à l'entrée du puits où il cria :

— Tremain ? M'entendez-vous ?

— Oui.

— Pouvez-vous pousser Mme Cooprel à l'extérieur ? Je l'attraperai.

— Je vais trouver le moyen.

Rassemblant ses dernières forces, Willem saisit Abigail sous les aisselles afin de lui faire parcourir la courte distance qui la séparait des sauveteurs. Curieusement, alors qu'elle n'avait manifesté aucune peur dans leurs tentatives précédentes, elle se raidit soudain et se cramponna à lui en murmurant :

— Que faites-vous ?

— Je vous aide à monter encore un peu. Ensuite, vous n'aurez qu'à tendre la main et nos amis vous hisseront dehors.

— Je ne veux pas. C'est trop dangereux...

La jeune femme tremblait contre Willem.

— Je ne veux pas vous quitter.

— Il le faut, Abigail ; pour Matthew.

— Pour Matthew ?

— Oui ; il est inquiet et je lui ai promis de vous ramener à lui.

— Alors... mais avant, il faut que je vous dise...

— Plus tard, nous aurons tout le temps. Maintenant, il faut en finir, Abigail.

En un effort surhumain, Willem la projeta vers le haut, et il la vit se détacher de lui pour terminer la lente ascension. Un peu inquiet, il la suivit des yeux, car il craignait encore un incident fatal, mais bientôt il eut la joie de la voir disparaître au-delà du cratère.

Il soupira : Abigail était sauvée, c'était tout ce qui lui importait. Les dents serrées, les muscles brisés de fatigue, il essaya de monter encore un peu lui-même, pour faciliter le travail de ses sauveteurs.

— Willem, je vous aime.

Avait-il réellement entendu ces mots, prononcés par la jeune femme au moment où elle disparaissait de sa vue ? Il eût été bien en peine de le savoir, alors que, brisé par la

330

fatigue, il relâchait ses appuis contre la paroi et abandonnait son sort à la corde qui le soutenait, ainsi qu'au petit arbre peut-être plus qu'à moitié déraciné. Il n'avait plus le courage de lutter.

— Abigail! Est-ce que tout va bien?

La jeune femme se précipita contre la poitrine de Lars, mais bien loin de s'abandonner aux effusions, elle lui lança avec véhémence:

— Il faut sortir Willem de là!

Comme pour manifester l'urgence de la situation, un craquement du petit arbre fit se retourner tous les sauveteurs, qui virent avec horreur plusieurs racines jaillissant de la terre.

Un homme plongea à plat ventre au bord du puits. Il scruta intensément l'obscurité, puis annonça:

— Il est redescendu d'au moins quinze à vingt pieds.

Grady Dawson s'avança, péremptoire:

— Alors, on ne peut plus rien pour lui.

— C'est sûr, ajouta Brawley Cummins.

— Apportez-moi des branches, ordonna l'homme à plat ventre; de grosses branches.

Sans enthousiasme, les mineurs se dirigèrent vers la forêt, et dépouillèrent les sapins de quelques grosses branches du bas, qu'ils rapportèrent à l'inconnu; méthodiquement, celui-ci les disposa sur l'ouverture, dans un sens et dans l'autre, afin de constituer un treillis dense.

— Attention! cria Grady Dawson.

Arraché à la terre, le petit arbre glissait vers le puits. Abigail étouffa un cri.

27.

Sans cesser de prier, Abigail rouvrit les yeux ; le petit arbre avait heurté le treillis avec tant de force que le bruit sourd résonnait encore dans ses oreilles.

Comme dans un rêve, elle vit un homme qui se retroussait les manches avant de s'avancer précautionneusement vers le cratère.

— Il m'étonnerait que Tremain ait supporté le choc, dit Brawley Cummins, à côté d'elle, sans paraître s'émouvoir.

Abigail ravala ses larmes et se demanda quels hommes ils étaient, tous, qui rôdaient autour de Willem comme des loups guettant leur proie.

Lars semblait s'impatienter aussi, car il agita sa lanterne en disant :

— Bon, il faut le sortir de là. Qu'attendons-nous ?

Comme les hommes échangeaient des regards fatalistes ou indécis, la jeune femme eut peur de comprendre :

— Croyez-vous qu'il est... mort ?

— Ce serait mieux ainsi, s'exclama Grady Dawson, non sans cracher dans la neige.

Abigail se révolta à l'idée qu'après avoir consenti tant d'efforts pour la sauver, ils envisageaient d'abandonner Willem au fond du puits ; le haïssaient-ils donc tant ? Elle se tourna vers un homme qu'elle ne connaissait pas, celui qui avait placé le treillis sur l'ouverture, le seul — avec Lars — qui semblait s'inquiéter pour le sort de son mari, et elle lui dit :

— Croyez-vous que vous pourriez y arriver ?

— De toute façon, lui répondit-il, je n'ai rien à attendre de ces vautours.

Il examina le sol autour du cratère, et trouva ce qu'il cherchait : un petit rocher, solidement implanté dans la terre, pourrait lui servir de point d'appui. Il s'avança donc jusqu'à l'ouverture, empoigna la corde retenue sur le treillis par le petit arbre, et la tira en se laissant tomber en arrière. Il parvint à en acquérir une suffisante longueur pour la passer autour de ses épaules, tout en prenant position contre le petit rocher. Cela fait, il inaugura un lent mouvement de traction.

— Tu es fou si tu penses qu'à toi tout seul, tu peux hisser un mort ! lança Brawley Cummins.

— Surtout quand il a le poids de Tremain, ajouta Grady Dawson.

Abigail entendit ce mot : *mort* et tressaillit ; mais refusant de prêter foi aux propos de ces oiseaux de mauvais augure, elle s'avança près de l'étranger, à qui elle demanda :

— Dites-moi ce que je peux faire pour vous aider.

Il se tourna vers elle. De petites gouttes de sueur brillaient à son front.

— Coupez l'arbre au bout de la corde, lui dit-il. Tâchez de trouver ensuite un autre point d'attache ; cela me soulagera.

Abigail hocha la tête. Aidée de Lars, elle défit les gros nœuds autour du petit arbre, puis elle surveilla attentivement la progression du sauvetage, tirant à elle la corde que l'homme laissait derrière lui, se réjouissant de le voir progresser, s'irritant parfois de ce qu'il n'allât pas assez vite à son goût.

Lorsque enfin elle disposa d'une assez grande longueur pour satisfaire aux ordres qu'il lui avait donnés, elle gagna le petit sapin repéré par Lars, un arbre lui aussi petit, mais plus solide et bien planté entre des rochers ; en cas d'incident, il ne lâcherait pas.

La corde assurée, elle revint prendre son poste d'observation près du puits.

— Il doit être mort, s'exclama de nouveau Brawley, qui tenait à cette hypothèse. Personne ne peut survivre à un tel choc.

— En plus, ajouta Grady Dawson, il faut penser à tous les cailloux qui sont encore tombés dans le puits. Il y en avait de gros ! S'il en a pris un sur le crâne...

Les mains sous les aisselles, les deux hommes devisaient calmement, et ne semblaient attendre que pour constater *de visu* la mort de leur ennemi intime.

— Vous feriez mieux de vous taire, leur lança Lars.

— Partez, ajouta la jeune femme, excédée de leurs propos.

Brawley fronça les sourcils et se rapprocha d'elle :

— Ne me dites pas que le sort de cet homme vous intéresse !

— Bien sûr que si : il est mon mari.

Brawley ouvrit la bouche, mais ne répondit point. Il venait de recevoir un choc, et pas des plus agréables.

Dédaigneuse, Abigail chercha refuge auprès de Lars.

— Que s'est-il passé ? lui demanda-t-il. Que faisiez-vous en ces parages ?

— J'ai glissé et je suis tombée. Je ne savais pas qu'il y avait un puits de mine abandonné.

La jeune femme se laissa tomber sur le sol enneigé, et Lars s'assit à côté d'elle.

— Vous pouvez vous vanter de nous avoir fait une belle peur, dit-il en lui caressant la main. Willem et Matthew étaient malades d'inquiétude.

— Où est Matthew?

Pour la première fois, Abigail prit conscience à cet instant qu'elle avait deux amours, donc deux inquiétudes : son mari, qu'on essayait de sauver, et son fils, dont elle n'avait plus eu de nouvelles depuis de longues heures.

— Il est chez Gustafson, lui dit Lars. Il sera très content de vous voir rentrer tous les deux à la maison.

— Tous les deux, oui...

La voix de Grady Dawson résonna de nouveau derrière Abigail.

— L'Irlandais Noir... Il faut le laisser où il est.

La jeune femme se retourna pour affronter l'homme méchant, dont le nez tuméfié avait encore deux fois la grosseur normale.

— Monsieur Dawson, lui dit-elle avec dignité, c'est mon mari qui est dans ce puits.

— Votre mari... votre mari... un meurtrier! Voilà ce que je dis, moi!

Puis, comme s'il craignait d'en avoir trop dit, Grady s'éloigna vivement.

— Seigneur, murmura Abigail, venez en aide à Willem.

Pendant ce temps, Lars s'en était retourné auprès de l'homme qui, effort après effort, mettait chaque fois un peu plus de corde derrière lui.

— Il n'y a rien d'autre à dire : c'est un meurtrier, lança, une fois encore, Grady Dawson visiblement incapable de faire taire sa haine.

— Je me moque de ce qu'il a fait ou de ce qu'il a été! répondit Abigail, excédée. Il est mon mari, et le père de mon enfant. Je l'aime. C'est tout.

Elle avait envie de pleurer, et regrettait de n'avoir pas assez de cran pour donner à l'odieux homme le soufflet qu'il méritait.

— De quoi accusez-vous Willem Tremain, *exactement*? demanda alors l'étranger.

— Comme si vous ne connaissiez pas l'histoire!

— Dites toujours.

— C'était à Leadville, il y a sept ans. L'homme que vous essayez de sauver a fait massacrer une équipe de mineurs tout entière.

Brawley approuva d'un grognement.

L'homme assis au bord du puits haussa les épaules, mais il ne put répondre, car le cri d'Abigail retentit dans la nuit :

— Regardez, c'est lui!

Tous les regards se tournèrent vers le puits, où venait d'apparaître la tête dodelinante de Willem; une grosse blessure, près de sa tempe, saignait d'abondance.

— Mon Dieu! Est-il encore en vie? s'inquiéta la jeune femme.

Aidé de Lars, l'homme luttait pour sortir le blessé du piège. Au prix de tant d'efforts conjugués, ils parvinrent enfin à le tirer sur le rebord, puis pour plus de sûreté l'entraînèrent un peu plus loin, à un endroit où un brusque écroulement ne risquait pas de tout remettre en cause.

Abigail se précipita.

— Willem! Willem?

Elle sanglotait, tandis que l'homme coupait la corde dont le blessé s'était ceint. D'abord, elle n'obtint aucune réaction, puis perçut un soupir, très faible. Enfin, Willem agita doucement la tête, en plissant le front : il semblait souffrir beaucoup.

— Willem, répéta-t-elle.

Elle lui effleura le visage ; il ouvrit les yeux.

— Abigail ?

— Oui, c'est moi.

— Est-ce que vous allez bien ?

— Bon ! dit l'homme pendant qu'Abigail et Willem découvraient, émerveillés, qu'ils étaient bien vivants ; si nous parlions un peu de ce fameux accident ? C'était à Leadville, dites-vous ? Est-ce que vous y étiez ?

Il s'avança vers Grady Dawson et Brawley Cummins, qui, déjà inquiets, reculèrent de quelques pas.

— Non, je n'y étais pas, admit Grady Dawson.

— Moi non plus, convint, piteusement, Brawley Cummins.

— Alors ? demanda l'homme.

— Nous en avons entendu parler.

— Vous en avez entendu parler ! Puis-je savoir ce que vous avez entendu dire ?

Son attention attirée par cette conversation, Abigail se pencha à l'oreille de Willem :

— Peu m'importe ce que vous avez fait. C'est l'homme d'aujourd'hui, que j'aime ; pas celui d'autrefois ; pas l'Irlandais Noir.

Willem sourit.

— Moi aussi, je vous aime, Abigail...

Il essaya de soulever sa tête, mais la laissa aussitôt retomber sur la neige. Grimaçant de douleur, il demanda :

— Qui est l'homme qui parle ?

— Je ne sais pas. C'est lui qui vous a sauvé la vie.

**

— Laissez-moi vous dire une bonne chose, expliqua l'inconnu. Cet effondrement, à Leadville, c'était un accident. La responsabilité de Willem Tremain, en cette affaire, est nulle, puisqu'on lui a livré des bâtons de dynamite défectueux.

— Et vous croyez que nous allons gober cela ! s'exclama Grady Dawson. Si cela était vrai, il n'eût pas été le seul rescapé de l'accident ; et d'abord, d'où vient cette histoire de dynamite défectueuse ?

— Willem Tremain n'a pas été le seul à sortir, proclama l'homme, d'une voix ferme.

— Ah, ça, c'est vrai, admit Brawley. J'ai toujours entendu dire qu'il y avait eu un autre survivant...

Il se rapprocha pour regarder l'inconnu sous le nez.

— Mais d'abord, qui êtes-vous ?

— L'autre survivant : Sennen Mulgrew...

L'homme accorda à son auditoire le moment de répit nécessaire pour prendre bien conscience de la révélation.

— Tout le monde parle de cet accident, chacun prétend connaître la vérité, mais deux mineurs seulement peuvent la dire : Willem Tremain, qui n'a jamais daigné se disculper ; et moi. Je vous raconterai donc ce qui s'est passé à Leadville. Il a fallu trois jours aux sauveteurs pour déblayer les décombres et parvenir jusqu'au lieu de la catastrophe ; trois jours d'enfer pour les deux survivants. Avez-vous la moindre idée de ce que nous avons vécu ? Pouvez-vous imaginer dans quel état se trouve un homme ayant subi une telle épreuve ?

Willem avait réussi à se redresser sur un coude. D'une voix faible, il lança :

— Je t'en prie, Sennen. Ne dis plus rien.

— Non, Willem. Il est temps de faire taire ces charognards...

Sennen alla se placer devant les deux accusateurs déconfits, pour leur cracher la vérité en plein visage :

— Quand les sauveteurs nous ont évacués, nous n'étions plus que des loques humaines. Taraudés par l'horreur et la souffrance, nous ne savions plus où nous étions ; Willem surtout, parce qu'il avait causé l'accident en faisant exploser de la dynamite défectueuse, avait presque perdu la raison. Le malheur, c'est que Moïra, sa femme, ne voulait pas le comprendre. J'ai essayé de lui expliquer. Elle a refusé de m'entendre, ne voulant voir que folie et violence alors que Willem, nuit après nuit, hurlait à cause des cauchemars qui ne lui laissaient aucun repos. Un jour, elle a choisi de fuir. C'est alors que les rumeurs malveillantes ont commencé à prendre corps...

Emu par la plaidoirie qui le disculpait définitivement, Willem toussota.

— Pendant des années, mon ami a porté sur ses épaules le poids de l'accident et de la solitude conjugale, et ce d'autant plus que des individus sans scrupules l'ont accablé de sarcasmes, de ragots infâmes, ainsi que d'un surnom ignoble qui ne contribua pas pour peu à sa légende. Je vous le répète maintenant : il n'est pas plus coupable que ces malheureux qui se trouvaient avec lui dans la mine, ce jour-là.

— Et nous ? murmura Abigail. Qu'adviendra-t-il de nous, maintenant ?

— Pour commencer, répondit Willem en souriant, nous devons rentrer à la maison. Matthew doit s'inquiéter pour sa maman.

Il baisa la main de la jeune femme.

— Je l'aime comme s'il était né de mon ventre, dit-elle avec ferveur.

— Je sais. Il est à vous, bien à vous. Il est l'enfant de votre cœur.

Willem ferma soudain les yeux, et sur les doigts d'Abigail, sa main se serra convulsivement.

— Vous avez mal, lui dit-elle. Où êtes-vous blessé?

— Abigail, jamais je ne me suis senti mieux de ma vie.

Il réussit à sourire, et s'amusa même à essayer de remettre en place une des fameuses mèches rebelles de la jeune femme au visage tuméfié et plein de boue; elle ne lui avait jamais paru plus belle qu'en cet instant.

— Willem, lui dit-elle, je veux que nous retournions voir le juge de Silverton.

Il fronça les sourcils.

— Je ferai tout ce que vous voudrez, Abigail.

— J'espère bien, mais savez-vous pourquoi je souhaite cette nouvelle démarche?

— Non... non.

— Je veux que nous nous remariions.

— Nous remarier? Pourquoi? Une fois ne vous suffit-elle donc pas?

— Non; il faut le célébrer de nouveau, parce que je veux que cette fois vous sachiez bien que je ne me donne pas à vous à cause de Matthew. Je veux vous prouver que je vous épouse pour vous-même, pour la vie, parce que je vous aime. Et en plus, il nous faudra un mariage religieux!

— En êtes-vous bien sûre, Abbie? Vous connaissez mon passé trouble et mes humeurs noires. Croyez-vous vraiment prudent de vous unir à un homme tel que moi?

— Oui, et ce serait une véritable folie que de ne le faire point. J'ai été assez sotte ces derniers temps, en essayant de vous chasser de ma vie, ainsi que de celle de Matthew. Je n'avais d'autre désir, à cette époque, que de nous isoler, lui et moi; de nous retirer du monde, pour vivre un petit bonheur préservé, hors de la vie, en quelque sorte. Je sais maintenant que ce n'est ni sain, ni même possible.

— Abigail, vous êtes un ange, car vous remettez dans ma vie la lumière dont je ne jouissais plus depuis tant d'années. Je vous aime tant, mon amour.

— Nous avons encore une mission à accomplir ; une très importante mission.

— Laquelle ?

— Nous devons apprendre à Matthew la vérité au sujet de son père.

Willem s'accorda un instant de réflexion avant de répondre :

— Abbie, si vous faites cela, vous serez obligée de parler de Moïra. Or, vous êtes la seule mère de cet enfant, sa seule *vraie* mère.

Abigail sourit, et, d'un doigt, ferma les lèvres de son mari.

— Matthew sera toujours l'enfant de mon cœur. D'autre part, je le crois assez sage pour entendre, et comprendre la vérité.

— Très bien, Abbie. Je m'en remets à vous.

Emu au plus profond de son âme, Willem attira Abigail contre lui. Il avait envie de la serrer dans ses bras, de l'embrasser, malgré sa douleur, malgré le froid, malgré la neige qui les recouvrait déjà, car les flocons n'avaient jamais cessé de tomber.

Lars intervint :

— Dites donc, les tourtereaux : ne croyez-vous pas qu'il serait temps de rentrer à la maison ?

Willem regarda par-dessous les cheveux d'Abigail : le vieillard et Sennen Mulgrew lui souriaient ; Brawley Cummins et Grady Dawson avaient disparu dans la tempête nocturne.

— Allons-y, dit-il tendrement à Abigail. Rentrons à la maison, auprès de notre petit.

Les Historiques
HARLEQUIN

Pleins feux sur la passion
et les tumultes de l'Histoire

Dans *Les Historiques*, les orages du cœur se mêlent aux tempêtes de l'Histoire, depuis les croisades en Terre Sainte jusqu'à l'essor du Nouveau Monde, en passant par la Révolution russe et les soubresauts de la vieille Europe…

Les Historiques vous offrent tous les deux mois des récits captivants et des destins exceptionnels de personnages emportés par le souffle de l'aventure.

Les Historiques Harlequin
Le tourbillon de l'Histoire, le souffle de la passion.

5 romans inédits tous les deux mois

Découvrez ce mois-çi

Rapt, *de Erica Spindler • N° 153*

Harlow Anastasia Grail, petite fille de la jet-set enlevée et séquestrée dans de terribles circonstances, a réussi en vingt-cinq ans à se faire oublier derrière une fausse identité. Anna Worth — c'est désormais son nom — est une romancière de talent. Et seuls de fréquents cauchemars lui rappellent encore son passé tragique. Jusqu'au jour où le vent glacé de la peur se remet à souffler sur son existence. D'abord, ce sont des lettres inquiétantes. Puis une amie qui disparaît. Un tueur en série qui s'attaque à des jeunes femmes rousses comme elle. Peu à peu, Anna se retrouve, impuissante, à la merci des fantômes surgis du passé.

L'alibi, *de Christiane Heggan • N° 154*

Depuis son divorce, Julia Bradshaw a ouvert à Monterey une petite auberge, La Hacienda. Une affaire qui l'oblige à emprunter de l'argent à la banque mais lui permet de conquérir son indépendance. Jusqu'au jour où elle apprend avec horreur que Paul, son ex-mari, a racheté son emprunt et veut utiliser ce moyen de pression pour la convaincre de revenir vivre avec lui. Pour Julia, il n'est pas question de reprendre une vie commune avec cet homme brutal et jaloux qu'elle a quitté sans regret. Et elle le lui fait comprendre. Hélas, le lendemain, Paul est retrouvé assassiné chez lui. L'étau se resserre autour de Julia…

Un homme disparaît, *de Margot Dalton • N° 103 **Réédition***

L'affaire a commencé depuis que John Stevenson, un homme estimé de tous, s'est volatilisé en emportant ses économies et en abandonnant une épouse et quatre enfants. Depuis, les morts se succèdent. Entre fausses pistes et vrais rebondissements, l'inspecteur Jackie Kaminsky tente de cerner la personnalité de Stevenson: mari infidèle? dangereux meurtrier? Déroutée par les témoignages de ses proches, Jackie ne voit bientôt plus qu'un moyen d'en avoir le cœur net: interroger Stevenson lui-même. Et pour cela il faut le retrouver, sans savoir de quoi cet homme traqué sera capable.

COMPLÉTEZ
VOTRE COLLECTION !

*Pour prolonger le tourbillon de l'Histoire
et le souffle de la passion...
...découvrez les romans de votre collection
Les Historiques
que vous n'avez pas encore lus !*

4,57 € par roman.

Ces volumes sont disponibles auprès du Service Lectrices dans la limite des stocks. Si vous souhaitez commander certains titres, cochez les livres choisis et indiquez vos coordonnées dans le bon de commande ci-joint.

Chaque volume est vendu au prix de 4,57 €, auquel s'ajoutent 2,05 € par colis pour la participation aux frais de port et d'emballage.

N'envoyez pas d'argent aujourd'hui, une facture accompagnera votre colis.

<u>Renvoyez ce bon à :</u> Service Lectrices HARLEQUIN CÉDAP / BP 77 - 94232 CACHAN CEDEX.

Mme ☐   Mlle ☐   Si abonnée, n° : ⌊_⌋⌊_⌋⌊_⌋⌊_⌋⌊_⌋⌊_⌋⌊_⌋⌊_⌋

NOM _____

Prénom _____

Adresse _____

Code Postal ⌊_⌋⌊_⌋⌊_⌋⌊_⌋⌊_⌋   Ville _____

_____ Tél. : ⌊_⌋⌊_⌋⌊_⌋⌊_⌋⌊_⌋⌊_⌋⌊_⌋⌊_⌋⌊_⌋⌊_⌋

Adresse e-mail _____

Signature indispensable

Date d'anniversaire ⌊_⌋⌊_⌋ ⌊_⌋⌊_⌋ ⌊_⌋⌊_⌋⌊_⌋⌊_⌋

Le **Service Lectrices** est à votre écoute au **01.45.82.47.47** du lundi au jeudi de 9h à 17h et le vendredi de 9h à 15h.